ALGO MAS QUE OPIO

Colección SOCIOLOGIA DE LA RELIGION

ALGO MAS QUE OPIO

Una lectura antropológica del pentecostalismo latinoamericano y caribeño

Barbara Boudewijnse
André Droogers
Frans Kamsteeg

(editores)

EDICION GRAFICA: Jorge David Aruj
PORTADA: Carlos Aguilar Quirós
CORRECCION: Guillermo Meléndez

215.72
A 396a   Algo más que opio: una lectura antropológica
             del pentecostalismo latinoamericano y caribeño /
             editado por Bárbara Boudewijnse, André Droogers y Frans Kamsteeg
             —1a. ed.— San José, Costa Rica, DEI, 1991
        180 p.; 21 cm. —(Colección Sociología de la Religión)

        ISBN 9977-83-044-4

        1. América Latina — Aspectos religiosos.
        2. Pentecostalismo.
        I. Boudewijnse, Bárbara, ed.
        II. Droogers, André, ed.
        III. Kamsteeg, Frans, ed.
        IV. Título.
        V. Serie.

Hecho el depósito de ley

ISBN 9977-83-044-4

La traducción al español de este volumen fue posible gracias a la contribución del Fondo de
la Universidad Libre de Amsterdam.

Impreso en Costa Rica • Printed in Costa Rica

PARA PEDIDOS O INFORMACION DIRIGIRSE A:

EDITORIAL DEI
Departamento Ecuménico de Investigaciones
Apartado 390-2070
SABANILLA
SAN JOSE — COSTA RICA
Teléfonos 53-02-29 y 53-91-24
Télex 3472 ADEI CR
Fax (506) 53-15-41

CONTENIDO

PRESENTACION

En los últimos veinte años, hemos presenciado un proceso de acercamiento y búsqueda de cientistas sociales y teólogos al tema pentecostal. Christian Lalive d'Epinay publicó un trabajo pionero, *El refugio de las masas,* sobre el pentecostalismo chileno en 1968. Después de ese trabajo inicial se sucedieron una serie de investigaciones en todo el continente, desde el pentecostalismo hispano en Estados Unidos hasta el surgimiento de las nuevas iglesias pentecostales en Brasil. Sin embargo, la mayoría de esos trabajos han adolecido de una cierta "lectura maniquea" que no justipreciaba los elementos positivos y valiosos de estos movimentos religiosos emergentes, y los catalogaba de religiosidad enajenante sin más. Se privilegiaba el estudio fenomenológico y se dejaba de lado la valoración desde dentro de la propia dinámica de aquéllos movimientos.

Hemos sido mucho más afortunados con la presente colección de trabajos. Son aportes desde la antropología cultural, pero sopesados desde una valoración misiológica de los movimientos en estudio. Como lo expresa acertadamente la introducción: "El tema de esta publicación no sólo tiene relevancia científica, sino también misiológica". Los trabajos son estudios de casos muy bien elaborados, con rigor científico, e interpretados desde las sociedades donde se inscriben los casos estudiados. Hay un acercamiento respetuoso y balanceado con aportes críticos, aunque sin panfletismos ni aseveraciones antojadizas. En este sentido, esta colección supera los defectos de otros aportes que han manejado el "síndrome conspirativo", que ve solamente manipulaciones y utilizaciones de los grupos religiosos con fines políticos. Los ensayos poseen, además, una fuerza testimonial fruto del contacto directo con las comunidades estudiadas. Por todo ello, esta colección puede ser un instrumento muy útil, tanto en cursos de antropología cultural como en programas teológicos, que busquen un acercamiento serio a los movimientos carismáticos y pentecostales.

El libro incluye asimismo una excelente bibliografía, la cual constituye un aporte pionero en el idioma español para los que deseen profundizar en el tema.

Hay que felicitar a los compañeros y compañeras de la Universidad Libre de Holanda, que como equipo investigativo realizó esta tarea.

Carmelo E. Alvarez
Coordinador General del DEI

11

INTRODUCCION

Puede afirmarse que el crecimiento del pentecostalismo en Latinoamérica y el Caribe es espectacular. Se supone que, en este momento, la región cuenta con más pastores pentecostales que sacerdotes católicos. En las grandes ciudades, el número de templos pentecostales ya sobrepasa el de iglesias católicas. Asimismo, ha surgido dentro de la iglesia católica un movimiento carismático, e incluso ha aparecido un movimiento de renovación carismática en las iglesias protestantes. Los pentecostales constituyen ahora la mayoría de los protestantes en la región (comúnmente llamados evangélicos), hasta tal extremo que, en muchos países, "ser protestante" significa lo mismo que "ser pentecostal".

Las iglesias pentecostales y los movimientos carismáticos se distinguen en algunos puntos importantes de otras formas de cristianismo. Se considera central la actuación del Espíritu Santo. Los que han sido bautizados en el Espíritu Santo, reciben los dones espirituales, como por ejemplo, el hablar en lenguas (glosolalia), la sanidad o la profecía. A causa del énfasis en estos dones, la posición de los laicos es muy prominente. Además, se subraya la experiencia personal de fe, y la resolución de problemas a través de ésta. Los pentecostales testimonian generalmente con gozo y demuestran una actitud proselitista. En los cultos se da amplia posibilidad a los miembros para manifestarse espontáneamente, y para la discusión de los problemas personales. Igualmente se escuchan en cada reunión los testimonios y los llamamientos a la conversión. La segunda venida de Cristo es muy esperada; la Biblia se lee y comprende de un modo directo y literal.

La iglesias protestantes históricas y establecidas se inquietan un tanto por este crecimiento del pentecostalismo. Esta inquietud es fomentada porque muchas veces las iglesias pentecostales se oponen a los cambios sociales planteados por las iglesias protestantes más progresistas. La oleada de iglesias evangélicas que se está introduciendo recientemente, proveniente de los Estados Unidos, y que incluye a la "iglesia electrónica", ha aumentado aún más tal preocupación, puesto que en estas iglesias los intereses ideológicos juegan un rol explícito. Los organizadores de las grandes campañas evangelísticas de avivamiento, por ejemplo, presentan la conversión como un acto principalmente anti-comunista. En noviembre de 1986, durante una conferencia en Cuenca (Ecuador), en la cual participaron tanto católicos como protestantes –principalmente de las iglesias históricas–, se discutió profundamente el desafío que constituyen los nuevos movimientos religiosos, refiriéndose a los pentecostales, evangélicos y otros.

Los artículos de esta selección fueron escritos originalmente para una conferencia sobre el pentecostalismo en Latinoamérica y el Caribe. Esta se llevó a cabo en abril de 1988, en la Universidad Libre de Amsterdam, Holanda. Dentro del Departamento de Antropología Cultural y Sociología de las Sociedades No-Occidentales de esta universidad, un grupo de estudio despliega actividades relacionadas al tema "Pentecostalismo en Latinoamérica y el Caribe", e incluye, entre otras cosas, la discusión de los resultados de las investigaciones de los participantes. Toman parte en las conversaciones, antropólogos de distintas universidades. La conferencia mencionada fue organizada por el mismo grupo de estudio.

Los autores y autoras de esta colección han producido artículos antropológico-culturales, basados en el trabajo de campo y el análisis de literatura. Algunos realizaron este trabajo de campo en el marco de su carrera universitaria. Los artículos no abordan específicamente la última fase del crecimiento pentecostal. Dado que se trata de estudios de antropología cultural, los autores intentan penetrar en los aspectos sociales y culturales del pentecostalismo, a través de la presentación de datos recolectados por medio de la observación participante y las entrevistas profundas. Este procedimiento hace que se ponga énfasis sobre todo en casos específicos y de menor escala, los cuales no son necesariamente representativos de los conjuntos más grandes, pero que se prestan, sin embargo, a ser estudiados de manera intensiva. En su conjunto, los artículos constituyen algunas piezas del gran rompecabezas que representa el pentecostalismo en la región. La diversidad regional y temática de los estudios es relativamente caprichosa, no obstante lo cual, y aunque las pretensiones sean modestas, se podrán reconocer algunas características más generales.

El tema de esta publicación no sólo tiene relevancia científica, sino también misiológica. Pues en este momento, la mayoría de las iglesias occidentales, y ciertamente las instituciones misioneras y diaconales, reconocen el significado de la religión para las sociedades involucradas en el proceso de desarrollo, no importa cómo se defina este último concepto. De los estudios del crecimiento y el rol social del pentecostalismo, se evidencia que la religión puede ser un factor determinante tanto para estimular el desarrollo, como para frenarlo. El aspecto relativo al poder desempeña allí un papel esencial, ya que la política de desarrollo a nivel gobernamental puede variar según su orientación –socialista o liberal/

14

capitalista– con respecto a la concentración y la distribución de este poder. En este "proceso del poder", el pentecostalismo tiene su propio lugar. La cuestión del poder hace aún más importante, sin embargo, la investigación del tema del crecimiento del pentecostalismo.

Los artículos

En el primer artículo de la colección, André Droogers presenta algunas explicaciones, proporcionadas por las ciencias sociales, del crecimiento del pentecostalismo en Chile y Brasil. Sobre todo, el autor concentra su atención en las paradojas entre las respectivas explicaciones, y luego investiga la relación con las supuestas contradicciones entre las diferentes formas de manifestación del pentecostalismo.

En su contribución, Angela Hoekstra examina en qué medida las interpretaciones del pentecostalismo urbano sirven para aclarar el pentecostalismo rural –un terreno hasta ahora descuidado en la literatura. Enfoca su atención en la situación de Pernambuco, un departamento en el nordeste del Brasil. Usando el estudio de Novaes, ella concluye, entre otras cosas, que la participación política activa de los creyentes pentecostales en el campo, es una posibilidad real. Además resulta que en el campo se presentan condiciones propias y específicas para la divulgación del pentecostalismo.

En su descripción del movimiento carismático dentro de la iglesia católica de Curazao, Barbara Boudewijnse enfatiza que este movimiento atrae a muchas mujeres de clase media. Ella conecta este fenómeno con las relaciones entre los sexos, con la oferta de una alternativa de protección contra toda clase de peligros que proporciona tradicionalmente la "brua", con la reciente "provatización de la religión, y, finalmente, con la creciente pluralidad de la significación religiosa. La autonomía de los grupos de oración y la limitada influencia del clero católico, son otras dos características sobresalientes del movimiento.

Hanneke Slootweg entrevistó a una docena de mujeres pentecostales en el norte de Chile, sobre los cambios que se produjeron en su vida a partir de su conversión. En su artículo, las mujeres hablan por sí mismas. No puede decirse con seguridad si puede tomarse la conversión de las mujeres como un ejemplo de estrategia personal, aunque sí es cierto que las iglesias pentecostales tienen mucho para ofrecer a las mujeres, como se desprende también de las citas en el texto.

Frans Kamsteeg adhiere a la paradoja contenida en la presencia simultánea de una tendencia igualitaria y otra jerárquica dentro del pentecostalismo. Partiendo de un estudio de caso sobre una iglesia pentecostal en Arequipa, Perú, demuestra cómo esta contradicción contribuye a la extensión de esta iglesia.

Refiriéndose a los datos de su trabajo de campo en Alagoinhas (Bahía, Brasil), Allard Willemier Westra examina en su contribución cuál es la impresión que deja la oferta de las iglesias pentecostales y del candomblé, respectivamente, en los "consumidores de salvación" brasileños. El plantea que el mensaje pentecostal es menos paradójico que el del candomblé, lo cual conduce a que las iglesias pentecostales –en el contexto social de hoy día– empiecen a atraer más a la gente que el candomblé. Con respecto al uso del concepto "paradoja", el autor propone algunas distinciones más precisas.

La recopilación concluye con una bibliografía de más de 700 títulos, elaborada por André Droogers.

VISIONES PARADOJICAS SOBRE UNA RELIGION PARADOJICA.
Modelos explicativos del crecimiento del pentecostalismo en Brasil y Chile

André Droogers

El único modo de lograr una visión correcta y un conocimiento confiable del mundo es por medio de una sofisticada epistemología que considere la contradicción intratable, la paradoja, la ironía y la inseguridad en la explicación de las actividades humanas (Marcus y Fischer 1986:14,15)*

Introducción

Las iglesias pentecostales y los grupos carismáticos, de aquí en adelante reunidos bajo el común denominador de pentecostalismo, experimentan en Latinoamérica y el Caribe un crecimiento espectacular. Este último es el aspecto que ha atraído más la atención de los científicos sociales. En este artículo se tomarán en consideración algunas explicaciones de la sorprendente expansión del pentecostalismo en Chile y Brasil. Se ha determinado limitar este análisis del pentecostalismo a sólo dos países, debido a que los principales autores se han ocupado precisamente de estos dos casos.

La investigación de las influencias sociales no excluye el reconocimiento del "status" autónomo relativo de las religiones. Del modo en que lo veremos en este trabajo, la pregunta más interesante del debate sobre las causas del crecimiento del pentecostalismo, es en qué medida y cómo los procesos sociales y las religiones se influyen recíprocamente. Sobre esto se dan respuestas sumamente divergentes.

* "The only way an accurate view and confident knowledge of the world is trough a sophisticated espitemology that takes full account of intractable contradiction, paradox, irony, and uncertainty in the explanation of human activities" (Marcus and Fischer 1986: 14, 15).

Lamentablemente, en la bibliografía explicativa se habla muy poco de los movimientos carismáticos, y los modelos son aplicados especialmente a las iglesias pentecostales. De manera implícita, mucho de lo dicho sobre estas iglesias vale también para estos movimientos. Por lo tanto, usaremos de aquí en adelante el término pentecostalismo como denominador común.

En las explicaciones a analizar, se brinda amplia atención a una serie de características contradictorias del pentecostalismo. Podemos agregar que las mismas explicaciones científicas también muestran contradicciones entre sí. Debido a que, desde un punto de vista lógico, estas contradicciones no deberían poder ocurrir simultáneamente, pero sin embargo ocurren, se las vivencia como paradójicas y problemáticas. En este artículo se demostrará que, partiendo de un aborde "ecléctico" (Droogers 1985, ver también Marcus y Fischer 1986:x,7-16; Tennekes 1985:61,62,64,86), con el cual se pretende combinar diferentes modelos explicativos, deberá verse a las contradicciones contenidas en estos modos de explicación no como problemáticas, sino como enriquecedoras. La realidad resulta ser tan contradictoria y rebelde, que apenas se presta a explicaciones científicas integrales. Además, también se probará que una parte de las ya señaladas contradicciones dentro del pentecostalismo, pueden reducirse a la preferencia unilateral de los autores por un modelo en particular. Con frecuencia ellos no tienen ojos para ver que lo paradójico es normal, y agrandan aún más esta carencia, ofreciendo explicaciones bastante exclusivas. La elección del tema de este artículo ha sido inspirado por un estudio reciente sobre las paradojas en otra religión (Willemier Westra 1987).

La temática de este texto es entonces doble. No sólo se trata de plantear el crecimiento del pentecostalismo, sino también los modos de explicación científica. El artículo se desarrolla de la siguiente manera. Primero se precisarán –en forma consecutiva– la diversidad en la formación de teorías y el carácter contradictorio (real o aparente) del pentecostalismo. Luego se discutirán, en bloques separados, modos explicativos basados –respectivamente– en los conceptos de anomia, clase y modernización fallida. Se estará constantemente indagando las ventajas y los perjuicios que implica un abordaje determinado. La doble temática será tratada nuevamente en una reflexión final.

1. La diversidad de teorías

Nuestro punto de partida es la consideración de que el conocimiento humano tiene la posibilidad de extender los límites de nuestro horizonte, pero, no obstante, es finito. En las ciencias sociales tenemos que manejar una variada oferta de modelos teóricos. Este también es el caso en un tema aparentemente limitado como lo es el del crecimiento del pentecostalismo en Chile y Brasil. Tiene sentido inventariar las variantes que concuerdan con esta diversidad de explicaciones, porque ellas nos proporcionan una medida para evaluar la restricción de los modelos que son aquí discutidos. Ahora bien, ¿de qué opciones se trata? Con frecuencia, ya al formular el problema central se hace una selección de las características de un fenómeno. Esta selección puede ser la consecuencia de hipótesis –muchas veces sustentadas ideológicamente– sobre la pregunta de si la sociedad puede ser caracterizada por el consenso o por el conflicto. Otra distinción factible es que algunos autores parten de mecanismos existentes en la sociedad, tales como una tendencia al equilibrio, o una influencia preponderante de los factores económicos, mientras que otros se fijan sobre todo en cómo actúan los individuos, y, por ejemplo, cómo sopesan los pro y los contras de las distintas alternativas. Ya recae el énfasis en la religión como respuesta al cambio social, ya se la considera como causa de este último. A veces se pone la mirada sobre factores externos, fuera de la religión, otras sobre factores internos. Para unos es esencial lo que la religión *hace*, y lo que ésta provoca en la sociedad y la vidad de las personas. Para otros las cuestiones esenciales son qué es la religión interiormente, y el hecho de que ésta se relacione con la realidad en una dimensión invisible. Mientras un autor parte de las iglesias pentecostales en Chile, en otros las explicaciones surgen de datos provenientes del Brasil. A veces se trabaja tomando un marco comparativo específico (por ejemplo, otra religión, otro período histórico), lo cual puede conducir a diferentes resultados, ya que algunos se concentran en las semejanzas, y otros en las diferencias. Existen variaciones también porque uno se basa en el origen de un fenómeno, y el otro en su persistencia. Algunos autores ponen énfasis en la ruptura con el pasado, otros en la continuidad, otros en ambas.

En tanto el punto de referencia para una explicación puede variar, la formación de teorías –la presentación de relaciones causales para la explicación de los fenómenos– es una cuestión relativa. Por lo tanto, podemos comenzar diciendo que los modelos de uso corriente tienen un valor explicativo limitado, y sobre todo son útiles para esbozar relaciones causales posibles. Según la perspectiva ecléctica, los modelos no se excluyen de antemano entre sí, sino que se complementan. Abren los ojos del investigador a las relaciones causales posibles. El exclusivismo puede reducir su visión y empobrecerla. Visto de este modo, las mencionadas contradicciones son realmente un elemento beneficioso porque nos llevan a poner nuestra atención en características y relaciones divergentes.

En este artículo nos concentraremos, por ejemplo, en el rol del pentecostalismo en una situación de cambios sociales radicales. Más arriba hemos visto que algunos modelos hacen énfasis en el consenso, y otros en el conflicto. En consecuencia, no debe sólo plantearse qué rol juegan las iglesias pentecostales y los movimientos carismáticos en el logro de un nuevo consenso, sino también, cuál es su disposición hacia los conflictos que cobran actualidad a través de estos cambios.

El hecho de que los autores –para dar otro ejemplo– pongan al pentecostalismo dentro de marcos de comparación divergentes, no puede más que ampliar nuestra visión. Puede ser muy clarificador comparar a las iglesias pentecostales con otras iglesias protestantes, con la iglesia católica romana, con el catolicismo popular y otras formas de religión popular, y con religiones afro-brasileñas. Consideraremos las contribuciones de los autores de referencia como azulejos dentro de un mosaico, los cuales pueden, uno con el otro, formar una imagen lo más perfecta posible, pero nunca completa (ver Lalive 1977:9). Teniendo en cuenta esto, no es necesario negar las contradicciones ideológicas, porque éstas pueden determinar opciones, por ejemplo, en la selección de un tema de investigación o en una fase tardía más práctica. Mientras se trate de la comprensión de la realidad social, cada observación, no importa cuán parcial o subjetiva sea, es bienvenida para la prosecución de un rastro.

Por otra parte, esto no significa que todo cuanto se haya publicado sea importante. Es mejor no tener grandes expectativas con respecto a la contribución de las ciencias sociales. Lo cierto es que un abordaje ecléctico, expresado con sencillez, puede ofrecer más que una estrategia de investigación que se ciña a un modelo.

2. Una religión ambivalente

Entonces, aún antes de que el tema propiamente dicho esté planteado, se habla de una diversidad a veces confusa. Cuando a continuación dirijamos nuestra mirada hacia el pentecostalismo brasileño y chileno, nos veremos confrontados con una variación todavía mayor, y con tendencias contradictorias.

No todas las características alegadas para el pentecostalismo están presentes en todas las iglesias y movimientos. Aunque en todas partes los dones del Espíritu ocupan un lugar central, esto puede conducir a prácticas que difieran ostensiblemente en intensidad, variando desde emocionalidad dirigida, hasta aparente éxtasis ilimitado. El exorcismo (conjuro de los espíritus demoníacos), puede ser tanto regla como excepción. La curación puede ser *la* actividad del mismo modo que *una* actividad. Mientras que la mayoría de las iglesias pentecostales rechaza la teología de la liberación, existen algunas que se inspiran en ella (ver, por ejemplo, Bonilla 1985).

Aparte de la división entre movimientos carismáticos (dentro de las iglesias establecidas) e iglesias pentecostales, es posible separar a su vez la última categoría en diferentes tipos de iglesias (ver Souza 1969; Yinger 1970:251-281). Así, hablamos de las iglesias que fueron fundadas a comienzos de este siglo, y que ahora ya comienzan a mostrar indicios de las denominaciones (más jerarquía, más compromiso con valores de la sociedad, más relaciones ecuménicas). Además de ésas, están las iglesias que fueron creadas alrededor de los años cuarenta o cincuenta, con frecuencia después de una campaña iniciada desde el extranjero, y que han crecido fuertemente. En los años setenta ha comenzado una nueva serie de campañas de evangelización, principalmente por iniciativa norteamericana, y con un claro mensaje ideológico: la conversión es la alternativa contra el comunismo. También estas cruzadas han llevado a la fundación de, entre otras (pero de manera no exclusiva), iglesias pentecostales (Domínguez y Huntington 1984; Valderrey 1985). De un carácter totalmente diferente son las "salas de curación", donde se llevan a cabo servicios diarios, y que son empresas unipersonales. Para terminar, hay pequeñas iglesias principiantes, a nivel del barrio, con algunas decenas de miembros, y que responden con frecuencia al carisma de un hombre o de una mujer. El hecho de que existan tipos tan diferentes, hace muy difícil y riesgoso generalizar.

La diversidad se presenta asimismo con relación a la posición social de los creyentes pentecostales. Generalmente se pone énfasis en el hecho de que los creyentes pentecostales pertenecen a las clases bajas de la sociedad. Sin embargo, hay también en esto grados posibles, porque algunas iglesias se constituyen con base en los más pobres, mientras que de otras puede decirse que así han comenzado, pero entre tanto, tienen una membresía que pertenece a la clase media: justamente es a través de la creencia pentecostal que la gente puede verse estimulada a ascender en la escala social. Además, hay iglesias pentecostales surgidas dentro de la clase media o aún estratos sociales más elevados. Esta variación en la posición social de los creyentes pentecostales, tiene consecuencias para la explicación del crecimiento del pentecostalismo desde la perspectiva de las ciencias sociales.

Complica todavía más las cosas la aparición simultánea de aparentes características contradictorias, circunstancia que ha estimulado aún más la divergencia en la elaboración de teorías. Los creyentes pentecostales por sí mismos no advierten esta contradicción. Son los investigadores quienes partiendo de una perspectiva científico social –tenga o no ésta un tinte ideológico– y a veces también desde una visión tradicional –protestante o católica–, han reclamado atención para estas características. En honor a la verdad debe decirse que estas últimas, en su forma más extrema, en ocasiones tienen relación con diferentes tipos de pentecostalismo. Sin embargo, no todas las contradicciones han sido eliminadas con esta constatación. El crecimiento del pentecostalismo va de la mano con los cambios sociales. Como consecuencia se encontrarán lo viejo y lo nuevo –en contradicción– uno junto al otro. Una ruptura total es imposible. Incluso cuando se trate de un cambio progresivo de un tipo de iglesia hacia otro, no se descarta que éstas presenten simultáneamente tendencias contrapuestas.

Con la reserva mencionada, pueden señalarse las siguientes paradojas en la literatura:

–La fe pentecostal rehabilita a los laicos, justamente por medio del énfasis en los dones del Espíritu Santo. Sin embargo, hay iglesias organizadas de una manera fuertemente jerárquica, donde los pastores tienen mucho poder. Allí las tendencias jerárquicas e igualitarias se dan simultáneamente.

–Hay amplia libertad para expresarse emocionalmente. Por otra parte, se habla con frecuencia de una dirección rígida, y que se sirve de un discurso fundamentalista y a veces legalista. Esto último aparece sobre todo en las prédicas y en la aplicación de la disciplina.

–La sociedad circundante es descrita como funesta por los creyentes pentecostales, a partir de una forma de pensar muy antitética y dualista que se impone de toda clase de maneras diferentes. En relación con esto se habla de protestas y de una "huelga social". Los creyentes pentecostales se han despedido de este mundo, y han comenzado una vida nueva y radical (Tennekes 1985). Al mismo tiempo, son vistos como ciudadanos y trabajadores ejemplares.

–Los creyentes pentecostales evitan generalmente la política, pero justamente a través de esta abstención son ellos un factor político significativo. Además, según algunos autores, se habla de una protesta simbólica a través de la cual el sistema dominante es criticado de manera indirecta. Recientemente aparece en algunos casos la tendencia a que estas iglesias se vuelvan activas políticamente, ya sea para defender los intereses de la propia gente, ya sea desde una identificación (frecuentemente "made in USA" –hecha en los Estados Unidos) del diablo con el comunismo. Esta última tendencia es sorprendente, dada la actitud apolítica del pasado.

–La gente está fuertemente plantada en la creencia del fin de los tiempos y la venida de Cristo, pero también, simultáneamente, está muy dedicada a la resolución de sus problemas aquí y ahora.

–Para los movimientos carismáticos se impone que permanezcan fieles a la propia iglesia, pero, sin embargo, tan autónomos como sea posible (ver el texto de Barbara Boudewijnse).

–Las mujeres ocupan un rol central más frecuentemente que en otras iglesias. No obstante, su posición subordinada es mantenida y justificada con la Biblia en la mano.

Todas estas características paradójicas son desafíos, del modo que ya veremos, para los autores que quieren explicar el crecimiento del pentecostalismo.

3. Anomia y crecimiento pentecostal

La esencia del abordaje que se vale del concepto de anomia, puede expresarse de la siguiente manera. La anomia es definida por la jerga sociológica como ausencia de normas: a través de la carencia de normas surge la inseguridad con respecto a la conducta correcta. A consecuencia de esto, las relaciones entre las personas se encuentran bajo presión. Los derechos y obligaciones pierden claridad. Desaparece el sentido y la seguridad de las relaciones sociales. Los mismos significados de las palabras y los gestos, ya no son válidos para todas las personas. En sociedades susceptibles de cambios rápidos y grandes contradicciones de intereses, la anomia se presenta inevitablemente. Sin embargo, al mismo tiempo entran en vigencia –según los autores que trabajan con este modelo– mecanismos que conducen a una nueva definición de normas, adaptada a las circunstancias cambiantes. Esto, considerando que la ausencia total de normas podría indicar el fin del individuo y la sociedad. A partir de sus propias necesidades básicas, la gente va en búsqueda de una nueva comunidad. Así surge progresivamente un nuevo consenso –hasta que el ciclo se repite con el transcurso del tiempo. La anomia es una irregularidad transitoria, el consenso es la situación normal.

El crecimiento del pentecostalismo latinoamericano se explica por el hecho de que ofrece nuevas normas ante una situación de anomia. La anomia es producto de la migración a la ciudad. La gente abandona la sociedad rural por razones bastante divergentes, a veces coherentes con la anomia, y busca su paraíso en la ciudad. En las ciudades en vías de industrialización, con un crecimiento rápido, el desarrollo de un sistema de normas no lleva sin embargo el mismo ritmo que los rapidísimos cambios. Las normas sociales rurales, donde ellas tienen vigencia todavía, no son realmente adecuadas para la nueva situación, y aún se carece de nuevas normas. El tipo de relaciones sociales que tenía sentido en el contexto rural, pierde su razón de ser en la ciudad impersonal, con sus anónimos habitantes. Por otra parte, los migrantes han dejado atrás a aquellos con quienes mantenían este tipo de relaciones. Las normas se encuentran incluso más bajo presión, porque los problemas de supervivencia son enormes para los nuevos habitantes de la ciudad. En este vacío social y ético, el pentecostalismo es una ayuda frente a la necesidad. Hay una relación funcional entre el cambio socio-cultural y el crecimiento pentecostal (Lalive 1970:60; Willems 1964:96, 1966:209, 231).

En el trabajo de Emilio Willems (entre otros, 1964, 1966, 1967), encontramos un ejemplo de la manera en que, sobre todo el pentecostalismo brasileño, pero también el chileno, pueden ser explicados recurriendo al concepto de anomia. El no sólo parte de una situación anómica en la ciudad en crecimiento, sino también en el campo, donde la estructura feudal agoniza. La iglesia católica romana es el símbolo de esta estructura anacrónica (Willems, antes de los cambios radicales que se han presentado en los últimos veinte años en la iglesia católica).

La iglesia pentecostal es, según Willems, tan exitosa, porque está mucho más lejos de esta estructura social tradicional agonizante que las restantes iglesias protestantes. El habla de una rebelión simbólica (1964: 103, 1966:226, 1967:140) contra la estructura social perimida, y con ella, también contra la iglesia católica. Los creyentes pentecostales, por ejemplo, hacen que las actitudes paternalistas pierdan su sentido, mostrando que ellos están en condiciones de organizarse sin la ayuda de una élite. La sociedad de estamentos y clases encuentra, de acuerdo con esto, su negación en la igualdad entre los creyentes. El monopolio sobre la salvación de las almas por parte del clero católico, es sustituido por las funciones compartidas por todos los creyentes inspirados por el Espíritu Santo. La impotencia de los pobres se convierte, con ayuda de la fuerza de los dones del Espíritu (curar, profetizar, "hablar en lenguas"), en su contraparte. Aquellos que son negados por el mundo, niegan, a su debido tiempo, ellos mismos al mundo.

La moral fuertemente apegada a las reglas, de la creencia pentecostal, es sumamente efectiva en un contexto anómico. La gente que se convierte, comienza una nueva vida que es radicalmente diferente, porque pone fin a toda ausencia de normas. La congregación pentecostal ofrece a los desarraigados sociales un nuevo marco social, una "personal community" (comunidad personal, Willems 1966:224-225). Ellos se encuentran allí "como en casa", completos ahora con sus nuevos hermanos y hermanas, en reemplazo de los propios parientes que dejaron atrás en el campo. El "status" se toma del rol que la gente desempeña en la congregación. Los dones del Espíritu llevan el prestigio a quienes antes eran anónimos y subestimados. El dinero que anteriormente era gastado en lo que ahora es considerado pecado, puede ser invertido en intentos de ascenso social. En el abordaje de Willems, la creencia pentecostal no es sólo una respuesta frente a una situación de anomia, sino también al mismo tiempo una contribución al proceso de modernización. El pentecostalismo estimula el crecimiento de la clase media, que juega un rol importante en la modernización de la sociedad.

Otro aporte que utiliza el concepto de anomia nos lo ofrece Christian Lalive d'Epinay (1970:60,80) que, por lo demás, posteriormente va a trabajar más con categorías marxistas. El también correlaciona el crecimiento del pentecostalismo con la migración hacia la ciudad (1970:78-79). Comparándolo con Willems, Lalive sin embargo coloca acentos contrapuestos, aunque según él concuerde con la posición del autor mencionado en primer término (1970:88; ver también Fernandes 1977; Tennekes 1985:61-87). El no pone el énfasis en el fracaso de la estructura rural feudal, sino que la ve continuarse en la iglesia pentecostal urbana: la función del terrateniente, que como patrón determina en gran medida la vida de sus subordinados, es asumida por el pastor pentecostal (1970:88,126-127). La protesta simbólica contra la sociedad moderna está presente en el retorno al pasado. Para Willems, la iglesia pentecostal era un impulso hacia la democracia y el liberalismo; para Lalive, por el contrario, se trata de actitudes autoritarias y de conformismo político, aunque él también dirige la atención sobre la nueva posibilidad en Chile de escalar a posiciones de liderazgo dentro de la iglesia (1970:147). Otra diferencia es que donde Willems enfatiza lo moderno y racional de la creencia pentecostal, Lalive concentra la atención en sus aspectos irracionales. Donde Willems veía a la conversión como un enlace con los valores dominantes de la sociedad en vías de modernización, Lalive la define como una ruptura con estos valores.

La consecuencia es que Lalive (1970:209-344-345) no ve tendencias progresivas, modernizadoras y democratizantes, sino más bien una empresa definitivamente conservadora, la cual a través de la continuidad de la tradición, defiende el "statu quo" económico y político. No se trata allí entonces de un aporte a la modernización o el liberalismo. La respuesta frente a la anomia es en gran parte una reconstrucción del pasado, por otra parte, no como una copia a ciegas de éste, sino como una reinterpretación. La recuperación del pasado es legitimada por medio de la religión. Lalive habla en relación con esto, explícitamente, de paradojas y dialéctica (1970:14,88,89,101,121,344), tales como aquellas observables entre continuidad y ruptura, relaciones autoritarias e igualdad, y entre, por un lado, la supresión de la alienación de la gente integrándola a una comunidad, y por otro, la implantación de la alienación, apartándola de la sociedad (según Tennekes 1985:64-69).

Donde Willems ha visto una continuidad cultural con el catolicismo popular y el mesianismo brasileño, Lalive encontró que la iglesia pentecostal, en el contexto chileno, es como una isla cultural, aunque se hable de adaptación social (1970:344). Comparando a Willems y Lalive resulta sorprendente que el mismo modelo, siendo aplicado a dos países, pueda conducirnos a resultados contrapuestos.

Judith Hoffnagel, en una investigación inspirada en Willems y Lalive sobre una iglesia pentecostal, la "Asambléia de Deus" en Recife (Brasil), llega a la tesis de que el pentecostalismo fomenta el cambio a nivel individual, pero contrarresta el cambio social (1978:5). Una extraña conclusión de Hoffnagel (1978:254-255) es también que en la iglesia que investigó, más de la mitad de los miembros migrantes eran ya fieles pentecostales antes de partir hacia la ciudad. Además, parece que la mayoría de los fieles que se incorporaron a la iglesia en la ciudad, ya vivían largo tiempo en ella. La iglesia de referencia no atrae a los más pobres, sino más bien a los que Hoffnagel (1978:256) llama "succesful poor" (pobres de éxito). Una vez que la gente se convierte en miembro de la iglesia, puede hablarse entonces de un ligero ascenso en la escala social.

Comparable con el estudio de Hoffnagel, es el de Hans Tennekes (1985). El también ha investigado iglesias pentecostales locales, esta vez en Santiago, para determinar en la práctica el valor de las explicaciones aportadas por Willems y Lalive. En su investigación, él incluye también a Poblete (1969; O'Dea y Poblete 1970), que a partir de un modelo de anomia escribe sobre las iglesias pentecostales portorriqueñas en Nueva York. Tennekes no ve a la anomia como una antípoda de la comunidad, sino de la estructura social integrada. Una comunidad es sólo un tipo de estructura social, y no necesariamente el resultado del fin de la anomia. El piensa también que debe distinguirse entre anomia individual y social, y que éstas no necesariamente ocurren de manera simultánea.

Tennekes se encuentra con la dificultad de traducir las hipótesis de anomia en las preguntas de investigación. Sin embargo, él llega a algunas conclusiones interesantes. Así, él plantea que las características sociales de los creyentes pentecostales, como término medio, no difieren de las de la clase popular: los más pobres y los habitantes de la ciudad recién llegados, no están sobre representados en las iglesias pentecostales. El enfatiza el rol de la significación y ve al pentecostalismo como una variante de la religiosidad popular, por otra parte, sin querer excluir otras interpretaciones de esto.

El piensa que no debe subestimarse al carácter de protesta del pentecostalismo, aunque sea por naturaleza antes moral que estructural. El opina que la esencia del pentecostalismo no es milenarista, y pone énfasis en la importancia, aquí y ahora, de la nueva vida que comienza con la conversión. Las convicciones políticas de los creyentes pentecostales no se apartan de las de los integrantes de la clase popular, aunque haya, más por razones prácticas que por principios, diferencias en la participación en las organizaciones políticas. Tennekes piensa que las iglesias pentecostales son más atractivas que los partidos políticos de izquierda: se permanece más cerca de la cultura popular, el liderazgo proviene de la clase popular y se ofrece una comunidad alternativa, así como también una solución a corto plazo. Si esta ventaja rige, entonces, para períodos democráticos, las iglesias pentencostales crecen aún más bajo regímenes políticos represivos.

Rubem César Fernandes hace un comentario interesante sobre los modelos de anomia. El critica la idea de que se trate de una situación de transición, pues la gente se encuentra ya en una economía capitalista. El señala el evolucionismo encubierto en el pensar en términos de transiciones, y se pregunta si lo que se quiere decir es que la gente que ahora se ha incorporado a las iglesias pentecostales, en circunstancias normales hubiera sido miembro de un sindicato o de un partido político. Puede inferirse que la religión, en el abordaje que utiliza el concepto de anomia, parece ser un "salvavidas", bueno para el período de transición, pero que con la secularización esperada como epifenómeno de la modernización definitiva, desaparecerá nuevamente. Más adelante, él indica que se han convertido a la creencia pentecostal tantos ciudadanos de segunda generación como habitantes del campo. Otro punto es que la ausencia de normas y el vacío social, según la investigación, no son tan grandes, por más que la ciudad no sea un todo integrado y plenamente completo (según también Fry y Howe 1975:85). Incluso en los barrios populares, existen claros códigos morales, redes de poder y estratificación social. Quien busca una comunidad personal, puede también encontrarla allí. Aún más fructífero parece enfocar, en el estudio del pentecostalismo, las redes y el intercambio de favores (ver también Brown 1974:300-

301). Finalmente, él señala la dificultad de que los límites de los grupos religiosos y de las categorías sociales no coinciden hasta el punto de que sea posible una explicación. Un análisis aclaratorio referido a la sociedad de clases, no es por lo tanto una alternativa fácil, porque se encuentra gente de diferentes clases dentro de las iglesias pentecostales; y además, también es válido que al interior de una misma clase se hagan diferentes elecciones religiosas, sobre lo que volveremos cuando sea examinado el trabajo de Howe.

Revisando este parágrafo, podemos plantear un balance provisional. Podemos concluir que el modelo de anomia es aplicable a ciertos creyentes pentecostales y formas de pentecostalismo. Que la gente encuentra una comunidad personal, y allí avanza un poco socialmente, está demostrado de todas maneras para una serie de casos. Hay también sin embargo formas, y sobre todo en circunstancias donde la urbanización no se ha presentado, que no pueden ser explicadas por un abordaje que aplique el concepto de anomia. Esta es una explicación parcial.

Pero incluso cuando el modelo parezca aplicable, surgen preguntas críticas. Uno deberá preguntarse, por ejemplo, qué visión de la modernización y de la sociedad están presentes en un abordaje basado en el concepto de anomia. La modernización es habitualmente considerada como una tendencia manifiesta e inevitable: pero, ¿se trata realmente de una transición hacia una sociedad moderna? Países como Chile y Brasil parece que cada vez se apartan más de este destino. Más aún, puede uno hacerse la pregunta de si el orden y el consenso determinan el curso normal de los acontecimientos. ¿Se presentan los conflictos exclusivamente en caso de anomia, para seguidamente, al finalizar ésta, volver a desaparecer? Otra pregunta es, ¿cuál es el "status" de la protesta simbólica, si los comprometidos en ella no son conscientes de esta protesta? ¿Cómo puede entonces probarse tal afirmación? ¿O el investigador es ventrílocuo? y, ¿cuán desordenada es la ciudad? ¿Es posible que los nuevos barrios urbanos presenten características de los pueblos? Además, ¿se puede poner en duda la comparación implícita de la sociedad con un organismo, y también la atribución a la sociedad de la condición de un ente actuante (que se recupera, que busca un equilibrio, etc.)?

Luego, puede decirse que en este abordaje el interés se dirige a factores externos. Los aspectos internos apenas aparecen. La religión no es importante como totalidad, sólo en aquello en que contribuye al orden social. No se explica la elección de una religión, en oposición a otra, a pesar de tener funciones iguales. Los modelos de anomia intentan raras veces dar una explicación específica: el mismo razonamiento seguido en el caso de las iglesias pentecostales, puede encontrarse también si se trata de explicar el crecimiento de otras religiones, tales como las brasileñas que se valen de mediums, especialmente la de Umbanda. Willems, que en su artículo de 1966 indica las semejanzas entre el pentecostalismo, el espiritismo y el culto de Umbanda, intenta por otra parte ir un poco más lejos, por ejemplo, mediante la presentación de las iglesias pentecostales como más atractivas que otras iglesias protestantes. El planteo del problema se limita sin embargo a lo que hace la religión en general.

Una parte de estas objeciones son puestas por escrito por el autor cuyo aporte se presenta a continuación: Francisco Cartaxo Rolim. El ofrece una alternativa.

4. Clase y crecimiento pentecostal

Si bien en los modelos de anomia es una noción central la de consenso, vimos ya que las contradicciones de intereses son tomadas en cuenta como causa de anomia.

En el modelo de clases sociales inspirado por Marx, estas contradicciones son nombradas más detenidamente. No se busca la causa de la presión sobre las relaciones en la ausencia de normas, sino sobre todo en el hecho de que hay diferencias de clase en una sociedad. Las mencionadas relaciones sociales estables del modelo de anomia son desenmascaradas como relaciones conflictivas, asimétricas. En tanto que el acceso a los medios de producción no esté abierto a cualquiera, no es el consenso sino el conflicto la situación normal. La ausencia de consenso, que desde el abordaje que aplica la anomia es vista como transitoria, es en este caso estructural. Es el curso normal de los hechos. La religión, como fenómeno general, sin mirar a su contenido específico, es planteada la mayoría de las veces en este abordaje como causante de alienación; otras en cambio, como canal de protesta.

Hemos visto cómo los modelos de anomia no son suficientemente específicos porque se aplican a más religiones, y entonces no explican la elección que hace un individuo por una determinada religión. En principio, no necesariamente es mejor la explicación que recurre a los modelos de clases sociales. Rolim (1973a, 1973b, 1977, 1979, 1980, 1981, 1982, 1985, 1987), el autor que ha estado trabajando profundamente, sobre todo en sus últimas publicaciones, en el crecimiento del pentecostalismo brasileño a partir de un abordaje de clase, hace sin embargo un serio intento de relacionar –en su explicación– características específicas internas del pentecostalismo. Siguiendo esta línea de pensamiento, se trata aquí tanto de lo que la religión hace, como de lo que ésta es. Igualmente, se da atención no solamente a factores externos sino también a los internos.

Ya en sus primeras publicaciones, Rolim se muestra descontento con un abordaje que aplique el concepto de anomia. Incluso habiendo mostrado que la creencia pentecostal tiene la función de disminuir la anomia, esto no nos dice todavía nada acerca del contenido de esta creencia. Se necesita más para una buena explicación. El contenido de las representaciones de la creencia y los rituales, debe también estar relacionado dentro de la explicación. Se trata pues en el pentecostalismo, de una reacción *religiosa* (1977:13).

En su exploración hacia una explicación del crecimiento del pentecostalismo, usa ejemplos de su propia investigación en Nova Iguaçu, un suburbio de Río de Janeiro. Dos tercios de los creyentes pentecostales investigados por él provenían del catolicismo. Por eso piensa Rolim (1973b, 1980:178-180) que el catolicismo popular es una buena preparación para el pentecostalismo (ver también Tennekes 1985:75-86). En ambos se trata de una salvación de acceso directo, que se logra por medio de los votos; ni el cura ni el pastor son necesarios para esto. En ambos es normal la libre expresión, la gente se orienta hacia la solución milagrosa de problemas prácticos, y se ve a la creencia como un asunto personal.

La diferencia es que en la iglesia pentecostal la biblia tiene el lugar que en el catolicismo popular se reserva a los santos. Incluso, a partir de la biblia se combate el culto a los santos: todos los creyentes son en principio santos. En esta biblia la gente lee las partes donde se habla del poder de Dios. Con ello, la propia historia de la conversión, con frecuencia fundada en la solución milagrosa de un problema, es ubicada dentro de un contexto bíblico. Según la biblia, predicar el evangelio se vuelve la misión de cada uno, por propia iniciativa, y en cada circunstancia que se presente. Cada nuevo creyente es el comienzo de un nuevo núcleo. Esta continua "diferenciación celular" (Tennekes 1972: 151; 1985:21) contribuye también al éxito.

Si se trata de acercar el pentecostalismo al cambio social, Rolim no está satisfecho con señalar la migración y la urbanización (1985:119). Las relaciones de producción capitalistas son características de una sociedad urbana, decisivas para las relaciones entre las clases (1977:14; 1980:163). En este contexto debe ubicarse al pentecostalismo, si bien, sin determinismo. La religión no es un simple reflejo de las relaciones de clase. Eso no quita que éstas tengan validez en el mundo religioso (1977:15).

Rolim ve, por ejemplo (justamente como Tennekes 1985:114-121), una conexión entre el crecimiento del pentecostalismo y la restricción de la libertad política. En un período democrático, cuando la insatisfacción con la sociedad capitalista puede expresarse por canales políticos, se estanca, según Rolim (1980:184), el crecimiento del pentecostalismo. En Brasil, éste fue el período de 1960 a 1964. Sin embargo, si la libertad política es limitada por razones económicas, tal como ocurrió después de 1964, crecen las iglesias pentecostales.

A partir de su propia investigación, Rolim puede señalar de qué clase se habla en el caso del pentecostalismo. Con respecto a esto, es sorprendente que en su investigación la gran mayoría de los creyentes comprometidos pertenezca al sector servicios, el de mayor incremento en la estructura ocupacional urbana. De acuerdo con esto, esta gente pertenece a lo que Rolim describe como una clase indefinida, es decir, una nueva pequeña burguesía (un término tomado de Poulantzas, Rolim 1985:139), ubicada entre los trabajadores y la clase media (1977:15). El

29

habla también de clase media baja (1980:169; 1985:139-140). Justamente es en este grupo, que no adopta un lugar claro en el conflicto de clase entre los propietarios de los medios de producción y los desposeídos, donde se despierta la expectativa de mejoramiento social. El ideal y el ejemplo es la clase alta adyacente. Sin embargo, las expectativas despertadas no siempre son satisfechas (Rolim 1980:159). El reformismo moral de la creencia pentecostal y el ascenso de "status" vía tareas eclesiásticas, coinciden bien con las expectativas de esta clase intermedia. Las mismas juegan también en la clase media. Por estos motivos, las iglesias pentecostales atraen a gente de esta categoría.

Un punto de atención aparte es para Rolim la pregunta respecto de la accesibilidad de lo que él llama la producción religiosa. Esta pregunta retorna a Max Weber y es actualizada a través de Pierre Bourdieu (Rolim 1985:130-135). La ventaja de este abordaje es que se critica el anominato de los "modelos de reflejo" (la religión refleja la situación social). Las personas surgen detrás de los mecanismos sociales. Se trata entonces de preguntarse, ¿quién tiene derecho a actuar como portavoz de una religión, e introducir cambios en ella. ¿Quién tiene realmente la custodia de la religión? ¿Quién la domina? Bourdieu habla aquí –siguiendo el uso marxista del lenguaje para la economía– de acceso a los medios de producción.

En las iglesias pentecostales, excepto por el bautismo y la santa cena, cada uno tiene acceso a estos medios de producción religiosos (Rolim 1977:17; 1980:150-160). Es así pues que cada uno puede ser bautizado por el Espíritu Santo y actuar con este poder. La función de todos los creyentes es redescubierta en las iglesias pentecostales. Quien en las iglesias tradicionales era objeto de evangelización por parte de un clero monopolizador de la religión, se convierte en las iglesias pentecostales en sujeto de esta evangelización.

Esta revolución –en lugar de un reflejo– es según Rolim la esencia de la protesta simbólica de los creyentes pentecostales contra la sociedad moderna. La división del trabajo dominante en ella es negada en la iglesia. Aquél que no tiene acceso a los medios económicos de producción en la sociedad, recibe como sujeto en la iglesia pentecostal libre acceso a los medios religiosos de producción (1980:171,173). En la glosolalia, el "hablar en lenguas", es reforzada esta revolución, porque lo no verbal niega lo verbal (con frecuencia símbolo de lo erudito, y por lo tanto de la clase alta; 1977:20).

Rolim pone énfasis en el planteamiento del mundo criticado por medio de símbolos. Así él nos señala el tono de la prédica que testimonia un "academicismo anacrónico" (1980:155), y las vestimentas burguesas que son usadas por los hombres en las iglesias estudiadas por él. De este modo, el mundo presente se vuelve en consecuencia objeto de protesta y de negación a través de formas expresivas no-verbales (1980: 157).

Así surge, en realidad, una paradoja que ya conocemos. Por un lado, la iglesia se vale de valores que están en vigencia en la sociedad de clases: el reformismo moral y el "hacer carrera". Por otro, una estructura básica de esta sociedad es revertida simbólicamente y con esto, negada. En todas las críticas del mundo pecador, parecen los creyentes pentecostales, siguiendo los pasos de cierta versión de Romanos 13, buenos ciudadanos y trabajadores de este mismo mundo. Esto ocurre pese a la mencionada crítica simbólica y las evocaciones de un mundo opuesto, que ésta trae consigo. Con esto, son de hecho aceptadas las relaciones capitalistas de producción. Rolim (1977:20) habla de una dependencia ideológica. Sin embargo, hay también ejemplos de protestas emanadas de los creyentes pentecostales que no sólo eran simbólicas (Novaes 1985; Rolim 1985:85-89,244-251; 1987:70-90; Tennekes 1985: 116-120; ver también el texto de Angela Hoekstra).

Resumiendo, puede plantearse en primer lugar que gracias a la contribución de Rolim, son satisfechas una serie de objeciones alegadas con respecto al abordaje que aplica el concepto de anomia. El intenta relacionar seriamente aspectos internos del pentecostalismo en su modo de explicación, y quiere afirmar explícitamente que se trata de un fenómeno religioso. Por esto, él habla no sólo de lo que la religión hace, sino también de los que ésta es. Es también aclaratoria su atención por la producción religiosa y la continuidad con el pasado católico popular.

No obstante, su aporte trae nuevas preguntas. Si él dice que los creyentes pentecostales –por lo menos los de su investigación– pertenecen a una clase indefinida, ¿significa eso que él finalmente se ciñe a un modelo de dos estratos para describir a la sociedad? Si éste es el caso, persiste entonces la pregunta de si ésta es una imagen correcta. Allí donde el modelo de anomia es delimitado por la metáfora del organismo, aquí restringe la visión una metáfora de capas sociales. En general, la cuestión es cuán relevante es la pertenencia a una clase como factor explicativo, si tenemos por seguro que Rolim no quiere ser determinista, y tiene en cuenta el carácter indefinido de la clase por él investigada.

Otro inconveniente es que la perspectiva de Rolim es, una vez más, también urbana, porque él ha hecho su investigación en el contexto de una ciudad. Sin embargo, el modelo manejado parte también de actitudes que parecen presentarse de manera óptima en la ciudad. En el caso del pentecostalismo en otro ambiente, vale aún con más fuerza la pregunta orientada hacia el peso del factor clase. Luego, aparece el problema de que lo que trae Rolim con relación a la revolución y protesta parece en sí razonable, pero en la práctica de la investigación resulta muy difícil de demostrar. Será difícil que los informantes puedan constatar o negar la justeza de estas afirmaciones. La última objeción también es válida para la contribución de Gary Howe, que ahora discutiremos.

5. Modernización fallida y crecimiento pentecostal

Howe escribe dos artículos (1977, 1980) que se complementan como las dos caras de una medalla, y que dejan ver una vez más lo paradójico tanto del fenómeno pentecostal como de los modelos explicativos injerentes. Además, publicó junto con Fry un artículo ya presentado más arriba (1975), que es un preludio para los otros dos. Del mismo modo que Rolim, Howe trata de relacionar en su explicación aspectos internos del pentecostalismo.

En el artículo publicado en 1977, Howe ubica al pentecostalismo brasileño en el contexto económico, político y social. Son fundamentales las relaciones entre el capital y el trabajo, y entre estado y ciudadano. Desde el punto de vista económico, se trata de un modo capitalista de producción de bienes para el mercado nacional. La industrialización debe reemplazar a los monocultivos basados en una economía exportadora. Al mismo tiempo, hay en el aspecto político la tendencia a formar un fuerte estado burocrático que debe supervisar este proceso económico. Desde el punto de vista social, hay una propensión hacia la individualización, donde se hace énfasis en la responsabilidad y la subordinación del individuo. Características de esta nueva situación son, pues, la concentración del poder (tanto económico como político), la formulación de reglas estrictas (en el proceso productivo y en el estado) y el énfasis en la subordinación del individuo.

Estas tres últimas propiedades las encuentra Howe reflejadas en el pentecostalismo, que de esta manera es apropiado a la nueva situación. Hay un paralelo entre la situación social y el contenido de la creencia pentecostal. El poder, en la visión pentecostal, está concentrado en manos de un Dios Todopoderoso. Los creyentes pentecostales manejan una moral ligada a reglas estrictas. El individuo se sujeta al poder divino y a un determinado código de conducta. La paradoja es que la gente se aparta de la sociedad, pero sin embargo está muy adaptada a ella.

En el mismo artículo reconoce Howe (1977:42) que ésta es una imagen ideal simplificada, y que puede separarse de la realidad (1977:46). El trabaja en esta objeción en su artículo de 1980. Su punto de partida es que el Brasil está cambiando, pero no se está modernizando. La imagen del pentecostalismo que fue esbozada en el primer artículo se corresponde por demás con el esquema de modernización (según las ideas de Willems). Este esquema es criticado desde la teoría de la dependencia.

Pues entonces, el Tercer Mundo es, por definición, periferia del Primero, y a causa de este rol nunca podrá modernizarse. La historia del Primer Mundo no puede repetirse en el Tercero. El Tercer Mundo no dispone de una periferia propia, a menos que ésta se encuentre en el interior de los países. De todos modos, lo que se denomina modernización es, de hecho, una inserción dentro de la economía capitalista mundial, que está dominada por el Primer Mundo (ver también Rolim 1980:178). Por eso, el paralelo entre, por un lado, las estructuras de la política occidental y los procesos de modernización económica, y por el otro, el desarrollo del discurso pentecostal, es más una excepción que una regla.

Es característico para un país como Brasil que la sociedad sea reflejada en más de una religión, y que estas religiones sean contradictorias entre sí. Con esta constatación, Howe va más allá que el artículo anterior, y también que, por ejemplo, Willems. El logra esta visión refiriéndose a la religión afrobrasileña Umbanda, que se vale de mediums. Umbanda tiene funciones semejantes al pentecostalismo, tal como el modelo de anomia ya nos ha enseñado. Pero por su contenido es una religión totalmente opuesta. Esto parece, al menos, por la vehemencia con que se predica contra Umbanda dentro de las iglesias pentecostales brasileñas.

Es cierto que Umbanda reconoce a Dios como Ser Supremo, pero esto no es tan importante como los muchos espíritus y deidades que se manifiestan por medio del trance. No se trata de una ética rígida. El énfasis recae precisamente en el trato improvisado con estas instancias sagradas, dependiendo esto de los problemas personales que se presenten. Esta actitud práctica hace que los "clientes" sólo se vinculen mientras dure el problema. No se trata en su caso de una relación constante, total, exclusiva o "perpetua".

Umbanda es más urbano que el pentecostalismo, y atrae a más gente. Es dudoso que la modernización se refleje al interior del pentecostalismo, en tanto una religión opuesta reflejaría igualmente el cambio social. Entonces, se está poniendo en duda el "modelo de reflejo" determinista, con una causalidad simple entre sociedad y religión.

Howe encuentra la salida de este "impasse" en la afirmación de que la modernización no es un proceso coherente. Por ello es que la relación entre cambio religioso y social no tiene tampoco una explicación única. La contrapartida de la concentración del poder, de las instituciones que reglamentan la vida política y económica, y de la subordinación del individuo, está formado por el nepotismo, el patronazgo, el regionalismo, la corrupción, el amiguismo político y la improvisación, a una escala tal como nunca antes se había producido.

Finalmente se trata de la contraposición entre favores y derechos, entre, por un lado, la sociedad manipuladora, improvisadora, y por el otro, la burocrática, regulada por leyes. DaMatta (1973, 1979, 1986a, 1986b), ha escrito detalladamente sobre esta ambigüedad en la cultura y sociedad brasileñas. Ya en su artículo de 1975, Fry y Howe han hecho referencia a DaMatta (1973) cuando se han preguntado por qué algunos nuevos ciudadanos optaron por Umbanda, y otros por la iglesia pentecostal. Los modelos de anomia tienen principalmente en cuenta las semejanzas funcionales (Willems 1966:208; Camargo 1973:184), aunque también indican las diferencias. Sin embargo, si las funciones son iguales, ¿por qué se elige una religión, excluyendo a la otra?

Esto ocurre, como lo expresan a continuación Fry y Howe, porque Umbanda y las iglesias pentecostales no tienen lo mismo para ofrecer.

Umbanda brinda una red limitada de relaciones, con una amplia posibilidad de manipulación. Las iglesias pentecostales tienen una red extensa y estable, pero con escasa posibilidad de manipulación. La lealtad vale en Umbanda para el sacerdote o sacerdotisa; en las iglesias pentecostales más bien para el grupo. El sistema simbólico de Umbanda es flexible, manipulable; el de las iglesias pentecostales, más ordenado y fijo.

Fry y Howe ponen el acento en la estrategia personal que maneja el migrante en el contexto de la urbanización e industrialización: cómo él o ella se ligan socialmente, dónde invierten mucho tiempo o dinero, qué redes son importantes para él o ella. Las personas realizan, con base en su biografía, elecciones divergentes. Hacen un cálculo de ganancias y pérdidas. Umbanda y el pentecostalismo satisfacen la demanda, si bien, con una oferta opuesta.

Fry y Howe reconocen (1975:89) que la estrategia social personal y el análisis de ganancias y pérdidas que alguien hace para sí, ayudan poco a comprender las imágenes y rituales de ambas religiones. Para una asociación que se fundamenta en la ayuda y el apoyo mutuos, la religión, como complemento, no es necesaria. Por eso es importante atender a la efectividad y la fuerza de persuasión dramática de los símbolos utilizados. Esto es importante sobre todo en la curación, un peldaño posible para convertirse en miembro. ¿Qué significado se atribuye a los símbolos manejados y qué conocimiento previo está presente? Llegados a este punto, ambos autores remiten nuevamente a la experiencia social, que ellos consideran como decisiva. Esto vale tanto para Umbanda, especialmente si se trata de la conducta manipuladora, como para el pentecostalismo y la aceptación incuestionada de un sistema simbólico. Dios, las deidades y los espíritus, pertenecen, por decirlo así, a la red social. La hipótesis dice así: la gente con experiencia social "burocrática", desemboca en la creencia pentecostal; quienes poseen una práctica "manipuladora", se cuentan entre los seguidores de Umbanda (1975:90-91). Mientras el pentecostalismo tiene conexión con la modernización, Umbanda está ligado a la mentalidad que la hace fracasar.

Finalmente, entonces, Fry y Howe (1975:88-89) desembocan nuevamente en la experiencia social que es delimitada por la estrategia personal. Persiste la pregunta de si se trata de un problema de "qué es primero, si el huevo, o la gallina". ¿Dónde comienza el razonamiento, en la demanda delimitada por las experiencias sociales, o en la oferta opuesta de Umbanda y la iglesia pentecostal? ¿O se trata de una relación dialéctica?

En su artículo de 1980, Howe plantea que la ambigüedad fundamental en la cultura brasileña –entre burócratas y manipuladores– debe relacionarse con la lucha entre, por un lado, la burguesía tradicional basada en la exportación de monocultivos, y por otro, la burguesía industrial de origen reciente. La última tendía hacia una industrialización "a la manera capitalista", para el mercado interno. El primer grupo detesta al estado centralizado, que el segundo precisamente necesita.

Tal como hemos visto, Umbanda corresponde a la mentalidad de la burguesía del monocultivo, que estaba orientada a relaciones particulares sujetas a negociación. El pentecostalismo se armonizaría más con la tendencia universalista modernizadora legal-racional de las reglas fijas, por sobre todo, y siempre válidas en el estado centralizado. Las relaciones de patronazgo se desarrollan principalmente vía familias extensas. Precisamente, estas relaciones de parentesco son reemplazadas por los pentecostales, con el parentesco artificial de los hermanos y hermanos ("en la fe"').

Aunque la tendencia a la modernización era la más fuerte, finalmente, parece que ésta no es posible sin hacer grandes concesiones a la mentalidad particularista, y podría hablarse en este caso de una "victoria de Pirro". Así se entiende que Umbanda no perdió influencia, sino que más bien la ganó. Howe plantea incluso (1980:135) que Umbanda es la regla y el pentecostalismo la exepción, justamente porque no se ha concretado realmente una verdadera modernización según el modelo occidental. Se podría decir que los pentecostales son demasiado modernos para la sociedad brasileña contemporánea, y no comparten el juego manipulador por el cual se puede abusar de ellos de manera efectiva, específicamente si se trata de la relación con el empleador y el estado.

Echando una mirada a la totalidad de su texto, puede decirse que Howe ha presentado un aporte creativo a la discusión sobre el crecimiento del pentecostalismo. Junto con Fry ha intentado una explicación más específica que aquella que el modelo de anomia podía hacer. En comparación con esto, él evita describir a la religión como un simple reflejo de la sociedad. El pentecostalismo es relacionado con características de la cultura brasileña. Además, la atención amplía su campo desde la modernización hacia la dependencia.

No obstante, todavía quedan preguntas. Se trata de que aún con más fuerza que en el trabajo de Rolim, los paralelismos sorprendentes no pueden demostrarse. Por eso, está la pregunta, por ejemplo, de cuál es el significado del descubrimiento de un paralelismo entre la mentalidad de los pentecostales y la de la burguesía industrial, más aún porque se trata de grupos diferentes de la población. Luego, siempre refiriéndonos a Howe, surge la pregunta de cuál es el peso de la dependencia económica como factor explicativo. El determinismo no parece sin embargo estar totalmente ausente, si se supone que la mentalidad pro-modernización y el pentecostalismo presentan la misma estructura. También podemos preguntarnos si realmente se hace justicia al aspecto interno del pentecostalismo (y de Umbanda), cuando al discutir las elecciones individuales finalmente se señala de nuevo a las circunstancias sociales. Se parece mucho a un círculo vicioso. Por último, debe decirse que Howe parte de la imagen ideal del pentecostalismo, sobre todo si se trata de la tendencia regular a la modernización. No obstante, también en las iglesias pentecostales se producen escándalos, y se trata frecuentemente de manipulación. Howe no es, por otra parte, el único en idealizar esto; también los autores analizados anteriormente parten principalmente de una situación ideal que no es perturbada por desviaciones o excepciones.

6. Conclusión

Hemos seguido dos líneas en este artículo: la de la expansión del pentecostalismo, y paralelamente, la de la explicación proveniente de la ciencia social. En tanto los modelos que hemos revisado tienen valor principalmente como "eye openers" (esclarecedores), ¿para qué se han abierto entonces nuestros ojos? ¿Cuánto sabemos sobre el crecimiento del pentecostalismo gracias a este panorama? ¿Cuál es el "status" de las contradicciones señaladas en los modelos, y en el pentecostalismo?

Antes de discutir los modelos, hemos inventariado las alternativas posibles. Además, hemos presentado una lista de las contradicciones que parecen presentarse dentro del pentecostalismo. En el curso de la argumentación hemos visto cómo cada uno de los autores analizados hace una selección tomando elementos de ambas listas, la cual rara vez es verdaderamente parcial, pero la mayoría de las veces, sin embargo, con una clara preferencia por un polo. Los investigadores son dadores de sentido, tal como lo son los sujetos investigados. La significación refuerza la identidad. La identidad se apoya en la exageración de características selectas.

Las dos listas parecen estar relacionadas la una con la otra. La opción de la ciencia social por un elemento de la primera lista, determina en la investigación, frecuentemente, el énfasis en un elemento de la segunda que contiene las contradicciones pentecostales, y a la inversa. Si Lalive (1970:14) finalmente optó por la continuidad, aunque él viera también rupturas, esto va entonces aparejado con el énfasis en la tendencia jerárquica. Rolim tiene interes principalmente por el conflicto y el aspecto de protesta del pentecostalismo, aunque él ve también la dependencia; él dedica mucha atención, en consecuencia, a la libertad emocional, la revolución de las relaciones de producción y la protesta simbólica por medio del "hablar en lenguas". También vale para los otros autores el moverse dentro de los límites de las dos listas.

La diversidad de modelos ha reforzado entonces la atención sobre las paradojas dentro del pentecostalismo. Para quien busca regularidades –y esto vale para cada científico– las contradicciones confunden. Ellas complican el trabajo de explicación. Utilizar el término "paradójico" tiene por eso a veces incluso un tono peyorativo: el ideal es ser lógico y consistente. Quien a partir de su modelo, por ejemplo, se centra principalmente en la continuidad de las relaciones jerárquicas, se sorprenderá de las tendencias igualitarias, y las experimentará como paradójicas.

Quien se interesa en el orden y el consenso, será impresionado por la libertad emocional. Partiendo del abordaje ecléctico, sin embargo, la mayoría de las paradojas ya no son problemáticas, en cuanto son vistas literalmente como contrastes aparentes, consecuencia de una explicación parcial.

No sólo juegan en esto las preferencias científicas, sino también las ideológicas e idiosincráticas. También los investigadores, aun cuando sean objetivos, son influidos por su contexto. Quien defiende un cristianismo comprometido, encontrará paradójico que los pentecostales no quieran "ser de este mundo, pero estén en él". Quien encuentra que un iglesia debe rebelarse contra la dictadura, se molestará si las supuestamente apolíticas iglesias pentecostales ven el advenimiento de una dictadura militar como el cumplimiento de sus oraciones.

En pocas palabras: el hecho de que en las opiniones acerca de las iglesias pentecostales se enfaticen sus características paradójicas, es en gran parte una consecuencia de que los investigadores sean parciales en su trabajo. Si, en cambio, resulta claro que sus aportes unilaterales únicamente son aspectos de un abordaje más amplio, multifacético y complementario, las contradicciones señaladas entre los modelos se revelan como aparentes, es decir, imaginarias, y dentro de ellas en gran medida las intrínsecas al pentecostalismo. Se trata en este sentido, sin duda, de visiones paradójicas sobre una religión paradójica.

Con esto, el balance no se inclina hacia el lado negativo. Si bien hubo también preguntas críticas, se pudo decir algo positivo de cada modelo. Cada autor puso un azulejo en un mosaico que, por otra parte, no parece completo todavía. ¿Qué imagen da ahora ese mosaico de las causas del crecimiento del pentecostalismo?

Nos dirigiremos primero a la lista de opciones, para ver qué resultados puede ofrecer el conjunto de los modelos explicativos. ¿Qué se argumenta para explicar el crecimiento?

—El pentecostalismo crece porque ofrece a la gente de las clases predominantemente bajas una adaptación a las circunstancias sociales cambiantes, pero también (aunque más difícil de demostrar), porque contiene una protesta simbólica contra estos cambios. En concordancia con esto, parece sumamente difícil hacer justicia a la tensión entre continuidad y ruptura. Ambos elementos son presentados como razones para el crecimiento del pentecostalismo.

—A nivel de la sociedad, el pentecostalismo contribuye al reencuentro de alguna medida de regularidad y orden. Al mismo tiempo, responde no sólo a las necesidades de la sociedad, sino también a las de los individuos que —consciente o inconscientemente— sopesan los pro y los contras antes de optar por la iglesia pentecostal.

—Los factores externos tales como la urbanización y la introducción del capitalismo, juegan un rol. Al mismo tiempo debe tenerse también en cuenta las características internas del pentecostalismo, que por otra parte parecen parcialmente corresponderse con factores externos, incluidas características de la cultura y la mentalidad nacionales. Rolim y Howe justamente ven en esta correspondencia una razón para el crecimiento.

–Los modelos discutidos muestran que lo que el pentecostalismo hace, en sí no es una explicación suficiente para su crecimiento, y que debe incorporarse a esta explicación el contenido mismo del pentecostalismo.

–Porque el crecimiento tiene un lugar central, el origen del pentecostalismo recibe más atención que su desarrollo. Esta es, sin embargo, la pregunta de si las razones que son presentadas en los diferentes aportes, conservan su importancia de manera permanente.

Uno con el otro, los modelos forman una especie de "check–list" (lista de control), para quien quiera investigar sobre el crecimiento del pentecostalismo. Los aspectos mencionados no son todos tan relevantes para el conjunto de los tipos de iglesias pentecostales y los movimientos carismáticos. Mucho depende del contexto en el cual aparecen las formas del pentecostalismo: ¿en qué país?; si es en la ciudad o en el campo, ¿en qué sector de la población?; etc.

Viendo la segunda lista, la de las contradicciones dentro del pentecostalismo, se debe recordar en relación con ella que los investigadores son quienes señalaron estas paradojas, y que sus modelos, justamente a través de su parcialidad relativa, alimentan la sorpresa frente a las contradicciones. En relación con esto, hemos nombrado antes otra razón por la cual se señalan las paradojas: los polos opuestos no aparecen siempre simultáneamente en todos los tipos de pentecostalismo. Ellos se aplican sobre todo al pentecostalismo como tipo ideal.

Sin embargo, no desaparece con esto el carácter paradójico del pentecostalismo. Si lo volvemos a las proporciones adecuadas, conserva una existencia sólida. Para esto, se pueden enumerar varias razones. Ya hemos mencionado algo sobre la relación entre las paradojas y los cambios sociales. A pesar de que todo ya haya cambiado, siempre permanece algo de lo antiguo, si bien con otro significado, eventualmente contradictorio. Que se trate de iglesias que han surgido como reacción frente a las iglesias protestantes ya establecidas, o también a través de conflictos internos y separaciones de iglesias pentecostales, no quita que haya concordancias junto a las diferencias. También desde este punto de vista, van juntas continuidad y ruptura. Esto contribuye a cierta ambivalencia, la cual se acentúa todavía más como consecuencia de las convicciones pentecostales. La creencia en la calidad de ciudadano del Reino de Dios, no exonera al creyente pentecostal de, por ejemplo, sus obligaciones de ciudadano, no por cierto, si estas son legitimadas por la biblia. Si a esto se agrega que juegan un rol las emociones, entonces esto implica que deben marcarse límites que indiquen hasta dónde la expresión de las emociones es aceptada. Deberá haber entonces cierto orden. La paradoja entre la libertad emocional y una dirección estricta es, según esto, inevitable.

Además, y esta es la razón más fundamental, es probable que la religión, en oposición a la ciencia y la ideología, sea fuertemente alimentada con paradojas. Van Baal (1971:214-241) ha sugerido que una paradoja subyace a la religión. La persona es parte de la realidad, pero la experimenta al mismo tiempo como si estuviera "frente" a ella, como su rival, al cual él o ella deben adaptarse. Los símbolos de la religión, en las representaciones de la creencia y los rituales, ayudan a superar esta paradoja.

Es sorprendente cómo una cantidad de las contradicciones características atribuidas al pentecostalismo, pueden ser reducidas a esta paradoja básica. Si aparecen simultáneamente tendencias igualitarias y jerárquicas, se trata efectivamente de la tensión entre ser parte de una comunidad donde la gente puede expresarse emocionalmente, y ser subordinado a un poder que actúa de manera controladora y restrictiva, y que es experimentado como un adversario. Mirando hacia el mundo exterior, encontramos en el pentecostalismo una tensión comparable: uno se retrotrae, fuera del mundo maligno y pecaminoso, pero lo describe al mismo tiempo como un territorio misional, y además se adapta a él. Retrotraerse totalmente es, por otra parte, casi imposible. También con respecto a la visión del tiempo se toma distancia, no obstante igualmente hay una entrega simultánea. Finalmente, es muy importante la vida eterna después del fin de los tiempos, si bien simultáneamente uno está involucrado de manera muy pragmática en la supervivencia aquí y ahora.

El crecimiento del pentecostalismo podría ser relacionado con su carácter paradójico, aunque éste es menos pronunciado que lo que la mayoría de los autores suponen. Las preguntas fundamentales en la creencia pentecostal reciben un modo propio de respuestas. Lo paradójico aumenta la fuerza de atracción, también porque puede realizarse el reclutamiento en dos direcciones.

La ambivalencia ofrece a cada uno lo que quiera, y atrae a una doble clientela. Fomenta la dinámica en el manejo de las representaciones de las creencias, los rituales y las relaciones sociales. No se descarta la posibilidad de que lo paradójico, por eso, ofrezca espacio a los líderes y a los miembros, conscientes o inconscientes, para hacer de la iglesia algo óptimo, completo, con las propias posibilidades y deseos (ver el aporte de Frans Kamsteeg). Lo que Willemier Westra muestra para la religión brasileña del candomblé, donde los símbolos paradójicos también estimulan el crecimiento y florecimiento de esta religión, podría también presentarse, de una manera propia y adaptada, en el pentecostalismo. Una última conclusión que puede sacarse de nuestro resumen, es que todavía se necesita mucha investigación. Sobre una serie de puntos importantes, las teorías aquí investigadas no brindan respuestas, sino más bien plantean preguntas. Queremos, para cerrar este artículo, mencionar algunos de los temas aún por investigar.

El rol de los sistemas semiológicos y simbólicos necesita más investigación, especialmente en relación con las relaciones de poder y con el contexto social y económico. Tiene relación con esto la pregunta orientada hacia la producción religiosa, y también hacia la forma en que los creyentes pentecostales hablan y piensan. Las iglesias pentecostales activas políticamente, tanto de izquierda como de derecha, merecen nuestra atención. Poco se sabe todavía de movimientos carismáticos en las iglesias protestantes. En comparación con el pentecostalismo urbano, el de zona rural es desatendido en las investigaciones. Sería útil una imagen exacta de la proporción en que se presenta la ausencia de normas, y de la influencia del factor clase. Con frecuencia son ilustrativos los conflictos internos de las iglesias y las separaciones, y muestran aspectos insospechados del crecimiento pentecostal. Sería interesante experimentar el nacimiento de una iglesia pentecostal desde el mismo comienzo, y luego hacer el seguimiento de su desarrollo. En general, no hay tanta necesidad de explicaciones macrosociológicas como de investigaciones microsociológicas, donde no sean los mecanismos sociales supuestos, sino los procesos muy concretos y cotidianos, los que ocupen un lugar central.

Bibliografía

Baal, J. van 1971, *Symbols for Communication: An introduction to the anthropological study of religion*. Assen: Van Gorcum.

Bonilla, Plutarco (ed.) 1985, "Pentecostalismo y Teología de la Liberación", en: *Pastoralia* 7, no. 15, págs. 7-111.

Bourdieu, Pierre 1974, *A Economia das Trocas Simbólicas*. São Paulo: Perspectiva.

Brown, Diana DeGroat 1974, *Umbanda: Politics of an Urban Religious Movement*. Ann Arbor: Xerox.

Camargo, Cândido Procópio Ferreira de (ed.) 1973, *Católicos, Protestantes, Espíritas*. Petrópolis: Vozes.

DaMatta, Roberto 1973, *Ensaios de Antropologia Estrutural*. Petrópolis: Vozes.

DaMatta, Roberto 1979, *Carnavais, Malandros e Heróis: Para uma sociologia do dilema brasileiro*. Rio de Janeiro: Zahar.

DaMatta, Roberto 1985, *A casa & a rua: Espaço, cidadania, mulher e morte no Brasil*. São Paulo: Brasiliense.

DaMatta, Roberto 1986a, *Explorações, Ensaios de Sociologia Interpretativa*. Rio de Janeiro: Rocco.

DaMatta, Roberto 1986b, *O que faz o brasil, Brasil?* Rio de Janeiro: Rocco.

Dominguez, Enrique and Huntington, Deborah 1984, "The Salvation Brokers: Conservative Evangelicals in Central America". En: *Nacla Report on the Americas* 17, no. 1, págs. 2-36.

Droogers, André 1985, "From waste-making to recycling: A plea for an eclectic use of models in the study of religious change". En: Wim van Binsbergen and Matthew Schoffeleers (eds.), *Theoretical explorations in African religion*. London etc.: KPI, págs. 101-137.

Fernandes, Rubem Cesar 1977, "O Debate entre Sociólogos a Propósito dos Pentecostais". En: *Cadernos do ISER* 6, págs. 49-60.

Fry, Peter Henry, e Howe, Gary Nigel 1975, "Duas Respostas à Aflição: Umbanda e Pentecostalismo". En: *Debate e Crítica* 6, págs. 75-94.

Hoffnagel, Judith Chambliss 1978, *The Believers: Pentecostalism in a Brazilian City*. Ann Arbor: Xerox.

Howe, Gary Nigel 1977, "Representações Religiosas e Capitalismo: Uma 'Leitura' Estruturalista do Pentecostalismo no Brasil". En: *Cadernos do ISER* 6, págs. 39-48.

Howe, Gary Nigel 1980, "Capitalism and Religion at the Periphery: Pentecostalism and Umbanda in Brazil". En: Stephen D. Glazier (ed.), *Perspectives on Pentecostalism: Case Studies from the Caribbean and Latin America*. Washington: University Press of America, págs. 125-141.

Lalive d'Epinay, Christian 1970, *O Refúgio das Massas, Estudo Sociológico do Protestantismo Chileno*. Rio de Janeiro: Paz e Terra.

Lalive d'Epinay, Christian 1977, "Religiaõ, Espiritualidade e Sociedade, Estudo Sociológico do Pentecostalismo Latinoamericano". En: *Cadernos do ISER* 6, págs. 5-10.

Marcus, George E. and Fischer, Michael M.J. 1986, *Anthropology as Cultural Critique: An Experimental Moment in the Human Sciences*. Chicago and London: Chicago University Press.

Novaes, Regina 1985, *Os Escolhidos de Deus: Pentecostais, trabalhadores e cidadania*. Saõ Paulo: Marco Zero (Cadernos do ISER 19).

O'Dea, Thomas F., and Poblete, Renato 1970, "Anomie and the 'Quest for Community'": The Formation of Sects among the Puerto Ricans of New York". En: Thomas F. O'Dea, *Sociology and the Study of Religion; Theory, Research, Interpretation*. New York and London: Basic Books, págs. 180-198.

Poblete, Renato 1969, "Sectarismo Portorriquenõ". Cuernavaca: CIDOC, *Sondeos* no. 55.

Rolim, Francisco Cartaxo 1973a, "Expansaõ protestante em Nova Iguaçu". En: *Revista Eclesiástica Brasileira* 33, fasc. 131, págs. 660-675.

Rolim, Francisco Cartaxo 1973b, "Pentecostalismo". En: *Revista Eclesiástica Brasileira* 33, fasc. 132, págs. 950-964.

Rolim, Francisco Cartaxo 1977, "A propósito do pentecostalismo de forma protestante". En: *Cadernos do ISER* 6, págs. 11-20.

Rolim, Francisco Cartaxo 1979, "Pentecôtisme et Société au Brésil". En: *Social Compass* 26, no. 2-3, págs. 345-372.

Rolim, Francisco Cartaxo 1980, *Religiaõ e Classes Populares*. Petrópolis: Vozes.

Rolim, Francisco Cartaxo 1981, "Gênese do Pentecostalismo no Brasil". En: *Revista Eclesiástica Brasileira* 41, fasc. 161, págs. 119-140.

Rolim, Francisco Cartaxo 1982, "Igrejas Pentecostais". En: *Revista Eclesiástica Brasileira* 42, fasc. 165, págs. 29-60.

Rolim, Francisco Cartaxo 1985, *Pentecostais no Brasil, Uma Interpretaçaõ Sócioreligiosa*. Petrópolis: Vozes.

Rolim, Francisco Cartaxo 1987, *O que é pentecostalismo*. Saõ Paulo: Brasiliense (Primeiros Passos 188).

Souza, Beatriz Muniz de 1969, *A experiência da salvaçaõ, Pentecostais em Saõ Paulo*. Saõ Paulo: Duas Cidades.

Tennekes, J. 1972, "De Pinksterbeweging in Chili: een uitdaging". En: *Wereld en Zending* 1, no. 2, págs. 148-163.

Tennekes, J. 1985, *El movimento pentecostal en la sociedad chilena*. Iquique: CIREN.

Valderrey, José 1985, "De sekten in Centraal-Amerika: Een pastoraal probleem". En: *Pro Mundi Vita Bulletin* 100, págs. 1-43.

Willemier Westra, Allard Dirk 1987, *Axe, kracht om te leven, Het gebruik van symbolen bij de hulpverlening in de candomblé-religie in Alagoinhas (Bahia, Brazilië)*. Amsterdam: CEDLA.

Willems, Emilio 1964, "Protestantism and Culture Change in Brazil and Chile". En: W. d'Antonio and F.B. Pike (eds.), *Religion, Revolution and Reform*. New York: Praeger, págs. 91-108.

Willems, Emilio 1966, "Religious Mass Movements and Social Change in Brazil". En: E.N. Baklanoff (ed.), *New Perspectives of Brazil*. Nashville: Vanderbilt University Press, págs. 205-232.

Baklanoff (ed.) 1967, *Followers of the New Faith, Culture Change and the Rise of Protestantism in Brazil and Chile*. Nashville: Vanderbilt University Press.

Yinger, J. Milton 1970, *The Scientific Study of Religion*. New York and London: Macmillan.

PENTECOSTALISMO RURAL EN PERNAMBUCO (BRASIL).
Algo más que una protesta simbólica

Angela Hoekstra

Introducción

Ya en 1918, dos predicadores suecos comenzaron a difundir la creencia pentecostal en Pernambuco, un estado federal del nordeste brasileño. De unos doscientos miembros con que contaba en 1920, el movimiento crecio a 56.000 en 1974. Este rápido crecimiento del pentecostalismo es un fenómeno que se presenta en toda Latinoamérica. El período que comprende desde principios de siglo hasta la actualidad, se caracteriza por cambios sociales rápidos y radicales. Los procesos que tienen lugar son la urbanización, la industrialización y la racionalización de la agricultura orientada hacia la exportación. La aplicación de tecnología moderna en la economía de plantación de Pernambuco, a principios de este siglo, es un ejemplo del proceso por el cual muchos campesinos fueron expulsados de su tierra. La situación cada vez peor en el campo, principalmente para los pequeños campesinos independientes, tuvo como consecuencia una enorme migración hacia las ciudades. También el florecimiento del protestantismo en el siglo XIX, ha sido relacionado con cambios en la estructura tradicional de la sociedad (Willems 1967).

El enorme crecimiento del pentecostalismo ha conducido a que algunos autores se hayan volcado a la tarea de buscar una explicación para este fenómeno. Las explicaciones se han concentrado en la situación urbana donde muchos migrantes, originarios del campo, se han convertido a la creencia pentecostal. Sin embargo, también en el área rural se han producido cambios, y allí han florecido asimismo movimientos pentecostales. Surge la pregunta de cómo se los explica a estos últimos. Buscando esta explicación, quiero llegar a establecer una comparación entre el pentecostalismo rural y el urbano. Con este fin analizaré brevemente ambos fenómenos, con la ayuda de cierta bibliografía general y la específica de Pernambuco. En este artículo deseo señalar cómo se reacciona, en ambas formas de pentecostalismo, de diferente manera frente a problemas divergentes, que se sufren en una situación de cambio social acelerado.

Para describir al pentecostalismo urbano usaré a Willems (1967) y a Hoffnagel (1978). Esta última autora ha investigado en Recife, la capital de Pernambuco. Explico el pentecostalismo en el campo, recurriendo a un estudio de Novaes (1985), sobre un poblado agrícola en Pernambuco, al cual la autora dio el nombre de Santa María.

Previamente a esto, describiré sucintamente la sociedad tradicional centralizada alrededor de la *fazenda* (gran propiedad), para seguidamente poder indicar qué elementos de esta estructura tradicional se continúan en el pentecostalismo. Esta continuidad es una condición importante para poder explicar el éxito del movimiento pentecostal, tanto en la ciudad como en el campo. Hay en realidad, también, elementos de ruptura con lo tradicional que saldrán a la luz simultáneamente.

Tal como ya lo señala Droogers en su artículo introductorio, algunos autores enfatizan la continuidad con el pasado, otros justamente los elementos de ruptura. En este trabajo veremos que el exclusivismo no es lo más fructífero, sino que las diferentes visiones son precisamente de valor complementario. Para Hoffnagel (1978), la continuidad con la estructura social tradicional es una razón para considerar al pentecostalismo como un movimiento conservador. Para Willems (1967), por el contrario, hay determinados elementos de ruptura, principalmente la ideología igualitaria, que introducen la visión del pentecostalismo como un movimiento de protesta (simbólica). La situación rural pondrá en claro que el pentecostalismo puede significar más que una rebelión simbólica, e incluso puede contener una ruptura con la sociedad tradicional en un sentido socio-económico concreto.

1. La estructura social tradicional

Cuando los portugueses llegaron al Brasil, no encontraron, como los conquistadores españoles, grandes tesoros ni reinos establecidos, sino tribus de cazadores y recolectores. Debido a que la explotación de la madera brasileña no resultó suficientemente lucrativa, se crearon numerosas plantaciones de café y azúcar. Los metales preciosos fueron descubiertos recién en el siglo XVIII. La agricultura comercial, orientada a los mercados europeo y africano, fue dominante en el desarrollo económico del Brasil. La colonia era gobernada desde Bahía (con, en primera instancia, Salvador como capital), pero, en realidad, el gobierno y el control del estado eran escasos. La sociedad colonial estuvo principalmente dominada por familias aristocráticas (Lang 1979:35-73).

Un elemento importante en el sistema socio-económico era la *fazenda*, una hacienda de propiedad territorial privada, en gran escala, que hasta hoy representa la forma dominante de tenencia de la tierra. La producción se destina en primer lugar a un mercado externo. Además, los trabajadores rurales subordinados al *fazendeiro* (terrateniente), producen para su autoconsumo. Freyre (en Kliewer 1975:36-45) enfatiza el funcionamiento autónomo de la *fazenda*, que constituye para los arrendatarios un sistema más o menos cerrado, no sólo en lo que respecta a la producción, sino también en relación con la religión, la planificación familiar y la política. La relación entre *patrão* (señor) y arrendatarios, es una relación de poder vertical. El sistema ha desarrollado una "ética social", propia y particular, dentro de la cual existe una vinculación económica, y también moral y síquica, con el *patrão*. Se habla tanto de opresión como de una relación afectiva con el *patraõ*. Esto último constituye un obstáculo para el estallido de enfrentamientos entre el terrateniente y sus subordinados. Kliewer (1975:36-45), habla de, en este sentido, la institucionalización de una "apariencia" de cuidado y humanidad para mantener al trabajador en la condición de menor de edad. La existencia de una estructura social vertical tiene lugar a expensas de la solidaridad horizontal.

El hecho de que el trabajador agrario se sujete a una relación desigual con el terrateniente proviene de la pura necesidad, porque hay escasez de tierras de cultivo. En realidad, esta desigualdad es alimentada por una serie de ideas generales sobre subordinación a la autoridad. Existe un consentimiento socio-cultural a la dependencia con respecto al *patrão*. Este constituye el fundamento ideológico de la estructura de clases en el campo (Forman 1975:76).

La iglesia católica tiene la tarea de proporcionar el sentido simbólico que integre los diferentes sectores de una sociedad. Esta religión tiene una clara función normativa, la que contiene la idea de que ella propaga los valores de una sociedad autoritaria, tales como, por ejemplo, la obediencia y la sumisión. La sociedad colonial es, en este sentido, denominada "sagrada", pues en ella las normas jerárquicas son otorgadas por el poder divino y se las considera santas e inmutables. La práctica religiosa de los estratos más bajos se caracteriza por el catolicismo popular, en el cual tiene un lugar central el concepto de la presencia "natural" de lo sobrenatural en este mundo, principalmente en la persona de los santos. La única actitud religiosa legitimada que se puede tener respecto a los santos, es el sometimiento. Esto no quiere decir que el creyente sea apático por definición, porque él o ella pueden tratar de aliviar sus sufrimientos mediante la oración. Lo sobrenatural está categorizado jerárquicamente, encabezado por Dios, inaccesible a la arenga directa. Luego siguen María, Cristo y numerosos santos. Estos son especializados, lo que significa que, por ejemplo, están ligados a personas, lugares y situaciones. La jerarquía religiosa es un reflejo de la estructura social, donde la inaccesibilidad de Dios y el rey van paralelas, y donde se debe complacer al *patrão* así como al santo persona, para conseguir hacer algo. El mundo simbólico es de fuerte influencia sobre la actitud vital de la gente, y conduce a una fuerte subordinación a poderes más elevados, y a resignarse al destino "terreno" (Kliewer 1975:45-51).

2. Continuidad del pentecostalismo con lo tradicional

Willems plantea que el éxito o el fracaso del intento de introducción de nuevos elementos en una sociedad, depende de la medida en que éstos sean compatibles con los valores y actitudes existentes (1967:15). En otras palabras, debe hablarse de una cierta continuidad con lo tradicional. La prueba de esta continuidad es un requisito para poder explicar el exitoso arraigo del movimiento pentecostal en las ciudades tanto como en el campo. Se habla de una continuidad histórica, simbólica y social.

En primer lugar hablaremos de la continuidad histórica. En el nordeste brasileño existe una larga tradición de mesianismo (creencia en el retorno de Cristo), que puede remontarse hasta el sebastianismo del siglo XVI (Willems 1967:134). Sobre todo durante los siglos XIX y XX, se desarrollaron movimientos de protesta mesiánicos y milenaristas (creencia en la venida de un Reino Milenario), en el interior de Brasil. Esto es considerado como una expresión del descontento social y económico, en el que ocupaban un lugar central los conflictos relacionados con la propiedad de la tierra. En este contexto, la religión popular mesiánica era un medio de movilización social, en el cual, además, el liderazgo era legitimado religiosamente (Forman 1975:221, 237). Para esos movimientos mesiánicos tiene vigencia la idea de que cuando un grupo de gente marginada considera relevante el mensaje de un líder religioso, la adopción de un modo de vida ascético por parte de sus miembros, puede ser tomada como el sacrificio para la solución de sus problemas. El asumir un modo de vida puritano no es, entonces, exclusivo del protestantismo y del pentecostalismo en Brasil, sino que tiene antecedentes históricos en este mesianismo. Tanto estos movimientos históricos como el pentecostalismo, pueden ser vistos como una respuesta adaptativa de la sociedad tradicional frente a problemas que aparecen en ocasión de producirse cambios socio-culturales fundamentales (Willems 1967:51-53).

En segundo lugar, hay una continuidad simbólica observable con elementos del catolicismo popular. Se ubica en un lugar central dentro de este último, a la expectativa de una intervención directa y liberadora de lo sobrenatural en la vida cotidiana (Willems 1967:36). La creencia en los milagros y en la cura por la acción de los santos se continúa en el pentecostalismo, donde el Espíritu Santo asume estas tareas (Kliewer 1975:97). También el *pagar votos,* el cumplimiento de promesas a los santos a cambio de una gracia, se practica en cierta forma dentro del movimiento pentecostal, a pesar de que en éste los creyentes hacen sus promesas a Dios (Hoffnagel 1978:152-153).

Además se podía, entrando en éxtasis, establecer un lazo emocional con lo sobrenatural. El pentecostalismo pone distancia, por cierto, con respecto a los fenómenos de éxtasis y trance, que son rotulados como actos diabólicos, pero el contacto emocional con lo sobrenatural es posible a través del trabajo del Espíritu Santo. Para los pentecostales, las inspiraciones, revelaciones y profecías, anteriormente atribuidas a fuerzas sobrenaturales, son ahora acciones del Espíritu Santo. Así como al catolicismo popular, se denomina al pentecostalismo una "creencia providencial", donde se es absolutamente dependiente de los poderes sobrenaturales o de la voluntad de Dios (Kliewer 1975:97-99).

Finalmente, se habla de la continuidad social con elementos del sistema tradicional de la *fazenda*. En ésta, cumplen un papel las relaciones familiares extendidas. Estas son reemplazadas dentro del movimiento pentecostal por una red de nuevos lazos, parecidos a los familiares, entre hermanos y hermanas "en la fe" (Lalive d'Epinay 1969:129-131).

La *fazenda* y la congregación pentecostal son sistemas excluyentes, en el sentido de que apelan a sus miembros en forma absoluta y los protegen del mundo exterior. En la *fazenda,* el propietario trata, en forma consciente, de mantener la "minoría de edad" de los arrendatarios. En el movimiento pentecostal, la "mayoría de edad" política puede impedirse mediante el mandato de apartarse conscientemente de los "asuntos mundanos" (Kliewer 1975:144 y sig.).

Lalive d'Epinay ve al movimiento pentecostal como una reencarnación del sistema tradicional, que, por una parte, está caracterizado por relaciones personales estrechas, y por otra, por una concentración de poder en manos del terrateniente. El individuo tenía sólo una relación indirecta con el mundo exterior. En el movimiento pentecostal el pastor asume el mismo rol que el *patrão,* como mediador. Los líderes, tanto de la *fazenda* como del movimiento pentecostal, tienen además una función protectora y autoritaria; ambos esperan obediencia de los seguidores. En breves palabras, la estructura paternalista y autoritaria del sistema de *fazenda* se continúa en el movimiento pentecostal (Lalive d'Epinay 1969:129-131).

3. Ruptura del pentecostalismo con lo tradicional

Aunque el pentecostalismo muestre una proporción significativa de elementos tradicionales de la sociedad, hay también seguramente presentes en él elementos de ruptura con lo antiguo.

En lo anteriormente desarrollado, he denominado tanto a la *fazenda* como al movimiento pentecostal, como sistemas excluyentes y cerrados. Se debe pensar en realidad que este encierro, en el caso de la *fazenda,* se basa en la explotación económica por parte del terrateniente, y que su posición de poder debe ser mantenida para poder controlar a los trabajadores. El encierro del movimiento pentecostal se rompe justamente en el terreno económico; las relaciones laborales constituyen el contacto más importante entre los creyentes individuales y el mundo exterior. También la función protectora del sistema de *fazenda* se basa en el poder económico del *patrão* y sus intereses. En el pentecostalismo, la protección proviene de la fuerte integración del grupo.

Otra diferencia importante es que uno ha nacido, la mayoría de las veces, dentro de la *fazenda,* mientras que la incorporación a la iglesia pentecostal es una opción personal voluntaria. Esto último significa que los creyentes pueden salirse del movimiento. Esto hace necesario que el pastor estimule los lazos de reciprocidad. El *patrão,* por el contrario, tratará justamente de desalentar toda solidaridad horizontal. El liderazgo del *fazendeiro* está ligado a la propiedad; el del pastor, a las cualidades carismáticas. Si los trabajadores de una *fazenda* dependen económicamente del terrateniente, en el pentecostalismo esto ocurre más en un sentido ideológico. Además, el pastor depende de los miembros de su iglesia, a veces en el apoyo financiero para su subsistencia, pero, de todas maneras, para poder manejar su posición de ligerazgo (Kliewer 1975:144-147).

En oposición a la iglesia católica, donde los eclesiásticos están por encima de la comunidad, en el movimiento pentecostal *(idealiter)* existe una forma igualitaria de organización. Cada miembro es un líder potencial, y tiene acceso directo a lo sobrenatural. Kamsteeg señala en otra parte de este libro que existe siempre una cierta tensión entre el hecho de que el pastor sea una autoridad reconocida con gran poder, y la circunstancia de que al mismo tiempo esta posición de poder esté abierta para cada "creyente común". Vista de una manera ideal, la "sociedad pentecostal" carece de clases sociales; en ella el *status* no depende de la propiedad, la profesión, ni las relaciones de clase o personales (Lalive d'Epinay 1969:130-131). La recepción del Espíritu Santo es la única manera reconocida por la cual puede ser legitimada la autoridad. El igualitarismo social es un dogma, y las aspiraciones al liderazgo deben ser confirmadas por medio del poder divino (Willems 1967:137 y sig.).

La ideología pentecostal pone fuertes restricciones a la conducta personal, en el sentido de que prohíbe los "placeres mundanos", y toda conducta hedonista en general. También aquí se habla de una ruptura. Los juegos de azar, el baile, el fumar y la prostitución, son terrenos proscriptos. Tradicionalmente, alguien podía ser tanto un esforzado trabajador como un jugador regular de lotería. En el pentecostalismo ambos asuntos son incompatibles. Para una mujer respetable, ya eran indecentes la bebida, los juegos de azar y la relación sexual extra-matrimonial. Porque las mujeres habían internalizado ya las reglas de la conducta femenina correcta, fuertemente determinadas por una sociedad androcéntrica, su estilo de vida tradicional parece compatibilizar muy bien con la ética pentecostal. Willems señala la existencia de una doble moral con respecto a la sexualidad. El rol masculino se centra alrededor de una serie de valores que pueden ser denominados en su conjunto como el "complejo de la virilidad", en el cual la relación sexual frecuente, la bebida y la expresión de agresividad son esenciales para confirmar la masculinidad. El rol femenino, encerrado en el "complejo de la virginidad", enfatiza una temprana separacion entre los sexos, la virginidad, y con esto, la salvaguardia del honor familiar. El objetivo de la ética pentecostal es eliminar esta doble moral (1967:45-50). Hoffnagel postula que las creyentes ejercitan, de hecho, mayor contral sobre su esposo que las mujeres no creyentes, y que hay más igualdad moral. Frente a esto, existe el hecho de que dentro del movimiento pentecostal, tal como en la sociedad tradicional, se atribuye muchísimo valor a la mujer como madre y esposa. Tener hijos es visto como el destino primario de la vida de las mujeres, con el cual ellas pueden lograr un cierto *status* dentro del grupo (1978:185-189).

4. Pentecostalismo urbano

El crecimiento del pentecostalismo en las ciudades es explicado por el modelo de anomia, poniendo énfasis en la función del movimiento como mecanismo reorganizador para el gran número de migrantes que han marchado hacia las ciudades como consecuencia del empeoramiento de las condiciones de vida en el campo. El pentecostalismo tiene para ellos una función adaptativa, en una sociedad que está sujeta a un cambio socio-económico rápido. Principalmente los estratos más bajos han sido los afectados más radicalmente por la migración, la urbanización y la industrialización (Willems 1967:247-267). Los migrantes llegan a su nuevo ambiente urbano en un estado de anomia, en el que la seguridad de la estructura social tradicional, y el modo tradicional en el cual su *status* había sido definido, se han pedido (Kliewer 1975:82). Estos cambios hacen necesario reformar las relaciones grupales primarias, de modo que los migrantes puedan recuperar su identidad perdida. En este sentido, la congregación pentecostal ofrece, con su fuerte acento en la cooperación, la responsabilidad personal y la ayuda recíproca, una respuesta adecuada a la necesidad de crear una nueva "comunidad personal". Este grupo provee de una nueva identidad social y brinda un sentimiento de protección (Willems 1967:83,123).

El pentecostalismo ofrece a los estratos más bajos una posibilidad de compensación por el poder, el prestigio y el *statu quo* que les es negado en la sociedad más amplia (Hoffnagel 1978:1-4). Willems plantea que los migrantes, en una sociedad con fuerte conciencia de clase, se ven en la necesidad de superar sentimientos de inferioridad. La fuerza sobrenatural del Espíritu Santo ofrece una compensación a esto. La fuerza de atracción del emotivo pentecostalismo, y el ascetismo correspondiente a éste, se apoyan en el hecho de que el primero niega la importancia de "este mundo", donde los creyentes son marginados. En lugar de éste, ellos crean una sociedad alternativa "dentro del Reino de Dios", en el que se cuentan como parte. Si el creyente antes de su conversión era un "don nadie", ahora él o ella son personas que reciben fuerzas sobrenaturales especiales, y que pertenecen a una multitud elegida (Willems 1967:139-144).

En el artículo de Droogers, dentro de este libro, aparece ya el hecho de que los modelos de anomia tienen una serie de deficiencias. Es así que ellos, por ejemplo, no son suficientemente específicos para el pentecostalismo. No son de gravedad, según Fernandes (citado por Droogers), la ausencia de normas y el vacío social. Droogers concluye que en realidad, el hecho de que la gente encuentre una "comunidad personal" y progrese un poco socialmente, es demostrable de todas maneras para ciertas iglesias.

Surge la pregunta de por qué el catolicismo popular no satisface ya las necesidades de los migrantes. Esta creencia puede considerarse, en primer lugar, una religión agraria, nacional, adaptada a los problemas específicos con que se enfrentan los campesinos. Ellos asocian fuertemente la religión con las cosechas y el ganado, con la sequía y las inundaciones. Además, el panteón de santos tiene lazos a nivel local, de modo que la migración no sólo aparta a la gente de su familia y amigos, sino también de sus santos protectores (Willems 1967:131-134). Anteriormente, sin embargo, en este artículo, hemos visto, que el pentecostalismo muestra tanta continuidad simbólica con el catolicismo popular, que puede plantearse que el pentecostalismo presenta a los elementos perdidos del pasado religioso tradicional con una forma nueva.

El pentecostalismo actúa, según Willems, no solamente como mecanismo adaptativo, sino que asimismo posee en sí un elemento de protesta. El plantea que la pauta organizacional del movimiento pentecostal parece a primera vista totalmente incompatible con la estructura social tradicional del Brasil. El hecho de que florezcan con regularidad movimientos mesiánicos de rebelión, sugiere en realidad que una parte de la población, según se dé la oportunidad, está en condiciones –tanto ocultas como manifiestas– de cuestionar el orden establecido. Incluso la ética protestante, con su énfasis en la laboriosidad, la ahorratividad, la moderación y la castidad, revive muchos elementos –no totalmente desaparecidos– de sus antecesores históricos. Hay sectores específicos de la población, y con esto Willems se refiere a los estratos marginales, que estaban, y están, en condiciones de expresar su hostilidad tanto en su organización espontánea, como en interpretaciones religiosas divergentes.

Willems ve, en la forma de organización igualitaria de la iglesia pentecostal, una razón para calificar al pentecostalismo como un movimiento de protesta. La ausencia de una jerarquía tan importante como la de la iglesia católica, así como el sacerdocio potencial de todos los miembros, un liderazgo carismático que es confirmado por el Espíritu Santo y la autonomía local, significan una revolución simbólica del orden social tradicional. Y de este modo, el sistema pentecostal de creencias en su conjunto, constituye una rebelión simbólica contra el monopolio religioso de la iglesia católica y su aliado tradicional, la élite. Se puede esperar que cuanto más se alejen la ideología y la estructura de una denominación protestante determinada del orden social dominante, cuanto mayor será la fuerza de atracción sobre las capas bajas de la población. En este sentido, la estructura organizativa específica de la iglesia pentecostal ofrece una opción aprovechable. La conversión al pentecostalismo es, entonces, muy significativa para los estratos marginales como protesta simbólica contra los detentadores tradicionales del poder. Por eso es que Willems piensa que el pentecostalismo no debe ser visto sólo como un mecanismo adaptativo, sino también como un motor detrás de cambios ulteriores.

Hoffnagel (1978), que ha hecho una investigación en la *Assembléia de Deus* en Recife, describe por el contrario al pentecostalismo como un movimiento conservador que maneja muchos elementos de la estructura social tradicional, que sostiene al *statu quo* dominante, y con todo esto retrasa el cambio social. La diferencia enfatizada por Willems entre la forma organizativa de una iglesia pentecostal y la organización tradicional, es según Hoffnagel un ideal que no se da en la práctica. La mayoría de los miembros tiene poca o ninguna intervención en la selección de los nuevos líderes. Ellos ven a los líderes como superiores. Además, estos ejercen una influencia autoritaria sobre la vida de los creyentes. Existe una clara relación entre el modo como se ejercita el poder dentro del movimiento pentecostal, y el autoritarismo paternalista vigente en la sociedad brasileña más amplia.

La iglesia integra a sus miembros en el *statu quo*. En primer lugar, el pentecostalismo urbano sostiene a las estructuras de poder dominantes, según Hoffnagel (1978), en el campo político. Los creyentes pentecostales son conscientes de que puede ser útil mantener lazos directos con las élites políticas locales, lo cual se concreta en el hecho de que hay miembros de su iglesia en el gobierno municipal de Recife. Se espera de los creyentes que, tal como corresponde a un buen ciudadano, den su voto. La ideología pentecostal en realidad no estimula un compromiso político. Se ha encontrado la solución para esta contradicción definiendo la política como un acción cuya finalidad es cambiar el *statu quo*. Votando por los partidos del gobierno y no por la oposición (que es rotulada de comunista por los creyentes pentecostales), no se está haciendo política, según la visión pentecostal.

En segundo lugar, el pentecostalismo no contribuye a los cambios sociales. Ser miembro de esta iglesia lleva con frecuencia al individuo a un pequeño mejoramiento en su posición socio-económica, porque el dinero que antes se gastaba en "placeres mundanos" ahora se destina a asuntos más útiles, como, por ejemplo, mejor vivienda y educación. La membresía debe ser vista, por lo tanto, como una estrategia exitosa para aumentar al máximo las posibilidades económicas reducidas, que –sobre todo consideradas a lo largo de más generaciones–, puede tener como consecuencia una cierta movilidad social. El hecho de que la ideología pentecostal produzca, en general, trabajadores disciplinados, honrados y obedientes, beneficia en realidad más a los ricos que a la situación económica de los primeros. No tiene entonces lugar un cambio económico a nivel social, sino a nivel individual, e incluso aquí sólo en proporción limitada.

La ideología pentecostal no estimula de ninguna manera la conciencia de clase. La "separación del mundo", y la idea de no recorrer lo "temporal" de los caminos de "este mundo", no llevan a la búsqueda de una solución social para los problemas. Los creyentes viven en un mundo religioso en el que las penas y los sufrimientos tienen una explicación, y dentro del cual sus problemas pueden tener una solución, a veces ya en este mundo, pero de todos modos, seguramente en el "Reino de Dios".

Resumiendo, Hoffnagel quiere decir que existe dentro del pentecostalismo una clara tendencia al mantenimiento del *statu quo*, y que, eventualmente, tienen lugar, como máximo, cambios a nivel individual. Por consiguiente, el pentecostalismo conduce rara vez a cambios sociales.

5. Pentecostalismo en el campo

A mediados de los años sesenta, la *Assembléia de Deus* se instaló en Santa María, un pueblecito agrario en Pernambuco. Novaes (1985) investigó el significado y las consecuencias que tuvo la afiliación a la doctrina pentecostal, para el manejo social concreto de los creyentes.

Los miembros de la *Assembléia de Deus,* todos campesinos, no están organizados colectivamente en una comunidad de producción económica de autosubsistencia. Viven esparcidos por la región, y allí cultivan sus parcelas de tierra. Es característico de todos los campesinos, también entonces de los no pentecostales, que tengan que enfrentarse en primer lugar con la escasez de tierra, y en segundo lugar, con la producción basada en el trabajo familiar. Dentro del hogar se realiza gran parte de la reproducción física, social y económica del grupo. En cuanto a esto, los campesinos se distinguen de los asalariados y arrendatarios, que en gran parte deben buscar su subsistencia fuera del grupo doméstico para no sumergirse en la miseria.

La producción de los campesinos (con un número de hectáreas que varía de media hasta 15), se destina principalmente para el autoconsumo. Cultivan sobre todo maíz, mandioca y porotos (frijoles). Además, crían aves de corral y otros animales pequeños, más, eventualmente, un par de vacas. La escasez cuantitativa y cualitativa de tierra hace necesario, para la mayoría de estos campesinos, la búsqueda de oportunidades de trabajo complementarias, fuera de su propio terreno. Así es que producen una mínima cantidad de cultivos que son exclusivos para el mercado, tales como azúcar, café y frutas. Como fuente complementaria de ingresos se puede, fuera de la temporada de cosecha, buscar trabajo en la capital del estado, Recife, o viajar hacia el sur para trabajos temporarios en los ingenios azucareros. Otra posible "estrategia de supervivencia" es buscar tierra sin cultivar, que puede encontrarse no sólo en las *fazendas,* sino también entre los medianos propietarios. Esto último puede parecer paradójico, pero algunos campesinos deben enfrentar en el momento del ciclo vital que atraviesa su familia, un déficit en la fuerza de trabajo familiar, bien porque los hijos son demasiado pequeños o bien porque se han casado y salido de la casa. Hay también campesinos que no disponen de suficientes recursos financieros al comienzo de una temporada agrícola, por ejemplo, a causa de egresos elevados en el caso de enfermedad de un miembro de la familia. Se puede también arrendar tierras de la iglesia católica *(terra do santo),* pero de esto están naturalmente excluidos los pentecostales.

En lo que respecta al uso de la tierra de una *fazenda,* han ocurrido cambios radicales en las últimas décadas. A mediados de los años cincuenta, cambió el patrón de consumo urbano. Debido a la nueva demanda urbana, pasó a ponerse énfasis creciente en la producción de carne y productos lácteos, por medio de la cual fue estimulada la ganadería. Principalmente en los años sesenta hubo un enorme aumento de la proporción de tierra de cultivo destinada para la cría de ganado. Esto ocurrió a expensas de la producción de otros cultivos comerciales tradicionales, tales como el café y el algodón (Clay 1979).

Antes de esta revolución podían usar los campesinos, en la forma de *arrendamento,* una parcela de tierra de la *fazenda* que "alquilaban" por un precio acordado previamente. Cuando fue evidente que la ganadería se había vuelto lucrativa, disminuyó el interés de los *fazendeiros* por los acuerdos de arrendamento con los campesinos. Ellos estaban interesados únicamente si el acuerdo los conducía a una ampliación de su cantidad de tierra de pastoreo. Por eso, apareció un nuevo tipo de convenio, *foro pelo pasto* (arrendamiento para pastoreo). Los *fazendeiros* que todavía utilizaban una pequeña proporción de tierra para la producción de algodón, y que querían cambiar su aprovechamiento para la ganadería, permitían a los campesinos cultivar su maíz y sus granos en medio de la plantación de algodón, y así también se ocupaban de cuidarla. Después de la cosecha, el campesino obtenía todos los productos, pero a cambio de esto él debía plantar en su parcela *palma* (un tipo de cactus), pasto de *pangola* o pasto *elefante,* los cuales podían servir como alimento para el ganado. De este modo pudieron los *fazendeiros* pasar sistemáticamente del cultivo del algodón a la ganadería, sin que esto significara para ellos costos elevados. Se eligió entonces el uso de la tierra de la *fazenda* como estrategia de supervivencia sólo en caso de extrema necesidad, porque los campesinos eran sumamente conscientes de su posición subordinada. Pero cuando más y más tierra fue absorbida por el cultivo de *palma,* pasto de *pangola* y otras hierbas de pastoreo, se hizo claro para los campesinos cuán importante era que ellos anteriormente hubieran tenido siempre acceso a la tierra del terrateniente. Así pues, el problema de la escasez de tierra se volvía cada vez más agudo a través del *for pelo pasto.*

En estas cuestiones agrarias, en Santa María no se diferencian los pentecostales de los que no lo son. Ellos también mantienen las relaciones existentes dentro del grupo doméstico, incluso aunque haya miembros de la familia que no profesen la nueva creencia, porque un "buen *crente* (pentecostal) cumple con sus obligaciones". La conversión no significa entonces la ruptura de las redes sociales anteriores. Esto tiene una dimensión religiosa: un creyente fanático tratará de convertir a su familia. Asimismo, esto posee una dimensión material: la comunidad religiosa ofrece ciertamente una nueva red de personas a las que se puede acudir para solicitar apoyo, pero no puede de ningún modo reemplazar a las antiguas, porque la congregación pentecostal no es autosuficiente desde un punto de vista económico.

La conversión tiene en realidad consecuencias extraordinarias en términos de la participación política. Los *crentes* de la *Assembléia de Deus* conducen un estrategia efectiva de cooperación con el único órgano que representa a los trabajadores campesinos: el *Sindicato dos Trabalhadores Rurais.* Esta organización brinda a los campesinos, entre otras cosas, apoyo jurídico. En la esfera política, los pentecostales luchan por sus derechos sobre la tierra. El "carácter corporativo", según Novaes, del pentecostalismo, es decir, hablar de la autonomía local y de que las fuentes materiales e intelectuales son del mismo origen, lleva a que el reconocimiento de los problemas de los campesinos pentecostales, y la solución de ellos, sea tarea de la propia organización religiosa. Gramsci (citado en Novaes 1985:152) plantea que cuando el marco político nacional corta las posibilidades de expresar la protesta y de organización, el aparato religioso representa el modo esencial por el cual pueden expresarse los grupos sociales más bajos. Sin duda, la *Assembléia de Deus* muestra a los campesinos la vía para hacer conocidos sus deseos. Novaes (1985:131) sostiene la tesis de que para los pentecostales, la experiencia de conversión y la intensidad de la vida religiosa crean un sentimiento comunitario, una fuerte idea de comunión. Los *crentes* legitiman para sí la lucha por sus derechos, sobre la base del contenido de los salmos y otras partes de la Biblia. Se habla en este sentido de un fuerte entrelazamiento de aspectos sociales y religiosos. Este es, en mucho menos medida, el caso entre los creyentes católicos en Santa María. También entre ellos hay un sentimiento más débil de solidaridad.

A causa de que los *fazendeiros* no quieren poner más tierra a disposición para *arrendamento,* cada vez se apropian de más tierra para ganadería, vía el sistema de *foro pelo pasto,* y además compran pequeñas parcelas a los campesinos, se acentúan las contradicciones de intereses entre ambos grupos. El movimiento pentecostal en Santa María no es defensor del *statu quo.* Sus miembros toman una actitud antagónica con respecto a la clase dominante (los *fazendeiros*) y la iglesia católica, la representante tradicional de esta clase. La posibilidad de incorporarse al movimiento pentecostal significa para los campesinos una alternativa de vida colectiva entre sus iguales. En otras palabras, el pentecostalismo organiza a los pobres y estimula su lucha por sus derechos. Se pone en duda el dominio tradicional de los *fazendeiros*. Se aspira a cortar las relaciones tradicionales de clientela con los terratenientes, puesto que ahora éstos ya no quieren poner la tierra a disposición de los campesinos. Novaes (1985:153) sugiere que el debilitamiento de los lazos con los *fazendeiros* ha creado en cierta medida el espacio para que exista la iglesia pentecostal en Santa María. Así pues, puede ser un factor importante de motivación para que los pequeños campesinos se incorporen a la iglesia pentecostal, la posibilidad que ofrece la *Assembléia de Deus* de debilitar las relaciones de dependencia con respecto a los *fazendeiros*. La ruptura con la estructura social tradicional que significa el pentecostalismo, es por eso una parte importante de la explicación del crecimiento del movimiento en Santa María.

6. Conclusión

Hemos visto que el pentecostalismo muestra tener continuidad histórica, simbólica y social con la sociedad tradicional, concentrada alrededor de la *fazenda*. Los elementos de ruptura fueron realmente la causa de que Willems (1967) rotulara al movimiento como de protesta simbólica contra el orden tradicional. Hoffnagel (1978) concluyó, sin embargo, a partir de su investigación concentrada en una situación urbana, que el movimiento pentecostal, en un sentido concreto, no contribuye a los cambios sociales. De la investigación de Novaes (1985), orientada hacia el campo, se evidencia por el contrario que la condición de miembro de la iglesia pentecostal puede motivar seriamente a la participación política activa, en la cual aparecen con fuerza oposiciones de clase entre los campesinos y los *fazendeiros*.

El movimiento pentecostal constituye demasiado una continuación de la estructura socio-cultural tradicional, para ser llamado sin más rodeos revolucionario. Pero la función que cumple el pentecostalismo en el campo, justifica que el movimiento no pueda tampoco ser denominado, sin más ni más, conservador.

El pentecostalismo trae consigo tanto elementos conservadores como innovadores. La explicación de esta paradoja se basa en la circunstancia de que, evidentemente, los *crentes,* dado el hecho de que ambos tipos de elementos en gran medida están a la mano, tienen la opción de usar el pentecostalismo, en la situación específica que atraviesen, de una manera tan ventajosa como sea posible. Julio de Santa Ana muestra en una entrevista la diferencia entre el pentecostalismo urbano y rural, como sigue:

El pentecostalismo urbano ayuda a la gente a sobrevivir al capitalismo. Se concierta, de ser así, un convenio recíproco con Dios: "yo te doy mi obediencia (...) si tú me recompensas con protección y éxito en la difícil sociedad urbana" (...). En el campo, la secta pentecostal constituye, por el contrario, una ruptura con la sociedad tradicional que está dominada por el terrateniente. En esta ruptura no es suficiente un conjunto modificado de símbolos (...). Tiene también lugar en un sentido socio-económico concreto. El pentecostalismo inspira a la gente en la lucha por la tierra (Schipper 1988).

El pentecostalismo funciona en las ciudades como un mecanismo adaptativo, necesario en un tiempo de procesos de cambio radicales y rápidos. De acuerdo con esto, uno se conduce como conservador en un sentido práctico. El descontento con la sociedad sólo se expresa de un modo simbólico. El pentecostalismo rural contiene en realidad algo más que una protesta simbólica. Es parte de una lucha contra las injusticias con relación a la tenencia y el uso de la tierra, con la cual trata de –aquí y ahora– contribuir a un mejoramiento de la sociedad.

Bibliografía

Clay, Jason W. 1979, *The Articulation of Non–Capitalist Agricultural Production Systems with Capitalist Exchange Systems: The Case of Garanhuns, Brazil, 1845-1977.* Cornell University, tesis de doctorado.

Forman, Shepard 1975, *The Brazilian Peasantry.* New York: Colombia University Press.

Hoffnagel, Judith C. 1978, *The Believers: Pentecostalism in a Brazilian City.* Indiana University, tesis de doctorado.

Kliewer, Gerd U. 1975, *Das neue Volk der Pfingstler; Religion, Unterentwicklung und sozialer Wandel in Lateinamerika.* Frankfurt: Peter Lang.

Lalive d'Epinay, Christian 1969, *Haven of the Masses; a Study of the Pentecostal Movement in Chile.* London: Luttherworth Press.

Lang, James 1979, *Portugese Brazil: The King's Plantation.* New York: Academic Press.

Novaes, Regina R. 1985, "Os Escolhidos de Deus; Pentecostais, trabalhadores e Cidadania". São Paulo: Marco Zero (*Cadernos do ISER* 19).

Schipper, Aldert 1988, "Julio de Santa Ana: Economie is zoiets als religie". *Trouw,* 20 januari.

Willems, Emilio 1967, *Followers of the New Faith; Culture Change and the Rise of Protestantism in Brazil and Chile.* Nashville: Vanderbilt University Press.

EL DESARROLLO DEL MOVIMIENTO CARISMATICO DENTRO DE LA IGLESIA CATOLICA DE CURAZAO

Barbara Boudewijnse

Introducción

He llevado a cabo la presente investigación en Curazao en el período de agosto de 1985 a febrero de 1986. El tema elegido ha sido el desarrollo del movimiento carismático dentro de la iglesia católica. En Curazao, ha aumentado en las últimas décadas la cantidad de movimientos religiosos nuevos, como es también el caso en otras regiones del Caribe. Entre otros, se destaca el gran número de iglesias pentecostales. Desde 1975, Curazao tiene su propio movimiento pentecostal católico, el llamado "movimiento carismático" o "renobashon karismatika" (renovación carismática). Tanto éste como otros movimientos religiosos no han sido investigados sistemáticamente, y por lo tanto se conoce poco de ellos (1). Por eso, el estudio ha tenido un carácter exploratorio y de inventarización (2). La pregunta central de la investigación ha sido qué ofrece a los creyentes el movimiento carismático, que no les ofrezca la iglesia católica. El punto de partida fue la experiencia individual. También se ha trabajado sobre un tema más amplio: el contexto social en el cual se ha desarrollado el movimiento carismático, puesto que ningún

1. Hasta donde llega mi conocimiento, no se ha investigado científicamente a las sectas (en su mayoría protestantes) en Curazao. Entre los nuevos movimientos religiosos se encuentra también el "montamentu", ya que éste surgió en los años cincuenta. El "montamentu" ha sido estudiado por F. Bernadina, *Montamentu: een studie over een Afro-Amerikaanse godsdienst op Curaçao* (Montamentu: un estudio sobre una religión afro-americana en Curazao, tesis no publicada, Utrecht, 1981).
2. El método de observación participante jugó un rol importante en la investigación. Asistí, por ejemplo, a 76 reuniones religiosas. En general, se trató de reuniones carismáticas (56 en total). Además, concurrí a celebraciones católicas tradicionales y a iglesias pentecostales, esto a manera de comparación. Estuve presente principalmente en reuniones de oración, pues éstas eran las más importantes para los miembros. Mi asistencia fue regular a tres grupos de oración; a otros cuatro fui con menor frecuencia. Realicé 68 entrevistas abiertas; los informantes fueron, mayoritariamente, miembros del movimiento carismático (56 en total), aunque también incluí a líderes católicos no carismáticos, laicos y miembros de iglesias pentecostales.

movimiento religioso se desarrolla aislado del contexto en el cual se origina y florece.

En este artículo quiero dar igualmente un panorama de la historia y las características del movimiento carismático en Curazao. Este tuvo en un principio un crecimiento explosivo; después de unos años, sin embargo, este desarrollo se estancó.

El movimiento carismático se distingue de las iglesias pentecostales por ser parte de la iglesia católica. Así que la agrupación investigada por mí, pertenece a la iglesia católica de Curazao. Una consecuencia de esto es que el movimiento, además de estar orientado hacia la experiencia pentecostal, también lo está hacia la doctrina y prácticas de la iglesia católica. Asimismo, su relación con ésta tiene consecuencias para el liderazgo. Sobre esto volveremos más adelante en este artículo. En general, los miembros de movimientos carismáticos se cuentan dentro de la clase media (o media baja) y son de edad mediana. Este es también el caso en Curazao.

En esta isla son sobre todo mujeres las que se adhieren a este movimiento; no sólo hay más miembros femeninos que masculinos, sino que también ellas son quienes generalmente ocupan las posiciones de liderazgo. Habitualmente, estas mujeres pertenecen a la clase media. ¿Cuál es la causa de que sean ellas las que se asocien con más frecuencia a este movimiento? En este artículo se buscará una explicación para la situación en Curazao, tal como se ha desarrollado históricamente. Entre otras cosas, veremos la relación de la iglesia católica con las prácticas mágico-religiosas existentes (llamadas "brua"). Por otra parte, trataremos el análisis de McGuire sobre el nacimiento de movimientos religiosos –como lo es el carismático– en la sociedad actual (occidental). Ella es de la opinión de que la modernización de la sociedad va acompañada de una división creciente entre el ambiente privado y el público, y que existe una tendencia a que la religión se encuentre cada vez más en el ámbito privado. Como veremos, en Curazao este desarrollo acentúa aún más las diferencias existentes entre la posición social de la mujer, por un lado, y del hombre, por otro.

1. La situación religiosa en Curazao

La gran mayoría de la población de Curazao, y prácticamente toda aquella de origen afro-antillano, es (o era) católica (3). Esto se debe a que los propietarios de las plantaciones, en su mayoría protestantes, no se opusieron a la costumbre de que sus esclavos fueran bautizados como católicos. Como consecuencia, por largo tiempo los límites étnicos

---

3. Creencias religiosas vigentes en Curazao en 1981, en porcentajes sobre la población total: católicos 88 %, metodistas 1 %, anglicanos 1 %, otras religiones protestantes 5 %, otros 5 %, ateos 2 % (*Encyclopedie van de Nederlandse Antillen*:338).

y de clase coincidieron con los eclesiásticos, situación en la cual el protestantismo (junto con el judaísmo) constituyó la religión de la élite colonial, y el catolicismo la del pueblo negro.

Cuando la compañía Shell se instaló en la isla en 1915, la población aumentó rápidamente a causa del creciente grupo de obreros atraídos por la industria petrolífera. Curazao se convirtió, en el período entre las dos guerras mundiales, en una sociedad segmentada e industrializada (4). Se originó en esta época una amplia clase media antillana de empleados públicos, comerciantes y profesores. La iglesia católica se dirigió progresivamente a este grupo social, el cual era parcialmente dependiente de ella, y al cual pasó a estar supeditada en su momento dicha iglesia. La influencia de la misma en la vida de los creyentes era muy grande. Era la institución más importante en los terrenos de salud pública, enseñanza, prensa, asociaciones juveniles y deportivas.

Después de la segunda guerra mundial, la mencionada influencia de la iglesia católica empezó a decaer. No solamente no lograba su propósito de influir de manera permanente sobre un partido político o sindicato, sino que también perdió su monopolio en el terreno religioso. Este proceso fue causado por una serie de factores. La misión católica de Curazao, que en 1870 había sido puesta bajo la jurisdicción de los dominicos holandeses, estaba encabezada por padres y monjas. A pesar de que la población afro-antillana era en su mayor parte católica, Curazao sólo contaba con unos pocos eclesiásticos y religiosas antillanos. Nunca hubo entonces, en lo que respecta al clero, una iglesia realmente antillana.

La pregunta es en qué medida y con qué sentido los antillanos habían hecho suya la creencia católica. En todo caso, existió siempre una cierta distancia entre el clero y el "yu di Korsou" (hijo de Curazao). Un factor de importancia en esta cuestión es, sin duda, la existencia de creencias y prácticas llamadas "brua". Hay una "brua blanca" y una "brua negra", comparables con la magia blanca y la magia negra. Muchos antillanos consultan a un "hasido de brua" ("hacedor de brua"), cuando se enfrentan con problemas de relación, enfermedades u otras desgracias, o para prevenir tales desastres. También se recurre a la "brua" cuando se desea influir la suerte. Se da en Curazao el caso de una relación estrecha entre las actividades de "brua", y el muy popular juego de lotería. El "hasido de brua" prescribe medios para obtener buena suerte, como por ejemplo, baños de hierbas o aguas milagrosas. La creencia en la magia, y el miedo a la magia negra, están relacionados con la idea ge-

---

4. El concepto de "sociedad segmentada" denota una sociedad originada por la combinación de dos o más grupos sociales (segmentos), diferentes entre sí en cuanto a raza y cultura. Estos segmentos tienen un lugar propio en la jerarquía social de la sociedad a la cual pertenecen. Esta descripción proviene de la caracterización "plural society" (sociedad plural), introducida por Furnivall, quien aplicó este término a la sociedad colonial de la actual Indonesia. El definió el concepto de "plural society" como "a society comprising two or more elements or social orders which live side by side, yet without mingling, in one political unit" (una sociedad que comprende dos o más elementos u órdenes sociales que coexisten, aunque sin mezclarse, en una sola unidad política, citado en Römer 1979:3).

neralizada de la existencia de espíritus malignos. El individuo puede protegerse ("furá") de los espíritus malignos, de accidentes o de efectos de la "brua negra". Esto se consigue mediante un amuleto protector ("kontra"). El cliente debe pagar al "hasido de brua" por todos estos servicios.

La práctica de "brua" ha sido siempre condenada y activamente combatida por la iglesia católica. Aparte de esta brecha histórica entre la iglesia y la población, hubo otras circunstancias que causaron la pérdida de influencia de la iglesia católica. Las Antillas Holandesas obtuvieron autonomía política en 1954. El período anterior a esta fecha se caracterizó por una concientización política creciente (Römer 1979:154-155). Después de la segunda guerra mundial se fundaron partidos políticos y sindicatos netamente antillanos, en los cuales no se tuvo en cuenta a la iglesia. Asimismo, los hechos alrededor del Segundo Concilio Vaticano contribuyeron a que disminuyera la influencia de la iglesia; en Curazao, estas circunstancias confundieron a muchos creyentes, porque fueron perturbados los antiguos principios que les daban seguridad.

El período posterior a la guerra no sólo trajo consigo autonomía política, sino que también conllevó el surgimiento de movimientos religiosos nuevos, sobre todo en los años cincuenta. En estos años nació, por ejemplo, el "montamentu" (Römer 1977:264). Esta "religión de posesión", se relacionaba con la creencia existente en espíritus. Ni en el caso de "brua" ni en el de "montamentu", se puede hablar de una organización; no hay un núcleo de creyentes permanentes, o un lugar fijo de encuentro. Las actividades se llevan a cabo en la casa de alguna persona, y cuando hay necesidad de reunirse. El "hasido de brua" y el "montado" (el médium) trabajan individualmente, y tienen una clientela personal.

Además del "montamentu", se originaron desde los años cincuenta muchas iglesias pentecostales. El crecimiento del pentecostalismo continúa hasta el día de hoy. También florecen mitos alrededor de determinados santos, como por ejemplo San Miguel y San Antonio. Estos procesos en el terreno religioso tuvieron, y tienen, que ver con la recesión económica. Durante la segunda guerra mundial, Curazao gozó de mucha prosperidad. En el período de posguerra, la capacidad de empleo se redujo a causa de, entre otras cosas, la automatización de la industria petrolífera. Incluso, en 1985 peligraba la subsistencia de la refinería de la isla. Es por eso que, aparentemente, el crecimiento del movimiento pentecostal no se debe tanto a los procesos de industrialización y urbanización (que tuvieron lugar principalmente durante los primeros cincuenta años de este siglo), como a la consecuente recesión económica.

Así que podemos decir que, en 1975, la situación religiosa en Curazao se caracterizaba por una diversidad de creencias religiosas. Había decaído la influencia de la iglesia católica, y existía una cantidad creciente de congregaciones pentecostales competidoras. Fue en esta situación que se originó el movimiento carismático en Curazao.

2. Historia del movimiento carismático en Curazao

El movimiento carismático de Curazao forma parte del movimiento carismático de difusión mundial, que surgió en los Estados Unidos en 1967. En ese año ocurrió que un grupo de docentes y estudiantes católicos de la Universidad de Duquesne en Pittsburg, Pensilvania, buscaron y recibieron el "bautismo en el Espíritu Santo". Por medio de amigos y conocidos, este grupo se extendió a otras universidades. Si bien al principio el movimiento atrajo principalmente a estudiantes, en 1970 ya se podía caracterizar a sus miembros como "gente de edad mediana" (McGuire 1982:5). El movimiento carismático comenzó como una organización de laicos, aunque también al principio ya estuvieron incluidos miembros del clero. El propósito perseguido por los fundadores era la renovación de la iglesia católica "por el Espíritu". McGuire calcula que en 1978, el movimiento contaba con unos 600.000 adeptos en los Estados Unidos. Desde entonces, ella constata un cierto deterioro (1982:6). Según Bord & Faulker (1983:9), se puede hablar de un crecimiento estancado ya desde 1974. Estos últimos ven, además, una reciente clericalización del movimiento (1983:139-140).

Este se divulgó desde los Estados Unidos hacia todo el mundo. En Curazao fue introducido en 1975, por medio de dos padres residentes en la isla que habían conocido al movimiento durante varias conferencias de sacerdotes católicos en otras partes del Caribe. Fue gracias a su iniciativa que un grupo de oración carismático de Trinidad –donde el movimiento se había originado en 1972–, fue invitado a "divulgar el Espíritu" en Curazao. A partir de estas reuniones de oración el movimiento carismático en creció Curazao, hasta tener de 1250 a 1400 seguidores en 1985. Se trata de personas que asisten a las reuniones de oración con cierta regularidad, y que se autodefinen como carismáticos (5).

El movimiento de Curazao, en oposición al mismo en los Estados Unidos, no surgió a iniciativa de laicos. Esta última provino en primera instancia de sacerdotes muy preocupados porque el número de creyentes de su iglesia disminuía. Estos sacerdotes veían también con inquietud el número creciente de iglesias pentecostales. Ellos introdujeron el movimiento carismático en la iglesia católica para darle nueva vida, y poder competir con las iglesias pentecostales.

3. Difusión y organización

El movimiento se divulgó por medio de los primeros participantes a los reuniones, y luego principalmente a través de una red de relaciones

---

5. Algunos líderes y miembros del movimiento dijeron que se era carismático recién desde el momento de haber experimentado el "bautismo en el Espíritu Santo". No fue posible aplicar esta norma para distinguir a los miembros de los no miembros, a los propósitos de la investigación, por cuanto no se trata de un criterio controlable. Además, es mi opinión que el movimiento debe su carácter a *todos* los miembros participantes.

amistosas y familiares (6). Muchos miembros están involucrados en el movimiento desde hace varios años. Este creció sobre todo durante los primeros años de su existencia en la isla. En los últimos tiempos, se aprecia, más bien un estancamiento (7). Esto se debe a diferentes factores. Se reclutaba a los fieles especialmente entre los católicos activos. En general, el movimiento no llegaba hasta el gran grupo de "católicos renegados". Esto guarda relación con la manera en que se difundía el movimiento: a través de relaciones familiares, amigos y conocidos, en lugar de hacerlo por medio de una evangelización activa. Es posible también que la competencia de las iglesias pentecostales haya sido otra causa del estancamiento del desarrollo del movimiento carismático.

Los primeros grupos de oración surgieron de las parroquias de los dos padres que habían invitado al grupo de oración de Trinidad. El movimiento contaba en 1985 con 24 grupos de oración formales para adultos, en general uno por parroquia. Estos grupos se reúnen regularmente, casi siempre en la iglesia de la parroquia. Todos tienen un grupo núcleo, constituido por de tres a ocho "guías". Además de estos grupos formales había unos diez de carácter informal, cuyas reuniones tienen lugar en el hogar de uno de sus miembros. Estos grupos son dirigidos comúnmente por una sola persona. Por último, existían unos diez grupos juveniles. El tamaño de los diferentes grupos varía mucho. Los más grandes cuentan con de 60 a 100 integrantes; otros con menos de veinte. Es importante notar aquí que los miembros del movimiento carismático provienen de todas las parroquias de la isla. Pero en muchos casos, se asiste a otros grupos, de fuera de la propia parroquia. Incluso, muchos miembros asisten a las reuniones de oración de varios grupos a la vez. Se habla, entonces, en lo que respecta a los círculos de oración, de membresía superpuesta.

A pesar de que hablemos del movimiento carismático en términos generales, tenemos que poner de manifiesto la autonomía relativa de cada grupo de oración. Aunque existe un órgano central que los incluye a todos ellos, el llamado *"team* de servicio", este último tiene, en la práctica, poca influencia sobre los distintos grupos que lo constituyen. Su función es sólo organizar actividades comunes para y de todos los grupos. Sin embargo, el *"team* de servicio" juega un papel considerable en el movimiento en su totalidad, puesto que mantiene contacto con el movimiento carismático en otros países. Por ejemplo, en 1985 este *"team* de servicio" organizó las festividades con motivo del décimo

6. Un 72 % de los miembros entrevistados se había integrado al movimiento por medio de familiares, esposo/esposa o amigos. Un 18 % llegó a conocer al movimiento a través de sus actividades eclesiásticas y un 6 % se integró a él de otro modo. De un 4 % se desconoce la forma en que se adhirió al movimiento.
7. De los miembros entrevistados en 1985, un 43 % lo habían sido durante diez años (desde 1975), un 24 % de siete a nueve años y medio, un 24 % de cuatro a seis años, un 10 % de uno a tres años. Con base en información adicional, se puede decir que este modelo parece ser representativo para el desarrollo del movimiento en Curazao en su totalidad.

aniversario del movimiento, a las cuales concurrieron carismáticos provenientes de Trinidad y República Dominicana.

No sólo tiene el "*team* de servicio" poca influencia sobre los grupos de oración, sino que estos funcionan de modo independiente entre sí. McGuire nota el mismo fenómeno en los Estados Unidos y dice, por lo tanto, que uno se hace miembro del grupo de oración, y no del movimiento (McGuire 1982:12). El movimiento carismático, como totalidad, tiene *status* "oficial" en el obispado de Willemstad. Uno de los padres fundadores en 1975, fue nombrado por el obispo como "director" del movimiento en las Antillas Holandesas (él es asimismo, vicario general del obispado) (8).

4. Creencias y actividades religiosas

El movimiento carismático se basa en aquellas partes del Nuevo Testamento en las cuales se habla del fenómeno pentecostal, los dones y la actuación del Espíritu Santo. Es la creencia generalizada de que cada creyente, incluso el laico, puede recibir el "bautismo en el Espíritu Santo" y los dones espirituales (9)

El creyente de Curazao piensa que cuando uno ha recibido el "bautismo en el Espíritu Santo", se ha protegido contra los espíritus malignos o el mal en general: Satanás (el diablo). Para que esto se haga realidad, es necesario llevar una "vida de oración". Esta última es el instrumento más importante para armarse contra los males, terrenos y los sobrenaturales.

En la iglesia tradicional era el cura quien constituía el eslabón entre los creyentes y el mundo sobrenatural. Ackerman plantea en su artículo sobre el movimiento carismático católico en Malasia, que éste ofrece posibilidades a sus miembros de hacer suyo el poder sobrenatural, de una manera legítima, para enfrentar la vida cotidiana. Sus miembros se distancian de la religión popular, pero demuestran con respecto a la fe pentecostal la misma actitud "instrumental" que los malayos no cristianos con respecto a la creencia popular. La religión carismática brinda

8. El modelo de organización señalado, que incluye grupos de oración, grupos núcleo y el "*team* de servicio", concuerda con aquél descripto por McGuire y Bord & Faulkner en cuanto al movimiento en Estados Unidos (McGuire 1982:4-17, Bord & Faulkner 1983:7-19). McGuire hace referencia, asimismo, a una nueva función, la de "director diocesano para la renovación carismática" (1982:7).

9. De los miembros entrevistados, un 25 % dijo no haber recibido ninguno de los dones del Espíritu Santo; un 57 % dijo haber recibido el "don de lenguas", un 24 % el "don de profecía", y un 8 % el "don de interpretación de lenguas". Algunos relataron que poseían el "don de discernimiento de espíritus" o "palabra de ciencia". El "don de sanidad", como los otros dones recién mencionados, aparece poco, lo que es de extrañar toda vez que la curación por medio de la oración forma un aspecto importante de las actividades carismáticas. Distintos miembros dijeron del "don de lenguas" que "es la única lengua que el diablo no puede entender". Otros hablaron de haber recibido el "don de fe" o el "don de amor".

a sus seguidores un sentimiento de poder personal para protegerse de los peligros (Ackerman 1981:92-93). Esta interpretación parece ser aplicable a la situación de Curazao. Los miembros del movimiento carismático tienen una actitud negativa hacia la "brua". Es de notar que califican a la "brua", en primer lugar, como algo tonto, y únicamente en segundo lugar como no cristiana o diabólica; es algo sólo para la "gente simple". Estando uno en problemas no hay que buscar soluciones en la "brua", sino en la oración. La fe y la oración brindan respuesta a toda clase de problemas, y lo que es más, protección contra el mal.

El movimiento carismático ha enseñado a sus miembros (según ellos mismos) cómo orar:

> Antes la iglesia estaba "muerta". Ibas "vacío" a la iglesia, y volvías "vacío" a casa. No podías leer la Biblia, no sabías lo que la Biblia decía. Rezabas, sí, pero solamente para pedir determinadas cosas. El movimiento carismático ha hecho revivir a la iglesia. Se aprende a orar, y que orar no es pedir nomás, sino también agradecer. Se aprende a alabar a Dios. Se sabe que Cristo vive y que te cuida; que da todo lo que se le pide, siempre que creas en él.

El rol del creyente en la iglesia tradicional era mucho más limitado. Ahora se da a los creyentes la posibilidad de un contacto más directo y personal con Dios, por medio de la oración y los dones del Espíritu Santo. Un aspecto importante de la religiosidad carismática es el énfasis en el sentimiento y la experiencia personal. No se trata de una "sabiduría acerca de Dios", sino de una "experiencia de y con Dios". Un 67 % de los informantes dijo haber aprendido a orar con sus propias palabras, gracias al movimiento carismático. Esta manera de orar les da la convicción de ser capaces de dirigirse directa y personalmente a Dios. Sienten que se expresan emocionalmente de manera más adecuada que antes.

Se espera del creyente un testimonio permanente de sus experiencias de y con Dios, de su presencia y compromiso activo en la vida del primero. Durante las reuniones de oración, éste es el aspecto que se estimula más enfáticamente. Sólo la mitad de los fieles, sin embargo, había dado testimonio públicamente durante una reunión de oración. Más adelante trataré este fenómeno con más atención.

Como ya hemos visto anteriormente, la reunión de oración es la base de las actividades carismáticas. Aparte de estas reuniones, se dan misas carismáticas. Estas se distinguen principalmente por su "alabansa" (alabanza). Además, se organizan seminarios(10), se imparten estudios bíblicos y se organizan días de familia. La curación por medio de la oración forma otro aspecto importante del movimiento carismático. De

10. Un seminario es un curso de una duracion de, generalmente, siete domingos, durante los cuales se explican las doctrinas del movimiento carismático y se ora, para poder realizar el "derramamiento del Espíritu Santo" sobre los participantes.

vez en cuando, se organizan reuniones especiales con este propósito. En general, no obstante, son los "guías" los que oran en privado con los enfermos. Todas las actividades mencionadas son iniciadas por los grupos de oración individuales. En ocasiones especiales, como por ejemplo el quinto y décimo aniversario del movimiento, es el "*team* de servicio" el que organiza reuniones de oración.

5. Características de los miembros

Las mujeres han cumplido desde siempre un rol importante en la vida religiosa de Curazao. Tanto la iglesia católica como las pentecostales, cuentan principalmente con mujeres como miembros. Lo mismo vale para la "brua" y el "montamentu": el "montado", "el hasido de brua" y su clientela, pertenecen sobre todo al sexo femenino. Las mujeres representan en las reuniones de oración hasta un 80 % de los presentes.

Se han creado "grupos masculinos" especiales, para estimular a los hombres a integrarse al movimiento. En el pasado se ha visto que estos grupos persisten sólo en el caso de que no haya ninguna mujer presente. En dos grupos masculinos se abrió la entrada a mujeres, en un momento determinado, porque se pensaba que estaban suficientemente consolidados. Según se cuenta, fueron las mujeres quienes al poco tiempo tomaron la iniciativa. Esto tuvo como consecuencia que los hombres se ausentaran cada vez más, de manera tal que no ha quedado ni la sombra de los grupos originales. Habiendo interrogado a los informantes sobre este fenómeno, la respuesta clásica es que "las mujeres dominan al grupo, se hacen las líderes". En 1985 había dos grupos masculinos. A causa de las experiencias del pasado, se ha decidido rechazar la presencia de mujeres en las reuniones. Incluso, fue rehusada la presencia de la autora de este artículo.

Prácticamente, todos los miembros del movimiento carismático son de origen católico. Se trata principalmente de pobladores de Curazao, de origen africano (11). La edad de los miembros oscila entre los 45 y 55 años. La mayoría se adhiere al movimiento entre los 40 y 50 años de edad. Muchas mujeres han dicho que a esa edad tienen más posibi-

11. Un 71 % de los miembros entrevistados es "yu di Korsou"; un 24 % proviene de Bonaire. En comparación con el movimiento de Curazao en su totalidad, la participación de pobladores de Bonaire es menor. El restante 15 % proviene de Aruba, Surinam (la antigua Guayana Holandesa) y Trinidad. La gran cantidad de gente de Bonaire en la investigación se debe al hecho de que en uno de los grupos de oración a los que asistí, la gran mayoría de sus integrantes eran de esta procedencia. Esto tiene que ver probablemente con el tipo de modelo de reclutamiento: uno se adhiere al movimiento por medio de familiares y conocidos. Es de notar que el movimiento carismático tiene en Bonaire relativamente pocos seguidores. En contraposición con la situación de Curazao, la sociedad en Bonaire tiene un carácter rural: la comunidad es más compacta y cerrada. La distinción característica en la sociedad moderna (occidental) entre el ambiente público y el privado (la cual es tratada más adelante), no parece tener tanta vigencia en Bonaire.

lidades de ser activas en la iglesia; entre otras cosas, porque sus hijos o hijas son en ese momento adultos y no requieren cuidado. A consecuencia de esta última situación, las mujeres se sentían solas e inútiles, especialmente porque en la mayoría de los casos sus hijos e hijas habían abandonado la isla.

En cuanto al estado civil de los miembros, un 71 % resultó ser de casados con hijos, un 15 % de madres solteras, y un 10 % de mujeres divorciadas con hijos. Los demás, en general, no tenían familia propia. El nivel de enseñanza era, en general, bastante bajo. Un 41 % tenía sólo unos pocos años de educación primaria (12). Los hombres solían continuar con un estudio superior.

En cuanto al contexto socio-económico de los miembros, podemos decir que se trata principalmente de gente de clase media. Los grupos más pobres de la isla no tienen casi participación en el movimiento (13). Tanto las miembras carismáticas como sus esposos, se destacan en profesiones típicas de la clase media: maestros y maestras, empleados públicos y de la compañía Shell. Unicamente cuatro de los informantes ocupaban funciones de alto nivel en el sector comercial o estatal. Más de la mitad de los adherentes al movimiento tiene por ocupación la de ama de casa; algunas de ellas reciben un ingreso adicional proveniente de sus actividades como doméstica o costurera.

6. Antecedentes de los miembros

De los informantes, más de un 85 % dijo haber tenido una rígida educación católica. Desde niños habían asistido regularmente a la iglesia. Un 88 % mencionó haber rezado mucho, aun antes de haber integrado el movimiento carismático. Habiéndoles preguntado en qué se distinguía la iglesia católica del movimiento carismático, muchas personas contestaron que la primera era antes mucho más rígida y estricta. Posteriormente se produjo una especie de "confusión", porque lo que antes no estaba permitido, ahora lo era. Los principios tradicionales empezaban a perder su influencia. El movimiento parece brindar a sus miembros una nueva seguridad, siendo ésta parte de la atracción de éste. También instruye a los creyentes de manera clara y comprensible sobre cómo dar sentido a sus vidas.

De lo anterior se deduce que el movimiento no causa conversiones radicales: ya se era católico y activamente religioso antes de hacerse

12. Un 31 % ha completado la escuela secundaria (*mulo*) o aprendido un oficio; un 16 % ha seguido un estudio después de la escuela secundaria (academia o universidad); en un 12 % de los casos se desconoce el nivel de enseñanza.
13. Un 30 % de los miembros entrevistados dijo encontrarse en buenas, incluso excelentes, circunstancias económicas; un 43 %, a pesar de tener problemas económicos con regularidad, no sufría inconvenientes para satisfacer sus necesidades básicas; un 18 % expresó vivir en pésimas condiciones económicas, no pudiendo proveer normalmente las necesidades más urgentes, como por ejemplo, comida, ropa, el pago de alquiler y el consumo de electricidad.

miembro del mismo. Sólo un 14 % de los informantes dijo haber experimentado una verdadera conversión (14). Un 66 % niega explícitamente haber sido convertido. Un 10 % toma una posición intermedia: estas personas expresaron que a pesar de haber sido siempre católicos, el movimiento carismático había sido un nuevo comienzo en su vida. Aunque la mayoría de los miembros manifestó no haber experimentado una conversión, un 80 % sentía un cambio como persona a raíz de su participación. En general, se indicó que habían obtenido mayor confianza en sí mismos (24 %), más paciencia (47 %), mayor aceptación de los otros que antes (27 %), o mayor tranquilidad (20 %). Ciertos informantes piensan que, por ejemplo, el dinero es menos importante de lo que lo consideraban antes (12 %), y también que hay gente que maldice y blasfema menos que antes de ser miembros (16 %). Aquellos que señalaron haber sido convertidos, relatan que abandonaron su vida de "libertinos".

Los entrevistados dieron diferentes respuestas al preguntarles por qué habían comenzado a asistir a las reuniones de oración del movimiento carismático. Un 33 % dijo que la participación en éste era una continuación de su vida religiosa anterior. Un 80 %, sin embargo, expresó haber tenido grandes problemas en el momento de su incorporación al movimiento. Los inconvenientes eran de distinto tipo: de salud (29 %), en el matrimonio (27 %), y en su situación económica (10 %). La mitad de los informantes tenía problemas relacionales y vivía en un estado de aislamiento social. Sufrían sentimientos de soledad, inseguridad e inferioridad; se sentían tensos y nerviosos. En un 8 % de los casos, finalmente, el problema enfrentado era la esterilidad.

El hacerse miembro del movimiento carismático ha significado para muchos un alivio. Muchos informantes dijeron haber encontrado una nueva familia en el grupo de oración. Este es un aspecto importante de la fuerza de atracción del movimiento. La condición de integrar un grupo de oración crea una cierta unión. La gente se ve regularmente, y los miembros se sienten relacionados. Juntos comparten la experiencia de "encontrarse en el buen camino". Sienten que se han separado del "mundo del mal", y se saben protegidos por el Espíritu Santo mediante la oración. La membresía significa concretamente que la vida diaria es más llevadera. Los adherentes reciben apoyo de gente igual a ellos (esto es particularmente importante para las mujeres divorciadas, las madres solteras y aquellas mujeres que sufren problemas en su matrimonio), y en caso de dificultades económicas también se ayudan entre sí.

Aunque ya hemos visto que los miembros obtienen ventajas por participar en el movimiento, es sólo una parte de ellos la que se dedica por entero a éste. No desean involucrarse totalmente, tal como lo indica,

14. Un 10 % dijo, en ese contexto, "no haber sido religioso antes"; un 4 % declaró haber dejado de lado a la "brua" y al "montamentu".

por ejemplo, el hecho de que pocos se ofrezcan para dar testimonio. La mayoría no quiere evidenciar su experiencia personal en público, a pesar de que los líderes traten de convencerlos de hacerlo. La mencionada reserva se expresa en la pauta de participación característica de muchos miembros: se asiste a las reuniones de más grupos de oración, con frecuencia de fuera de la propia parroquia. Los líderes, no obstante, exigen a sus miembros que asistan a un solo grupo. Esto, porque de esta manera resulta más fácil controlar todas las actividades de los adherentes. Un 71 % de los informantes dijo asistir a distintos grupos, o haber cambiado de grupo de oración en el pasado. Hay dos factores de importancia en este fenómeno. Por un lado, se busca un grupo donde la oración ocurra de la manera "más eficaz", y por otro, donde se le ofrezca compañía y protección. En el caso de darse conflictos personales, se cambia de grupo. Esta pauta corresponde a la creencia de que hay que "armarse" continuamente. Se elige lo que mejor "ayuda". Si no conviene lo que ofrece el grupo, se lo deja y se cambia a otro. Considerado de esta manera, el movimiento carismático constituye para una parte de sus miembros solamente una alternativa frente a la "brua", el "montamentu" o la iglesia pentecostal.

Resumiendo, podemos decir que los integrantes del movimiento carismático son principalmente mujeres de edad mediana, y pertenecientes a clase media. Se han adherido al movimiento en períodos de grandes problemas personales. Sin embargo, el haber sido religiosamente activo en una época anterior, parece ser una condición previa para integrarse al movimiento. Este ofrece alivio a la necesidad de seguridad moral y de expresión personal. Además de esto, el grupo de oración brinda tanto apoyo material como inmaterial.

7. Características de los líderes

El liderazgo de un grupo de oración formal corresponde al grupo núcleo. Se espera que los "guías" que forman parte de éste, sean diestros en la oración, lleven una vida cristiana, hayan recibido el "bautismo en el Espíritu Santo" y seguido un seminario. En general, los "guías" se han comprometido progresivamente en el liderazgo, y en un momento dado, el grupo núcleo les ha solicitado cumplir con la función de "guías". En una serie de grupos de oración también existe uno de "sostenedornan" (ayudantes). No siempre es fácil distinguir entre "guía" y "sostenedornan", pues ambos cumplen funciones de liderazgo.

Los líderes de los grupos de oración pertenecen en general al sexo femenino. Del total de 180 "guías" y "sostenedornan" existentes en 1985, sólo 15 eran del sexo masculino (no incluyendo a los sacerdotes). El "team de servicio", como órgano máximo, contaba en ese año con ocho miembros (de los cuales, cuatro hombres, y seis laicos). Esto podría llevar a la conclusión de que, aunque justamente los hombres sean minoría dentro del movimiento carismático, como hay un alto porcentaje masculino en el "*team* de servicio", son éllos quienes en definitiva ocupan las posiciones de poder. Este no es en realidad el caso. El "*team* de servicio" no tiene influencia alguna sobre los grupos de oración. Organiza las reuniones mensuales comunes para todos los miembros, pero su asistencia a estas reuniones es bastante escasa.

Anteriormente, hemos señalado que el movimiento carismático en Curazao, puede ser caracterizado como un movimiento de laicos. También los líderes del movimiento son generalmente laicos. Sólo cuatro padres y cinco monjas forman parte de éste. Ciertos padres en Curazao no quieren tener nada que ver con los carismáticos y sus actividades. Otros buscan el contacto con el grupo de oración en la propia parroquia, para de esta manera tener algún control sobre éste.

Así que se puede decir que el movimiento carismático en Curazao consiste predominantemente de mujeres laicas, tanto entre sus adherentes como dentro de su liderazgo. De lo dicho sobre los grupos masculinos se puede deducir que es difícil para los hombres mantenerse en los grupos. En esto se distingue lo que ocurre en Curazao de lo que tiene lugar en los Estados Unidos. Tanto McGuire como Bord & Faulkner dicen que el movimiento carismático en los Estados Unidos está constituido por un 60 % de mujeres (McGuire 1982:13; Bord Faulkner 1983:9). Pese a que hay mayor proporción de mujeres, ésta no es tan grande como lo es en Curazao. Los mencionados autores señalan que son preferentemente hombres los que ocupan funciones de líder, en lugar de mujeres. Esta preferencia encuentra su origen en la división bíblica del trabajo entre el hombre y la mujer. Resulta llamativo que sean los hombres quienes en Estados Unidos ocupen estas posiciones, teniendo en cuenta el real porcentaje de participación masculina (McGuire 1983:13; Bord & Faulker 1983:17-18). Bord & Faulkner agregan que aunque en algunos grupos los hombres son los líderes reconocidos, son determinadas mujeres las que dominan las actividades de los grupos en cuestión (1983:18). Sin embargo, en los Estados Unidos, a nivel nacional, los hombres son los que dominan en la conducción del movimiento.

El movimiento carismático católico se distingue de las congregaciones pentecostales no sólo en el sentido de tener que tratar con los propios líderes carismáticos, sino también con la iglesia tradicional coordinadora. A causa de la participacion de laicos en la conducción del movimiento, se origina cierta tensión entre los líderes laicos, por un lado, y el clero carismático y tradicional, por otro. Aquellos grupos que no tienen líderes explícitamente religiosos (padres o monjas), de hecho operan fuera del ámbito de influencia de la iglesia. McGuire habla de grupos "abiertos" y "cerrados. Estos dos últimos términos indican la medida en la cual se les permite a los miembros influir en el curso de las reuniones, o tomar la palabra durante las mismas. Los grupos "cerrados" se caracterizan por una organización mucho más rígida: las reuniones son sumamente estructuradas. En los grupos "abiertos", la dinámica es más flexible. Cuanto más abierto un grupo, tanto más probable es que *todos* los dones del Espíritu Santo se manifiesten dentro de él. Los grupos "abiertos" presentan más variedad de miembros, reuniones más emotivas y menos ortodoxia. En la práctica, se caracterizan también por tener un fuerte liderazgo laico, mientras que los grupo "cerrados" tienen líderes predominantemente eclesiásticos (McGuire 1982:76). Bord y Faulkner construyen una tipología muy parecida a la de McGuire. Esta es aplicable ciertamente a la situación en Curazao.

La tensión mencionada entre líderes laicos y clero (carismático) causa a veces conflictos. Es para la iglesia (carismática) un continuo problema controlar a los "guías", algunos de los cuales poseen autoridad indiscutida en el grupo de oración. Existe el peligro concreto de que un guía rompa con el movimiento, llevándose consigo una (gran) parte del grupo. En el pasado se dio tal situación, y si bien el conflicto entre "guía" y cura se expresó en términos religiosos, se trataba, de hecho, de una lucha por el poder (15).

De la preponderancia de las mujeres laicas en el movimiento carismático, brotan las siguientes cuestiones. ¿Por qué son casi exclusivamente mujeres quienes se adhieren al movimiento carismático? ¿Por qué son ellas las que dominan en el terreno religioso? ¿Y por qué se trata principalmente de mujeres provenientes de la clase media? La respuesta a estas preguntas se encuentra, por un lado, en la posición social de la mujer de Curazao de origen africano, con respecto al carácter de la relación entre los sexos. Por otro lado, cumplen un rol de importancia ciertas características de la sociedad moderna. En los siguientes subtítulos se tratarán ambos aspectos mencionados.

8. La posición social de la mujer de Curazao de origen africano

Las mujeres de origen africano de la isla de Curazao, se encuentran en una posición social inferior en muchos aspectos a la del hombre. A través de la historia se observa una división notoria entre el mundo femenino y el masculino. El terreno de la mujer es la casa. Ella es ama

15. La "guía" de uno de los tres grupos de oración de la parroquia de un sacerdote carismático, rehusaba categóricamente rezar el rosario con el grupo antes de empezar la reunión, lo cual se hacía en los otros dos grupos de la parroquia. La "guía" y sus seguidores iban condenando cada vez más la devoción por María y, finalmente, se negaron a rezar el avemaría. El padre no veía posible convencer a la "guía" de cambiar de actitud, hasta que por último, le negó el derecho de guiar al grupo de oración. Ella dejó el grupo, llevándose consigo a un centenar de miembros. Fundó entonces su propia congregación pentecostal. La lucha entre el movimiento pentecostal y la iglesia católica se concentra en Curazao continuamente en el tema acerca de la posición de la Virgen María. Es notorio que otros grupos guiados por laicos tampoco rezan el rosario antes de comenzar la reunión de oración, aunque sí el avemaría.

de casa y cría a los niños. Es quien encabeza en muchos casos el hogar (multi)familiar(16). Aunque el ideal de toda mujer es el matrimonio, hay una gran cantidad de madres solteras. Más o menos un tercio de los niños llegan al mundo en condición de ilegítimos. El concubinato es una relación frecuente y bien conocida. Muchos hombres tienen hijos de distintas mujeres, y muchas mujeres tienen hijos de diferentes padres. Esto es consecuencia del hecho de que las relaciones entre hombre y mujer son muy débiles y de poca duración. La relación con la madre es mucho más intensa que la relación con el esposo(a) o compañero(a). En la familia el padre es un factor inconstante: la mujer tiene que arreglárselas sola, y constituye el centro de la vida familiar. Frecuentemente es ella la que debe proveer el ingreso económico. Caracteriza sin embargo a Curazao que las mujeres tengan pocas posibilidades de encontrar trabajo (Schweitz 1985:18-19). Sobre todo, es difícil para las mujeres pertenecientes a sectores socio-económicos bajos ganarse la vida por medio del trabajo asalariado o de actividades en el sector informal, como por ejemplo la venta de comida preparada por ellas mismas. Los servicios públicos son muy deficientes, de manera que dependen para su supervivencia material de familiares y/o amigos (van Dijke & Terpstra 1987:4-5).

Las características mencionadas más arriba en cuanto a la posición de la mujer de origen africano en Curazao, valen en líneas generales para las integrantes del movimiento carismático. Entre un 15 y un 20 % de ellas pertenece a la clase baja. Este grupo sufre, sin excepción, graves problemas económicos. Sin embargo, la mayoría de los miembros del movimiento carismático no tienen graves dificultades económicas, ya que una gran parte de las mujeres (y prácticamente todos los hombres) pertenecen a la clase media. En general, las mujeres son casadas. Algunas ganan algún dinero extra, pero predominantemente tienen como ocupación la de ama de casa. Sufren –tanto como sus hermanas de clase baja– de una relación problemática con el marido o compañero, aunque económicamente no tengan mayores problemas. Las que sí tienen inconvenientes en la subsistencia material son las mujeres divorciadas, por más que pertenezcan a la clase media. Muchas de las mujeres casadas se quejan porque su marido sólo aparece por la casa para hacerse lavar la ropa o para engendrar hijos, no obstante a la hora de cenar se van a la casa de sus madres. O bien el esposo tiene una "byside" (amante), con o sin niños. Las mujeres carismáticas de clase media, en comparación con las de clase baja, se encuentran en un mayor aislamiento social. Tienen menos actividades fuera de casa, pese a que las actividades

16. De los "jefes de familia", en la categoría "hogares de familia nuclear", un 23 % consiste de mujeres. De estas mujeres, un porcentaje de 88,5 % son solteras, divorciadas o viudas. Tratándose del gobierno de hogares constituidos por más de una familia, el porcentaje de mujeres que los encabezan es aún mayor: 42 %. De esta segunda categoría, un 87 % son solteras, divorciadas o viudas (Schweitz 1985:19).

de las mujeres de los sectores más pobres son con frecuencia de un carácter informal. En muchos casos, el aislamiento de las mujeres mencionadas se agrava al abandonar sus hijos la isla. La proporción de los jóvenes de clase media que parten de Curazao, es mucho mayor que la de los jóvenes de clase baja. En general, podemos decir de la mujer carismática lo mismo que de la mujer curazaleña de origen africano: que prácticamente no tiene participación política ni económica.

Habitualmente se piensa que la relación problemática entre los sexos anteriormente mencionada, es consecuencia del machismo. Stevens define a éste como el culto a la masculinidad. La otra cara de este machismo es el "marianismo". Este es el culto a la superioridad espiritual de la mujer: éstas serían moralmente superiores y espiritualmente más fuertes que el hombre (Stevens 1973:90-91).

La misma imagen ideal aparece en Curazao. De un hombre sólo se espera que pruebe su masculinidad. De una mujer, que entre al matrimonio siendo virgen, y que sea fiel a su marido. Los hombres van a divertirse con sus amigos; las mujeres, en cambio, tienen pocas oportunidades para salir y divertirse.

Habiendo preguntado por qué tantas mujeres y tan pocos hombres asisten a la iglesia, los informantes (masculinos y femeninos) respondieron que "una causa del machismo es que los hombres piensan que la religión es algo para la mujer, y no quieren parecer afeminados". Algunos de los entrevistados (hombres y mujeres) agregaron que "son las mujeres las que allí dominan y por eso dejan de ir los hombres". Pero muchas informantes eran de la opinión que no se podía esperar de los hombres que "lleven una vida cristiana, porque son débiles de carácter".

Resumiendo, podemos decir que la vida de las mujeres pertenecientes al movimiento carismático se limita, en general, al ambiente privado de la casa. Ellas forman el núcleo de la vida familiar, y, a veces, son asimismo "jefes de familia", lo que significa una fuerte carga económica. El único terreno en el cual pueden manifestarse –fuera del familiar– es el de la religión, en el cual dominan. Este dominio en lo religioso, no les ayuda a cruzar el "límite" entre lo público y lo privado. A continuación se presentará la teoría de McGuire, que describe la relación entre lo mencionado más arriba y el lugar que ocupa la religión en la sociedad actual.

9. La religión en la sociedad moderna

McGuire describe en su libro (1982), cuyo tema es el movimiento carismático católico en los Estados Unidos, el rol de la religión en la sociedad moderna (occidental). Ella esboza la manera en que procesos sociales de diferenciación y especialización crecientes, han conducido a una marcada división entre lo privado y lo público. La religión ha pasado a pertenecer al ambiente privado. McGuire describe luego el proceso de pluralismo creciente (la coexistencia de distintos sistemas semánticos en competencia) y la desaparición de la legitimación religiosa de normas y valores sociales. Es de la opinión de que el mencionado pluralismo, y la "privatización" del proceso semántico en su calidad de tales, tienen como consecuencia que el proceso de autolegitimación y formación de la identidad se vuelve problemático. Juegan un importante rol en su análisis los conceptos de "poder" y "orden". A nivel individual relaciona estos últimos con el deseo de las personas de controlar sus vidas, tanto las propias como las del ambiente social que les rodea. La realidad individual de cada persona, y la realidad social, son, sin embargo, construidas simbólicamente. La medida en la cual las personas experimentan un control sobre su vida, tiene relación con cuánto vivencian a ésta como plena de sentido y significación. McGuire indica que es justamente esto lo que se ha hecho problemático en la sociedad actual (occidental). La carencia de un sistema definido de valores y normas, la fuerte división entre los ambientes público y privado, que va acompañada de la privatización del proceso semántico y de los enormes avances en el terreno social y tecnológico, todo esto hace que el individuo experimente sentimientos de impotencia, desorden y de "que nada tiene sentido". La atracción de movimientos religiosos como el carismático, se debe en gran medida, según McGuire, a la doctrina clara y definida del movimiento, que brinda a sus seguidores un nuevo sentido del orden y una respuesta a sus preguntas y problemas. Un aspecto importante de esta creencia es que el poder sobrenatural está a disposición de las personas comunes y corrientes (laicos). Ella indica asimismo que la espiritualidad carismática encuentra su origen justamente en el desarrollo actual de la sociedad. La división entre lo público y lo privado es sumamente apropiada para la espiritualidad carismática. Esta religión acentúa el desarrollo espiritual del individuo, y especialmente el aspecto de la experiencia personal. McGuire habla de "la religión privada por excelencia", y enfatiza que este tipo de creencia permite a sus miembros funcionar mejor en la esfera pública. El movimiento carismático sirve, en última instancia, en opinión de McGuire, para integrar a sus miembros en el contexto social en el que viven.

¿En qué medida es posible aplicar este análisis a la situación de Curazao? Sin duda, los procesos que señala McGuire han tenido su influencia en Curazao. Tanto la diferenciación y la especialización, como el pluralismo creciente, han sido parte de la historia reciente de la isla. También se da una gran división entre lo privado y lo público, no sólo como consecuencia de los procesos mencionados, sino asimismo por la coincidencia con la división existente en la isla entre los mundos masculino y femenino; y ésta es resultante de la relación entre hombres y mujeres, y de la división sexual de roles entre ambos. No es de extrañar, pues, que sean justamente mujeres quienes integren el movimiento carismático. Ellas sufren, como lo indica la investigación, sentimientos de inferioridad, confusión e inseguridad tales como los que reseña

McGuire. El movimiento carismático les brinda apoyo y les da confianza en sí mismas, entre otras cosas, porque permite que las mujeres funcionen como líderes dentro de su seno. Sin embargo, la fe carismática no hace desaparecer la brecha con respecto al hombre y su mundo. Esta fe, basada en el desarrollo espiritual personal, no tiene para este último valor social alguno, ya que la considera "algo típico de las mujeres".

La creencia carismática posibilita a sus miembros, según McGuire, el manejarse mejor en el ambiente público; integrándolos, en última instancia, en el contexto social al cual pertenecen. Este es también el caso para los integrantes del movimiento en Curazao. Los informantes dijeron que podían enfrentar sus problemas mejor que antes, que habían aprendido a aceptarlos, a tener más paciencia y a confiar más en Dios. Como consecuencia, cierta cantidad de ellos dijo tener mejores relaciones con otras personas (incluso no carismáticas). Por otro lado, se da el caso de que justamente la condición de miembro del movimiento ocasiona conflictos, especialmente con los familiares. Aunque integrarse a la fe carismática parece aumentar la capacidad de funcionamiento en la vida cotidiana, no ocasiona, en general, una mayor participación de la mujer en el ambiente público. La vida de la mayoría de las mujeres sigue desarrollándose dentro de los límites de la vida familiar y la religión.

10. Conclusión

En lo anteriormente expuesto, se ha ofrecido un panorama del desarrollo del movimiento carismático católico en Curazao. Este fue iniciado por miembros del clero católico, entre otras cosas, para poder contrapesar a la gran cantidad de congregaciones pentecostales. El movimiento consiste principalmente de miembros femeninos y laicos. Hemos visto además que una gran parte de éstos pertenece a la clase media. Después de unos años, el crecimiento del movimiento se detuvo. Una de las causas de esto fue la forma de reclutamiento de adeptos, entre familiares, amigos y conocidos. Sus miembros no se han ocupado de evangelizar activamente fuera de estos círculos, no alcanzando de esta manera a la gran masa de los católicos no practicantes. Es probable que la competencia ejercida por las iglesias pentecostales haya influido en que el movimiento detuviera su crecimiento.

Hay varios factores determinantes de la atracción del movimiento carismático. Esta fe brinda a los miembros, que en su mayoría han tenido una educación católica ortodoxa y eran activamente creyentes, nuevos principios en los cuales apoyarse, sin tener lugar un cambio radical o conversión. Además, el movimiento da a sus miembros la posibilidad de alcanzar un poder sobrenatural en forma personal, cosa que no les ofrece la iglesia tradicional. Este aspecto de la fe carismática concuerda con la creencia "instrumental" de muchos miembros, la cual también caracteriza a la "brua" y al "montamentu". Igualmente, esta fe, en la cual el rol del Espíritu Santo es de central importancia, puede ser combinada armoniosamente con la creencia generalizada en los espíritus, vigente en Curazao.

El movimiento carismático no sólo brinda a sus miembros la posibilidad de "armarse" contra los males terrenos y sobrenaturales por medio de la oración y los dones (que son, de hecho, más baratos que la "brua"), sino que también les da el espacio para expresarse emocionalmente. El grupo de oración proporciona compañía y seguridad y, donde es necesario, apoyo material e inmaterial.

El hecho de que precisamente las mujeres sean los miembros predominantes en el movimiento carismático de Curazao, tiene que ver con el carácter de la división social entre ambos sexos. Las mujeres del movimiento tienen, en general, pocas alternativas para manifestarse fuera del círculo familiar. La única manera de hacerse valer es por medio de la religión. El movimiento les cubre esa necesidad proporcionándoles tareas de liderazgo que ellas pueden desempeñar. A causa del rol preponderante de las mujeres laicas dentro de movimiento, se ha originado, sin embargo, una gran tensión con el clero carismático y el tradicional.

La división existente en Curazao entre los dos sexos, se acentúa al profundizarse la separación entre el ambiente público y el privado que, según McGuire, es típica de la sociedad moderna, y en la que la religión pertenece cada vez más a la esfera privada. El proceso de privatización de la religión, que en Curazao se expresa sobre todo en la pérdida de las funciones públicas de la iglesia católica, significa que la religión deja de ser parte del mundo vivencial del hombre. La fe carismática, que para él no tiene función social alguna, sigue siendo " algo para mujeres".

Una de las preguntas en este artículo ha sido por qué el movimiento consiste principalmente de personas de clase media. Por un lado, esto se explica por la relación histórica entre la iglesia católica y la clase media. Este grupo era el más influenciado por esta iglesia, a causa de su mutua dependencia. Probablemente debido a esta situación, fue esta clase media la que sufrió la confusión provocada por los hechos relacionados con el Segundo Concilio Vaticano. Además, en razón a su conexión con la iglesia católica, la diferencia entre su ideal religioso y la realidad fue enorme. Es posible que hayan sido particularmente las mujeres quienes sufrieron esta diferencia: se esperaba que ellas llevaran una vida casta y pura, mientras que en la práctica debían enfrentarse con frecuencia con problemas provenientes del machismo. Fueron especialmente estas mujeres de clase media, pertenecientes ahora al movimiento carismático, quienes han sido víctimas de sentimientos de inseguridad, inferioridad e inutilidad. Ellas vivían relativamente más aisladas que las mujeres de clase baja.

Finalmente, en lo que respecta a la participación de la clase media en el movimiento carismático, parece que para una cierta cantidad de miembros juegan un rol importante las consideraciones relativas al "status". A través de la historia, las prácticas de la "brua" han sido catalogadas como actividades del "vulgo", de la gente ignorante, prejuicio que persiste en la actualidad. Ackerman señala que el movimiento carismático brinda justamente a sus miembros, la posibilidad de apropiarse de poder sobrenatural de una manera "legítima".

Bibliografía

Ackerman, S.E., 1981, "The Language of Religious Innovation: Spirit Possession and Exorcism in a Malaysian Catholic Pentecostal Movement", en: *Journal of Anthropological Research* 37(1), págs. 90-100.

Bord, Richard J. y Faulkner, Joseph E., 1983, *The Catholic Charismatics: the Anatomy of a Modern Religious Movement*. University Park, PA: Pennsylvania, State University Press.

Dijke, Anke van en Terpstra, Linda, 1987, "Betekenis van formele en informele netwerken op Curaçao: de familie als uiteindelijk verantwoordelijke?", en: *Plataforma* 4(2), págs. 4-9.

Encyclopedie van de Nederlandse Antillen, 1985, "Zutphen": de Walburg Pers.

McGuire, Meredith B., 1982, *Pentecostal Catholics: Power, Charisma and Order in a Religious Movement*. Pennsylvania: Temple University Press.

Römer, René Antonio, 1977, "Religious syncretism in the Caribbean.", en: *Kristof* IV(6), ppags. 253-268.

Römer, René Antonio,1979, *Un Pueblo na Kaminda: een sociologisch-historische studie van de Curaçaose samenleving*. Zuthpen; de Walburg Pers.

Schweitz, Marijke, 1985, "Vrouwen zonder werk/Muhe desemplea: enkele aspecten van de werkloosheidsproblematiek van vrouwen op Curaçao", en: *AWIL Nieuwsbrief* 2(1), págs. 18-23.

Stevens, Evelyn P., 1973, "Marianismo: the Other Face of Machismo in Latin America", en: A. Pescatello (ed.), *Female and Male in Latin America*, Pittsburgh: University of Pittsburgh Press.

Mujeres pentecostales chilenas.

Un caso en Iquique

Hanneke Slootweg

Introducción

Este artículo se basa en una investigación llevada a cabo en el período de marzo a septiembre de 1986, en la localidad de Iquique (norte de Chile). En este estudio se planteó la siguiente pregunta central: ¿en qué radica la fuerza de atracción de las iglesias pentecostales con respecto a las mujeres iquiqueñas de los grupos sociales más pobres, que antes participaban en las actividades religiosas populares, o se consideraban católicas? (1). La mayor parte de los feligreses de las iglesias pentecostales son mujeres.

La cuestión del crecimiento de las iglesias pentecostales, fue analizada por medio de un estudio de las ganancias y pérdidas que implica la condición de ser miembro de una congregación pentecostal para los creyentes potenciales. ¿Puede ser considerada la conversión como una estrategia personal que corresponde a una determinada situación social de las mujeres, y cuánto están contribuyendo a ello los símbolos pentecostales? Esta pregunta fue operacionalizada acentuando el cambio que la conversión ha causado en la vida de las mujeres. Fueron considerados durante la investigación, los cambios en la experiencia religiosa, en las relaciones entre hombres y mujeres, en la salud y en las circunstancias materiales (2).

El artículo se estructura de la siguiente manera: empezamos con una breve introducción sobre la historia del movimiento pentecostal chileno, y seguimos con una caracterización del grupo de mujeres entrevistadas. Después intentamos, de la mejor manera posible, esbozar

1. El catolicismo popular en Iquique se manifiesta con más claridad en la organización de los bailes religiosos que sus miembros bailan cada año en honor de la Virgen del Carmen, en el período festivo dedicado a Ella.
2. Una investigación comparable en cuanto al tema, de Cornelia Butler Flora, nos pareció valiosa como apoyo en la programación de la nuestra.

mediante testimonios un panorama de cómo y en qué aspectos cambió la vida de las mujeres después de su conversión a la Iglesia Pentecostal.

1. El origen del movimiento pentecostal

En el año 1909 nació el movimiento pentecostal chileno, de una división de la Iglesia Metodista. El nacimiento de este movimiento fue precedido por la siguiente historia. Durante un período de avivamiento dentro de la Iglesia Metodista en Valparaíso, se produjeron acontecimientos extraordinarios, de gran emocionalidad, que fueron interpretados por los exaltados creyentes como posesiones o bautismos del Espíritu Santo. Estos acontecimientos fueron antecedidos por períodos de largo ayuno, arrepentimiento y oración. El misionero norteamericano Hoover, quien desde un principio levantó testimonio de esos fenómenos, creyó que la experiencia de los miembros de su comunidad religiosa fue causada por una inspiración verdaderamente cristiana.

Los misioneros norteamericanos que guiaban a la Iglesia Metodista chilena, condenaron a este movimiento pentecostal: oficialmente, los acontecimientos de Valparaíso fueron interpretados como "alucinaciones", como "ataques de locura" (Willems 1967:110). La actitud intransigente de las autoridades eclesiásticas causó finalmente el exilio de este grupo. En 1910, esta separación fue seguida de la fundación de tres organizaciones que fueron guiadas por Hoover. Este frente comunal fue denominado Iglesia Metodista Nacional. El movimiento se desarrolló del nivel local hacia el nacional, con filiales en la mayoría de las provincias. En 1932 el movimiento se dividió en dos iglesias separadas: la Iglesia Metodista Pentecostal y la Iglesia Evangélica Pentecostal.

La gran expansión del movimiento pentecostal tuvo lugar cerca de los años treinta: cada una de las iglesias arriba mencionadas produjo una serie de congregaciones pentecostales autónomas, variando éstas en tamaño y distribución geográfica. Aparte de los movimientos nacionales, se establecieron también grupos pentecostales norteamericanos en Chile (Willems 1967:111). En los tiempos del origen y primer período de desarrollo del movimiento pentecostal, tuvieron lugar los siguientes procesos sociales. Los fines del siglo XIX significaron para Chile una fase de transición. La sociedad tradicional latifundista se desarrolló hacia una democracia industrializada. Esta época conllevó mucha confusión e inseguridad. En el siglo XX, la economía chilena tuvo un buen comienzo: en el norte floreció la minería del cobre y del nitrato; en la región de Concepción se estableció una industria basada en la minería del carbón, y el aumento de la inmigración llevó a la explotación de la tierra y el desarrollo de la agricultura. Estos hechos provocaron a su vez el florecimiento del sector exportador.

Sin embargo, este florecimiento económico fue efímero, y además estuvo asociado a una desigual distribución de los ingresos. En el período siguiente, desde el principio de los años treinta, el desarrollo económico se estancó: la inflación aumentó y hubo una crisis en la agricultura, que condujo a una inmigración masiva hacia las ciudades. Esta urbanización no corrió pareja con el incremento de la capacidad de empleo. En las ciudades tuvo lugar un proceso de diferenciación social; por un lado, el empleo desproporcionado en el sector público fue dando origen a una clase media, y por el otro, el aumento desequilibrado de un proletariado urbano que buscaba posibilidades de supervivencia, fue originando el sector informal. A nivel político se dio una tendencia que alternaba entre formas de gobierno democráticas de corta duración y dictaduras de larga duración (Lalive 1969:30-32). Desde los años treinta hasta la actualidad, los marcos de referencia de este desarrollo no han cambiado mucho: la dependencia de la estructura exportadora, el crecimiento de la deuda externa, el estancamiento de la economía, la represión política ininterrumpida y la proletarización de la clase obrera, son sus componentes estructurales. Por otra parte, la Iglesia Católica se declaró muy abiertamente en contra del gobierno de Augusto Pinochet, ante lo cual la reacción de éste fue quitarle privilegios. Mientras tanto, las iglesias pentecostales continuaron creciendo (Slootweg 1987a:19).

2. Una caracterización de las mujeres entrevistadas

Las doce mujeres entrevistadas (3) son miembros de la Iglesia Evangélica Pentecostal en Iquique. Esta Iglesia consta de novecientos miembros, y dos terceras partes de la congregación son mujeres. La congregación fue fundada en los años cuarenta, y cuenta tanto con miembros convertidos como con miembros de nacimiento. Ha estado creciendo rápidamente, a causa del gran aumento de los miembros convertidos. Ellos pertenecen principalmente a las clases bajas, mientras que los miembros de nacimiento forman parte de la clase media baja.

Todas las mujeres entrevistadas son miembros convertidos, educadas de manera bastante profunda en la fe católica popular y/o participantes asiduas de las fiestas religiosas populares (4). La edad promedio de las mujeres entrevistadas es bastante avanzada: ésta oscilaba entre los treinta

3. La investigación sobre las iglesias pentecostales consistió, por una parte, de entrevistas, y por otra, del método de observación participante. En total fueron entrevistadas doce mujeres, y además se llevaron a cabo algunas conversaciones informales. Durante un período de tres meses fui cinco veces por semana a las reuniones de la iglesia, y una vez por semana frecuenté la reunión de las mujeres de Dorcas.
4. Inversamente al tema de este artículo, en la investigación fue incluida también una comparación entre lo que la Iglesia Pentecostal y el catolicismo popular, respectivamente, pueden ofrecer a las mujeres de las clases bajas. Allí se investigó tanto si las mujeres convertidas al pentecostalismo habían buscado antes la ayuda del catolicismo popular o de la Iglesia católica para resolver sus problemas, como el hecho de si pudieron encontrar soluciones eficaces. También fueron planteadas preguntas comparables acerca del significado de la religión para su vida, a un "grupo de control" de mujeres católicas.

y los setenta; la edad promedio es de cincuenta años. Tanto para las más jóvenes como para las mayores, se trata de mujeres que han recibido muy poca educación escolarizada; más o menos la mitad de ellas no han terminado la primaria, si bien algunas de ellas han recibido capacitación técnica. Una mitad son amas de casa, y la otra está trabajando en ocupaciones del sector informal, por ejemplo, como empleadas domésticas, planchadoras, costureras, etc. Dos terceras partes de las mujeres están casadas, y el tercio restante pertenece ahora, por diferentes causas, a la categoría de "personas solas". Los esposos de las mujeres casadas trabajan en ocupaciones del sector servicios, o como obreros especializados (Slootweg 1987a:24-27).

3. La experiencia de la conversión

Algunas mujeres se encontraban en circunstancias difíciles en el período anterior a su conversión: problemas matrimoniales, problemas financieros, enfermedades o soledad, las llevaron a buscar el contacto con la Iglesia Pentecostal. Ellas estaban al corriente de las prácticas de las iglesias pentecostales por medio de familiares o amigos convertidos, o por actividades tales como la prédica callejera de estas iglesias. Otras recibieron revelaciones del Espíritu Santo espontáneamente, sin tener contacto aún con una iglesia pentecostal.

Lo primero que ocurrió cuando "el Espíritu Santo llegó a los corazones de las mujeres", fue que se dieron cuenta de que eran pecadoras. Sintiendo arrepentimiento, se echaron a llorar de una manera irrefrenable, un llanto que podía durar muchas horas. Después se manifestó el Espíritu Santo en ellas, que sintieron sensaciones extraordinarias; a esto siguió el perdón de sus pecados (éste fue revelado a las mujeres de manera simbólica), y también experimentaron un sentimiento de felicidad muy grande. La hermana Edouina testimonia esto de la siguiente manera:

Un día domingo estaba en la reunión con otros seis hermanos y sentí la presencia del Señor. Me sentí elevada, y que una luz me alumbró mi corazón. En este momento me sentí feliz y pude hablar de las maravillosas cosas del Señor. Empecé a predicar que el Señor puede sanar, y en el hospital formaron un grupo de 25 personas que llamaron al Señor, y vi un árbol que estaba en el agua, pero al principio el árbol se puso verde, y supe que el Señor me había perdonado. Y me sané (Slootweg 1987a:32).

Y la hermana Silvia dice de su conversión:

Cuando estaba de misión, y el Señor llegó a mi corazón, sentí cómo dos sacos de papas me cayeron de los hombros. El Señor me levantó, y vi como el Señor sacó el corazon de mi cuerpo, y lo cambió y lo puso de nuevo en mi cuerpo (Slootweg 1987a:33).

También el testimonio de la hermana Alvina es muy típico en este aspecto:

> Cuando salí de la iglesia, fui a casa y me acosté. Vi en el sueño un animal: una serpiente grande que reptaba por una avenida larga con muchos árboles; la serpiente miraba a todos los árboles, se arrastró de uno a otro, y después apareció una mancha de vino. La serpiente miró dentro de la mancha, de arriba abajo, de la cabeza hasta los pies (yo era esta mancha); y la serpiente se puso a llorar, estaba asustada y huyó. Después me desperté y me sentí muy triste, porque pensé que el diablo me había bautizado. Pero un día le conté este sueño al pastor, y él me dijo que no era un bautismo del diablo, sino que significaba que el diablo no tenía rincón en mi corazón, y por eso se fue llorando (Slootweg 1987a:33).

Ocurre entonces que la causa de la pena o del sufrimiento fue eliminada inmediatamente (muchas veces en el caso de enfermedades) o después de un período breve de oraciones continuadas. Algunas de las mujeres se convirtieron recientemente o hace algunos años. Otras se convirtieron hace diez o veinte años. Las mujeres declararon que han cambiado mucho después de su conversión: no sufrieron más de depresiones o angustias, porque su alma había encontrado la paz. Muchas perdieron su interés por las cosas "mundanas', y se concentraron totalmente en la salvación de su alma. Este cambio fue expresado a menudo por las mujeres en el lenguaje religioso-simbólico pentecostal: "después del bautismo del Espíritu Santo, Dios me cambió: en vez de ser una hija de las tinieblas, ahora soy una hija de la luz" (Slootweg 1987a:41). Esas palabras significan que la mujer en cuestión conoce la voluntad de Dios y trata de ponerla en práctica. Para las mujeres, la seguridad del perdón de sus pecados fue uno de los nuevos elementos más importantes de su fe. También la posibilidad de una comunicación personal con Dios, que antes no tenían, forma un aspecto nuevo de la experiencia religiosa (Slootweg 1987a:34,41).

4. Cambios en las relaciones entre hombres y mujeres

La vida de las mujeres casadas cambió de una manera radical después de su adhesión a la Iglesia Pentecostal: según si el esposo después de un tiempo también se ha convertido, su relación matrimonial mejora o empeora notablemente. La hermana Silvia describe el cambio en su relación matrimonial en la siguiente forma:

> Antes mi marido era muy tomador, peleador, y cuando volvía borracho, buscaba pelea y yo lo insultaba. Me insultaba, me pegaba, y yo me vengaba pegándole cuando él dormía: era un matrimonio de "ojo por ojo, diente por diente". Ahora todo ha cambiado; nos enojamos de vez en cuando, pero sólo nos miramos enojados, no peleamos más,

no nos insultamos más. Cuando mi esposo sale, estoy segura que no va a tomar, sino que va a visitar a sus familiares (Slootweg 1987a:35).

También el testimonio de la hermana Elvira es un buen ejemplo:

Mi matrimonio no era muy feliz. Mi esposo tomaba y era como un niño que no conocía de responsabilidades. Me pegaba y gastaba todo el dinero en trago y otras mujeres. Hubo muchas peleas. Cada año tuve un hijo. Quería matar a mi esposo, a mis hijos y a mí misma. Mi patrona que me conocía, veía mi cara amarga y me decía que la fe faltaba en mi vida. Me aconsejó de hablar con un cura. El cura me aconsejó de hablar con mi esposo y me dijo cómo podía evitar las peleas, pero no resultó y el sentimiento de amargura permaneció. En la vecindad vivía una amiga que pertenecía a la Iglesia Pentecostal, y yo quise ir con ella a las reuniones. Una vez, después de haber ido a la reunión, tuve un sueño. En el sueño el Señor me había abierto el pecho y el Señor entró y me perdonó. Esta noche mi esposo volvió borracho a casa, estaba furioso, sin embargo no le dije nada cuando él quiso pelear. Mi esposo notó que yo había cambiado mucho y me dio permiso para ir a las reuniones. Pedí al Señor de cambiar a mi esposo también. Y ahora él se siente responsable de sus hijos, no gasta toda la plata, él se preocupa más de lo que falta en el hogar, no hay más peleas y toma menos. Antes yo estaba llena de odio, no podía ver a una pareja feliz, estaba muy celosa, porque no era feliz y quería destruir a ese matrimonio. Ahora hay más cariño en nuestro hogar (Slootweg 1987a:35).

De estos ejemplos resulta que las mujeres antes de su conversión tenían muchos problemas: se quejaban de que su esposo gastaba todo el sueldo en tomar y en otras mujeres, y se comportaba como un niño que no conocía ninguna responsabilidad para su familia, solamente pensando en sus propias necesidades. Este modelo de comportamiento masculino y femenino, y los problemas resultantes para las mujeres, son fenómenos que se dan sobre todo en las clases bajas de Chile, de donde proviene la mayoría de los fieles de las iglesias pentecostales.

El tipo ideal de hombre y de mujer que (en grados diferentes en las distintas clases sociales) determina en Latinoamérica el comportamiento masculino y femenino, puede ser resumido con el concepto del "complejo de machismo-marianismo". Este complejo contiene tanto elementos ambivalentes como complementarios. En el machismo, por ejemplo, las mujeres suelen ser consideradas como seres inferiores y pasivos. A ellas les conviene seguir al hombre en todo, obedecerle y respetarle. Como mujer ella no merece respeto, y su disposición natural hacia lo malo no puede ser combatida; por eso la ponen bajo la tutela de familiares masculinos. Solamente en el papel de virgen o madre se la respeta y es venerada por su pureza o por su capacidad de negarse. Lo usual es pensar a los hombres como seres activos, autoritarios, agresivos y viriles, que pueden disponer de mayor libertad sexual porque el honor del macho está asociado a su virilidad. En el marianismo, esta estimación positiva y negativa, respectivamente, para hombres y mujeres, es al revés: se acostumbra valorar a las mujeres como seres superiores a los hombres en el aspecto espiritual y moral. Ellas son consideradas como las personas con juicio, las disciplinadas. Los hombres, por el contrario, son vistos como niños irresponsables (5) (Steenbeek 1985:37,40-43).

La ideología religiosa pentecostal ofrece una solución para esos problemas porque sus normas y valores en cuanto al matrimonio y las relaciones entre hombres y mujeres, son parcialmente distintos de los del ambiente socio-cultural de los adherentes potenciales. La dirección de la iglesia aconseja a las mujeres recién convertidas la estrategia de cambiar la situación existente, tomando una actitud conciliadora para con el esposo. Además, las mujeres han testimoniado que la conversión causó un gran cambio en su personalidad, por el cual modificaron todo su comportamiento. En la Iglesia Pentecostal, los miembros son educados en "relaciones matrimoniales correctas", durante clases separadas de los "departamentos de damas y caballeros". El texto de Efesios 5:21-24 (6) es muy discutido en la congregación, e ilustra bien la posición que la mujer tiene que tomar con relación al hombre. Algunas hermanas formularon sus opiniones acerca del asunto de cómo tendría que comportarse idealmente la mujer pentecostal. Dice la hermana Veralda: "la mujer siempre tiene que someterse a la autoridad del hombre, porque según el Evangelio el hombre manda a la mujer, como la mujer manda a los hijos". Y la hermana Ana: "cuando la mujer cristiana se casa, tiene que agradecer a su esposo en todo, tiene que seguirle en todo" (Slootweg 1987a:42-43).

No obstante, las clases brindadas en la iglesia no sólo acentúan las reglas para el comportamiento de las mujeres. También los miembros masculinos de la Iglesia Pentecostal tienen que cambiar su comportamiento respecto a sus esposas por la influencia de su conversión: el hombre convertido tiene que respetar a su esposa. Lo más importante es que el hombre cristiano sea fiel a su esposa. Ninguno tiene que ser celoso, porque los cristianos deben ser más cariñosos en este aspecto (Slootweg 1987a:45). También algunos hombres testimoniaron durante las reuniones de la iglesia, sobre el cambio que había experimentado su matrimonio. El siguiente testimonio de un hombre, reproduce de una manera simbólica el mejoramiento de las relaciones matrimoniales:

> Antes de mi conversión era muy pobre, gastaba toda la plata en trago, tenía sólo un traje pero no me importaba eso. Maltraté a mi esposa

---

5. Tanto los hombres como las mujeres apelan, según las circunstancias, a los ideales de los hombres y mujeres propuestos por el machismo y el marianismo.
6. Efesios 5: versículos 21-24. [21] Someteos unos a otros en el temor de Dios. [22] Las casadas estén sujetas a sus propios maridos, como al Señor, [23] porque el marido es cabeza de la mujer, así como Cristo es cabeza de la iglesia, la cual es su cuerpo, y él es su Salvador. [24] Así que, como la iglesia está sujeta a Cristo, así también las casadas lo estén a sus maridos en todo.

muchas veces; la maltraté tanto que tenía que permanecer en cama mucho tiempo. Un día, cuando volví a casa que no podía sostenerme de borracho, mi esposa quería matarme, sin embargo el Señor le paró la mano con el cuchillo y le cambió su corazón. Al principio me resistí, no quería convertirme, no quería escuchar la voz de Dios, porque pensaba que ya tenía mi religión. Pero me convertí, el Señor cambió mi corazón. Un día me mostró que no tenía que quedarme en convivencia solamente. Pero dije al Señor que no podía casarme porque no amaba a mi esposa. Le pedí al Señor que me pusiera en mi corazón amor hacia ella. Una noche recibí un sueño en que el Señor me mostraba una doncella muy linda, vestida de ropa elegante, y me enamoré de ella, aunque únicamente la vi de atrás. Cuando la llamé, la doncella se volvió y cuando vi su cara era mi esposa. Desde ese momento el Señor encendió el amor a mi esposa en mi corazón y nunca la he dejado de amar (Slootweg 1987a:36).

Los creyentes pentecostales masculinos tienen que ser más responsables como padres: deben participar más en la educación de los hijos y tomar sus deberes de sostén de la casa en serio. Aunque la mujer conserva la mayor responsabilidad en las tareas domésticas, los hombres tienen que aprender también a practicarlas, a fin de estar preparados para gobernar la casa cuando su esposa se va de misión, cumpliendo con sus deberes religiosos. Las mujeres pueden apelar a las autoridades eclesiásticas cuando los esposos están volviendo a su antiguo estilo de vida: la dirección de la iglesia tiene a su disposición los medios para sancionar en estos casos. Cuando la nueva fe es muy importante para ambos, y el esposo se ha convertido en un miembro de la congregación tan fiel como la esposa, el sentimiento de experimentar la misma fe y compartir la misma esperanza, lleva a la pareja a un comportamiento más unido (Slootweg 1987a:35).

Cuando comparamos las normas de compartamiento masculino y femenino dentro de la Iglesia Pentecostal, con las normas del ambiente socio-cultural que les rodea, podemos concluir que hay una paradoja de continuidad y ruptura a la vez. Por una parte, las normas pentecostales difieren de las del ambiente circundante, pero por otra, concuerdan forzosamente con estas últimas. Por ejemplo, tanto la autoridad masculina como la subordinación femenina no son combatidas sino legitimadas, basándose en principios religiosos. También se apela a la supuesta capacidad femenina de tolerancia: tanto los pastores como las mujeres entrevistadas acentuaron la responsabilidad de la mujer para con el hogar. Los pastores, durante una reunión de Dorcas, la organización femenina de la Iglesia Pentecostal, aconsejaron a las mujeres usar la inteligencia y la sagacidad para evitar problemas: según la opinión de los pastores, la mujer tiene que ser sabia y buscar las debilidades del esposo para reconciliarse, cuando él se enoja con ella. En este caso, la mujer tiene que mostrar su cariño y su ternura para evitar una pelea. Cuando el esposo no está convertido, la mujer tiene que actuar con sabiduría, eligiendo los momentos oportunos para cumplir con sus deberes religiosos. Eso significa, cuando no tiene obligaciones domésticas. De esta manera, su esposo se quedará contento. Es la mujer "torpe e ineficiente, la que destruye el ambiente del hogar", según los pastores (Slootweg 1987a:43-44).

La conversión del esposo significó para las mujeres entrevistadas un mejoramiento evidente de su posición en el matrimonio, por la disminución de la influencia del rol del macho en el esposo: la responsabilidad (también en el aspecto económico) sobre el hogar es más compartida, existe cierta protección contra la infidelidad y se termina el maltrato físico a causa de la borrachera.

Pero cuando el esposo no se convierte, la relación matrimonial va empeorando con el tiempo. Se producen muchos conflictos en la familia, porque la mujer quiere santificar su modo de vida y la de sus familiares, mientras que el esposo quiere mantener sus costumbres. De esta manera, los miembros de la pareja se alejan más y más. No hay entendimiento y persiste una lucha continua, vehemente, a veces muy sutil. Al principio, estas mujeres tenían dificultades para obtener permiso para ir a las reuniones de la iglesia: el esposo se ponía celoso y no quería que su esposa se independizara. Tenían que esconderse de su esposo en el camino a la iglesia, y refugiarse en las mentiras. La hermana Sofía cuenta la siguiente historia acerca de eso:

> Mi esposo no quería que saliera de la casa, no quería que me independizara de él. Antes era muy humilde y muy tímida para con él; sin embargo por el Evangelio eso cambió. Iba a la iglesia, pero tenía que disimularlo frente a mi esposo. Decía que iba a visitar a mis hijos que estudiaban en Iquique, porque vivía en Pozo Almonte en ese tiempo. Cuando mi esposo se enfermó muy grave, le pedí permiso para ir a la iglesia a pedir curación para él. Pero no quiso porque tenía miedo que me acostumbrara a ir a la iglesia. Después de un año mi esposo me dio permiso para ir y fui muy feliz, y quería dar mi nombre al "libro de la vida".

Por fin, los esposos se resignaron y cedieron, pero estas mujeres siempre tienen que cuidar la hora de su regreso a casa, para que sus maridos no tengan motivos de estar indignados. No obstante, no pueden participar tan intensamente en las reuniones como las otras hermanas (7). Las mujeres necesitan capacitarse para evitar problemas con los esposos, a fin de no poner en peligro su camino en la iglesia. En cuanto al terreno de la espiritualidad, las mujeres que tienen un esposo no convertido pueden actuar independientemente de éste, según lo dictado por la dirección de la iglesia. Eso no significa que no tengan que obedecer al esposo en otros terrenos, porque según el Evangelio siempre tienen que estar sometidas a éste, aun cuando él no esté convertido. Sin em-

---

7. Los servicios de la Iglesia Pentecostal no conocen tiempos definidos de salida, porque "la llegada del Espíritu Santo no puede ser forzada".

bargo, las mujeres no siempre obedecen estas instrucciones de la iglesia de manera estricta, como se puede concluir del siguiente ejemplo:

> Rogaba continuamente a Dios que me librara de cualquier forma, no me importaba si Dios tomaba como medio la muerte de mi esposo, porque servir al Señor era lo más importante para mí (Slootweg 1987a:37).

Además, las mujeres no pueden separarse, según las doctrinas del Evangelio: está prohibido que el hombre separe lo que Dios ha unido. Solamente en el caso de convivencia con un esposo ilegítimo, las mujeres pueden separarse basándose en que esta relación no concuerda con los principios del Evangelio. Para las mujeres en esta situación, las normas pentecostales en el caso de problemas entre la pareja, pueden funcionar como una legitimación del deseo de separarse.

Las mujeres que tienen esposos no convertidos pueden discutir sus problemas en las reuniones de Dorcas, y desahogarse en ellas de las presiones a que esta situación las conduce: pueden invocar la ayuda de sus hermanas por medio de la oración comunal. La oración es el único medio que está a disposición de estas mujeres, porque "solamente Dios tiene el poder de cambiar a los seres humanos". Ni la esposa, ni el pastor, ni los otros miembros de la iglesia, tienen poder sobre el alma del esposo (8) (Slootweg 1987a:36-37).

La Iglesia Evangélica Pentecostal en Iquique cuenta en su congregación también con muchos miembros que son mujeres solas. Por esta razón incluí a este grupo en la investigación. Estas mujeres eran viudas, separadas o abandonadas. El cambio en común, el más importante que todas las mujeres indicaron, fue el hecho de que después de su conversión experimentaron un sentimiento de protección muy profundo. Después de haber conocido al Señor, nunca más se sintieron solas, por tener ahora un "esposo celestial" que las cuidaba siempre muy bien, también en el aspecto material. A veces, el "esposo celestial" las cuidaba mejor que lo que el terrestre jamás lo había hecho. La siguiente afirmación de la hermana Ana testifica esto:

> Antes no nos llegaba plata de la pampa, o se había gastado todo no sé dónde. Ahora ni yo, ni ninguna de las hijas, trabaja, pero nunca nos ha faltado la vestimenta o la comida después que conocí al Señor (Slootweg 1987a:38).

Ninguna de estas mujeres trabaja, pero "Dios siempre las ha bendecido". El "ha elegido medios para revelar su pobreza a otros

---

8. Según mi opinión, las mujeres disponen de medios pasivos para cambiar al esposo: tienen que esperar la ayuda divina. Un medio más activo podría ser el cambio en su propia actitud. Por otra parte, utilizan una forma de poder muy sutil dentro de la situación de desigualdad: perdonando siempre al esposo y comportándose como la más humilde, existe la posibilidad de que el esposo se sienta culpable y cambie su conducta.

(miembros de congregación) que puedan ayudarles". "El Señor" puede reemplazar como "esposo celestial" al "esposo terrestre" de estas mujeres, según los ejemplos siguientes:

Cuando el penúltimo esposo se fue, estaba depresiva, me sentía sola. Tenía la esperanza que volvería, le esperaba cada noche. Quería quitarme la vida, lo intenté cuatro veces. Pero el Señor me protegió siempre, porque siempre contaba a la gente mis intenciones. Por eso cada vez me llevaban al hospital y sobreviví. Una vez, cuando tenía mucho miedo de sobrevivir con un daño mental, hice otro intento de suicidio. Le pedí al Señor que El tomara mi vida, porque hasta aquél momento no había hecho nada más que tonterías con mi vida. El Señor me habló por medio de un hermano pentecostal. El Evangelio me gustó, sin embargo más quería al hombre por el que me había enterado del Evangelio. Nos enamoramos y vivíamos juntos. No sabía todavía de las cosas de Dios, y no sabía que eso no era bueno. Pedí a mi esposo que me llevara a su iglesia. La iglesia me gustó y pedí al Señor de alumbrar mi corazón. Daba gracias a Dios porque El me había dado un esposo cristiano para recompensarme por toda la miseria que había tenido con mis esposos anteriores. No obstante, un día leí en la Biblia, Gálatas, capítulo cinco. Y comprendí que vivía en adulterio porque no vivía con mi esposo legítimo y que no podía entrar en el reino de los cielos. Nos separamos. Ahora ya no necesito un esposo carnal, porque estoy feliz con mi esposo celestial en mi corazón.

Una de las mujeres se casó a una edad muy temprana, pero fue abandonada después de algunos años de matrimonio, y se quedó sola con dos hijos pequeños. Se sentía humillada y despreciada por su esposo. Cuando conoció al Señor, se sintio rehabilitada por el "esposo celestial". Su consuelo se basa en el fragmento de la Biblia de Isaías 54:4-6 (9).

En una cultura como la chilena, en la que el matrimonio es un ideal normativo para las mujeres, la fe pentecostal puede prestar tanto legitimación como compensación (en el terreno económico y emocional) por el estado de mujer separada, abandonada o viuda (Slootweg 1987a: 38-39).

5. El mejoramiento de las circunstancias materiales

Las mujeres contaron que antes de su conversión eran muy pobres, pero después de ésta, el Señor las había bendecido también en este aspecto: no son muy afortunadas ahora, sin embargo nunca les ha faltado

9. Isaías 54: versículo 4-6: [4] No temas, pues no serás confundida; y no te avergüences, porque no serás afrentada, sino que te olvidarás de la vergüenza de tu juventud, y de la afrenta de tu viudez no tendrás más memoria. [5] Porque tu marido es tu Hacedor; Jehová de los ejércitos es su nombre; y tu Redentor, el Santo de Israel; Dios de toda la tierra será llamado. [6] Porque como a mujer abandonada y triste de espíritu te llamó Jehová, y como a la esposa de la juventud que es repudiada, dijo el Dios tuyo.

lo necesario para satisfacer las necesidades más elementales. Según los fieles pentecostales, eso concuerda con la promesa del Señor de que a sus hijos nunca les faltará el pan ni el agua. Eso no significa que después de su conversión no hayan conocido tiempos difíciles. A veces, las mujeres han tenido que esperar mucho tiempo la "bendición de Dios". En la mayoría de los casos, ésta llegó en la forma de relevación de sus necesidades a otras hermanas o hermanos de la iglesia. Así cuenta la hermana Ana:

> Fueron muchos los años que fuimos muy pobres, pero no me quejaba, oraba al Señor. Un día, uno de mis hijos trajo una canasta llena de alimentos que una hermana de la iglesia nos había dado.

Y la hermana María:

> Cuando no tenía trabajo, pasé por un período muy pobre: a veces no tenía el betún para los zapatos y los limpiaba con agua. Una vez fui a la iglesia y tenía los zapatos rotos y me quejaba al Señor durante la oración. Me caí al suelo. Dios me hizo caer al suelo para mostrarme que El quería que hiciera su voluntad. Le dije: "Señor, no se haga mi voluntad, sino la tuya". Me levanté y me sentí muy contenta. Al otro día vino un joven que me regaló unos zapatos nuevos; él no era de la iglesia, pero Dios le había revelado que yo tenía necesidad de zapatos (Slootweg 1987b:20).

La situación material mejoró también para todas las mujeres que tenían un esposo convertido, porque él dejó de gastar toda la plata en sus propias necesidades. No obstante, algunas mujeres tienen que trabajar, pues el sueldo de su marido no alcanza. A veces, su trabajo entra en conflicto con sus deberes religiosos. Existe la posibilidad de que estas mujeres estén decayendo en su fe, debido a que no pueden participar tanto en las reuniones como antes. No es claro por qué algunas mujeres de la congregación son más bendecidas que otras. Según la pareja pastoral y algunas hermanas y hermanos, casi no hay desocupados en la congregación, gracias a la bendición de Dios. Un hermano me contó que dentro de la iglesia, la gente se informa entre sí sobre las posibilidades de obtener mejores puestos, y así se ayudan en eso.

Las mujeres disponen, en razón de su calidad de miembros de la Iglesia Pentecostal, de relaciones que pueden prestarles la ayuda necesaria. Persisten en la oración, en espera de una solución divina a sus problemas. Esta solución suele llegar por medio de otras personas, pero siempre será considerada como una bendición de Dios.

En el artículo introductorio de Droogers, él afirma justamente que sólo una red de ayuda mutua no caracteriza a una organización religiosa, y que dicha red por sí misma no explica la necesidad extra-religiosa. Por mi parte, pienso que la reciprocidad que gobierna las redes de una organización como la de la Iglesia Pentecostal, se presenta como de un tipo distinto que la de una organización seglar. En la visión de la cre-

yente pentecostal, una no es dependiente de la buena voluntad del semejante, sino que la hermana o el hermano son motivados por la providencia
de Dios a prestar ayuda gratis, sin la obligación de devolverla.

La Iglesia Pentecostal en Iquique, acentúa en su organización práctica valores como la solidaridad y el amor al prójimo: en esta Iglesia
existe la obligación de que los miembros con mejor situación económica,
contribuyan en una proporción mayor a los fondos eclesiásticos. Con
esos fondos, la gente menos afortunada puede ser ayudada en casos de
emergencia (Slootweg 1987b:25). Una de las hermanas, Juana, testimonia
esto en la siguiente forma: "las hermanas practican el amor cristiano
muy bien. Ellas se preocupan por lo que me falta a mí, tanto en las
cosas materiales como en las cosas espirituales" (Slootweg 1987b:24).
La incorporación a la Iglesia Pentecostal, la que si bien pide su contribución regular a sus miembros, les ayuda económicamente en caso de
necesidad, en un país como Chile, donde la desocupación es muy grande
y los sueldos de la gente de las clases bajas muchas veces no alcanzan
para satisfacer las necesidades mínimas, puede funcionar como una
seguridad (Slootweg 1987a:70).

6. La curación

La mayoría de las mujeres recibieron después de su conversión, la
bendición de Dios en la forma de curación de enfermedades. No sólo
recibieron estas bendiciones para ellas mismas, sino que también fueron
sanados sus esposos e hijos, cuando las mujeres pidieron la ayuda de
Dios. Las enfermedades curadas, en la mayoría de los casos, fueron
muy graves, o atravesaron por crisis muy grandes: cáncer, reuma, tuber-
culosis o apendicitis, tifus o hernia. La hermana Juana, cuenta la historia de su curación:

Conocí la Iglesia Pentecostal porque tenía un vecino que pertenecía
a esa iglesia. En ese tiempo estuve muy enferma, tenía ya por diez
años dos tumores en los senos. En aquel momento que el vecino me
habló de su fe, sentí cómo me cayó algo en mi cabeza, así como antes
había sido ciega, y creí que el Señor puede sanar. Pregunté a mi
vecino si quería sanarme. Vinieron hermanos y hermanas de Arica a
la casa de mi vecino; me prometieron que iban a sanarme, pero con
la condición de que después de mi curación fuera a predicar en la
calle, porque en este tiempo había pocos predicadores todavía. Los
hermanos danzaban y danzaban, y en el momento en que fui sanada,
sentí como un fuego que me ardía en los senos.

Es un dato muy llamativo que las creyentes pentecostales, tanto
antes como después de su conversión, cuando están enfermas, se dirigen
a Dios, negando el sistema de salud oficial. El testimonio de la hermana
Sofía, es un ejemplo muy típico de esto:

En el momento de mi conversión estuve más enferma que nunca, pero sólo quería ir a la iglesia. No sabía que el Señor sanaba, tenía una úlcera ya por seis años. Mi esposo me dijo que tenía que ir al médico, sin embargo el Señor me habló de que no tenía que ir, porque en la iglesia El me sanaría (Slootweg 1987a:39-40).

Una de las explicaciones posibles de por qué las mujeres de este grupo social esperan más del poder divino que de las instituciones relacionadas con la salud, puede ser que en el país el sistema sanitario está muy poco subsidiado y funciona muy mal. Además, la gente de bajos ingresos tiene escaso acceso al sistema sanitario oficial, de modo que la búsqueda inicial de formas alternativas de curación en situaciones de crisis, es muy comprensible. En la investigación de María de Bruyn, se lee: "Se dice que alguna gente tiene buenas manos. ¿Cómo eligen los pacientes los tratamientos para sus enfermedades en Iquique?" (1987, en inglés en el original). Sus informantes exponen algunas desventajas del sistema sanitario oficial (10).

Excepto por los factores sociales y económicos que pueden desempeñar un papel importante en la opción por una forma de curación religiosa, en las prácticas de las iglesias pentecostales del norte de Chile se continúan, en cierto sentido, las de la religion aymará autóctona y las del catolicismo popular. En efecto, los aymará acuden al especialista religioso en caso de enfermedad, y los creyentes del catolicismo popular piden ayuda a Dios para sus problemas de salud.

La curación no sólo significa para el creyente pentecostal una curación del cuerpo. La enfermedad física simboliza, según la doctrina pentecostal, la impureza y el estado pecador del espíritu humano. En este aspecto, la siguiente interpretación de la enfermedad de la hermana Alvina es muy ilustrativa:

Una vez, cuando quería ir a la iglesia, vomité muchas veces sangre; mis hermanos se preocuparon mucho, no obstante me sentía sana y me burlé de mis hermanas, porque creí que eso fue la obra de Dios, que quería cambiarme completamente: mi cuerpo escupió todo lo

10. El servicio de salud pública en Chile (el SNNS), consta de lo siguiente: por un pago mensual del siete por ciento de los ingresos, todos los que están trabajando en el sector público o privado pueden estar asegurados, incluso tienen también derecho a esto sus otros familiares. Hasta cierto límite de los ingresos, todos los beneficios son gratuitos; los grupos de salarios más elevados pagan um mayor porcentaje como contribución. En principio este sistema parece ofrecer suficientes beneficios a los asegurados, pero en la realidad hay bastantes problemas, algunos de carácter burocrático, como por ejemplo la necesidad de prolongar reiteradamente el carnet de inscripción. Además, en las clínicas y hospitales públicos faltan los servicios más esenciales, y la atención de las pacientes del SNNS suele ser de una calidad peor que la de los pacientes privados. El período de espera en los consultorios suele ser muy largo, y aunque las consultas son gratuitas, el paciente debe pagar las medicinas. Algunos pacientes no quieren el servicio deficiente del SNNS y ahorran dinero para recurrir al servicio semi-privado, o atenderse con médicos peruanos (de Bruyn 1987:75-76 y 113-114).

malo que tenía dentro de mí. Me desmayé y me llevaron al hospital, pero no quería ser llevada como un saco de papas, y quería salir del hospital. Los médicos me dijeron que tenía dos semanas más de vida, pues tenía un tumor en los pulmones. Sin embargo, no les creí. Los vómitos pararon. De eso hace doce años y estoy todavía muy sana (Slootweg 1987a:40).

Así, la curación de las enfermedades simboliza el cambio total de la persona después del perdón de los pecados. Este acontecimiento, que las creyentes pentecostales llaman el "bautismo del Espíritu Santo", conduce al conocimiento de lo malo y lo bueno. Este cambio de mentalidad lleva, como muestra de lo anterior, a una ruptura radical con la manera de vivir de antes y hace posible otro estilo de vida.

7. Conclusión

Resumiendo, podemos decir que el nuevo modo de vida debido a la calidad de miembro de una congregación pentecostal, ofrece una solución a algunos problemas esenciales con que las mujeres iquiqueñas de la clase baja tienen que enfrentarse. La ideología religiosa de la Iglesia Pentecostal brinda una solución para los problemas de pareja, porque sus normas y valores en cuanto al matrimonio y las relaciones entre hombres y mujeres, difieren parcialmente de las del ambiente social de sus adherentes potenciales. Así, al reducirse la influencia del machismo en el comportamiento de los esposos, es posible un mejoramiento relativo de la posición de las mujeres en el matrimonio. Parece que para muchas mujeres, la relación matrimonial mejoró bastante después de la conversión del esposo. El abuso del alcohol, y la miseria consecuencia de esto, desaparecieron; el esposo ya no salió tanto de la casa, y se ocupó más de su familia. Las mujeres tuvieron entonces más confianza en su fidelidad como esposo. En algunos casos, éste cooperó más que antes en los quehaceres del hogar y la educación de los hijos.

Todos esos cambios ocurrieron cuando el esposo se comportó según las disposiciones que la iglesia impone. La Iglesia Pentecostal apoya a las mujeres, por cuanto en caso de que los hombres infrinjan las reglas, las mujeres pueden apelar a la dirección de la iglesia. Esta educa a las mujeres y a los hombres dentro de la idea del matrimonio cristiano, según la cual la mujer debe estar sometida al esposo, pero éste también tiene obligaciones para con ella.

A las mujeres que no tienen un esposo convertido, la calidad de miembros de la Iglesia Pentecostal puede ofrecerles una legitimación para una actitud independiente con respecto al esposo en algunos terrenos. Además, en situaciones difíciles son sostenidas por sus hermanas y hermanos de la congregación.

Para las las mujeres solas, que se encuentran en una situación excepcional dentro de la cultura chilena, en la que el matrimonio es un ideal importante y normativo para las mujeres, la convicción religiosa puede legitimar dicha situación. Para las mujeres casadas, por su parte, la situación económica familiar ha mejorado después de la conversión del esposo, debido a los cambios en la forma de gastar el dinero. Así mismo, la incorporación de la familia en la red de relaciones de la iglesia, les ha brindado mayor seguridad para satisfacer sus necesidades. Esto último puede aplicarse igualmente a las mujeres solas. La reputación de la Iglesia Pentecostal de que en ella se practica el amor cristiano, así como la convicción de que Dios recompensará el celo religioso también materialmente, pueden ser argumentos convincentes para los creyentes potenciales.

La situación objetiva del sistema de salud, que resulta tan deficiente para las mujeres de las clases bajas, obliga a este grupo a buscar formas alternativas de curación. La Iglesia Pentecostal ofrece una alternativa. No obstante, brinda mucho más que la misma curación. La curación y la calidad de miembro están relacionadas con una nueva manera de vivir, la cual proporciona soluciones estructurales para diversas necesidades concretas.

¿Significa esto que las conversiones de las mujeres pueden ser consideradas como estrategias personales de éstas para cambiar su posición social? Cuando comparamos "la demanda" de los creyentes potenciales con "la oferta" de las iglesias pentecostales, se puede ver claramente que principalmente las mujeres de clase baja pueden tener gran interés en las soluciones que estas iglesias ofrecen. Las mujeres de este grupo social luchan con problemas matrimoniales, se encuentran en una situación económica muy difícil, y tienen que enfrentarse con la indigencia de su familia. Cuando son solas, esta condición, tanto económica como social, las hace aún más vulnerables. El deber de cuidar de la familia nuclear, se extiende también a la responsabilidad sobre la salud de otros parientes (van den Hoogen 1987:263).

No nos ha de extrañar, pues, que casi todas las mujeres entrevistadas hayan tomado la iniciativa para ponerse en contacto con la Iglesia Pentecostal, y después hayan intentado persuadir a su esposo para que las acompañara. En muchos casos, el proceso de la conversión del esposo se inció cuando éste se enfermó crónicamente, y su esposa insistió en buscar curación en la Iglesia Pentecostal, resultando por último que aquél se resignó y accedió.

Aunque, como hemos visto, la demanda y la oferta se corresponden, es muy difícil distinguir lo que se refiere a una estrategia social y personal consciente de las mujeres. ¿Se han convertido las mujeres para mejorar su situación, y conocían de antemano las consecuencias posibles de la conversión? Los esfuerzos pertinaces para convertir a los esposos, podrían estar indicando esto. Uno de los problemas que, sin embargo, se asocia con esta pregunta, es que las mujeres nunca hablan de la conversión como un medio elegido conscientemente para cambiar su situación personal. De todos modos, en este artículo hemos visto la capacidad de las iglesias pentecostales para solucionar necesidades cotidianas, y por lo demás, dejemos que los testimonios de las mujeres hablen por sí mismos.

Bibliografía

Bruyn, María de 1987, *They Say Some People Have Good Hands: How Patients Choose Treatments for Illnesses en Iquique*. Amsterdam: Universidad Libre, tesis para la licenciatura.

Flora, Cornelia Butler 1975, "Pentecostal Women in Colombia: Religious Change and the Status of Working Class Women". *Journal of Interamerican Studies and World-Affairs,* Vol. No.4, November 1975.

Hoogen, Lisette van den 1987, "Gezegend onder de vrouwen: rituele genezeressen in katholiek Minas Gerais". *Sociologische Gids* 1987, no.4, págs. 248-270.

Lalive d'Epinay, Christian 1969, *Haven of the Masses: a Study of the Pentecostal Movement in Chile*. London: Lutterworth Press.

Slootweg, Hanneke 1987a, *Religie en haar gevolgen voor het leven van vrouwen in volkswijken te Iquique*. Utrecht: Universidad del Estado, relato de la investigación para la licenciatura.

Slootweg, Hanneke 1987b, *Religieuze bewegingen en sociaal protest: een empirische toepassing van Laeyendecker op de Chileense Pinksterbeweging en de Noord-Chileense bedevaartverenigingen*. Utrecht: Universidad del Estado, tesis para la licenciatura.

Steenbeek, Gerdien 1985, "Wie niet sterk is moet slim zijn: vrouwen en het machismo-marianismo complex in Latijns-Amerika. *Lova Nieuwsbrief,* 1985, págs. 36-58.

Willems, Emilio 1967, *Followers of the New Faith: Culture Change and the Rise of Protestantism in Brazil and Chile*. Nashville: Vanderbilt University Press.

PASTOR Y DISCIPULO.
El rol de líderes y laicos en el crecimiento de las iglesias pentecostales en Arequipa, Perú

Frans Kamsteeg

Introducción

Y allí es donde el pastor me mostró los líderes de Dios. Dijo: todos dependen del Señor siempre, aunque sean pastores. Tienen el ejemplo de Moisés y Josué. Ellos en su capacidad no podían (ser líderes, FK), pero sí podían por la capacidad de Dios. A otros, también Dios los ha ayudado por haberle querido a El. Y así me dijo, y entonces, esas palabras me alentaron bastante. Desde entonces yo sé que voy a poder con la ayuda de Dios, y adelante, pues, me encargué del anexo de la Blanca. Comenzamos y, no sé por qué, pero grandemente el Señor está bendiciendo y la iglesia está creciendo.

La cita de más arriba está tomada literalmente de las palabras de un pastor protestante en un pueblo joven de la ciudad de Arequipa, ubicada en el sur del Perú. El pertenece a uno de los nuevos grupos eclesiásticos, con frecuencia protestantes fundamentalistas, que están actualmente en desarrollo en Latinoamérica (1). Este desarrollo inquieta fuertemente a la Iglesia Católica tradicional dominante, la cual busca ansiosamente una respuesta a los desafíos planteados por estos movimientos (2).

1. No es simple conseguir cifras confiables y recientes sobre la extensión del movimiento pentecostal en Latinoamérica. El crecimiento es mayor en Chile, Brasil y Mesoamérica, pero las estimaciones divergen considerablemente. Me remito, en lo que respecta al Perú, a Barrett (1982), algunas fuentes nacionales recientes (INE 1984 y Concilio 1986) y estimaciones personales.
2. Esto se evidencia a partir de los muchos escritos dedicados a las sectas, en los que siempre se hacen advertencias contra los grupos pentecostales y sus prácticas proselitistas. Ver, por ejemplo, la publicación del episcopado colombiano *50 respuestas a los protestantes*, de la cual se han impreso casi medio millón de ejemplares (Eliecer Salesman, n.n.). Un título también significativo al respecto, por lo demás de un autor protestante, es: *Look out!, the pentecostals are coming* (¡Cuidado!, los pentecostales se acercan) (Wagner 1973).

Con este artículo quiero contribuir a esclarecer, desde la perspectiva antropológica, el crecimiento de las iglesias pentecostales, las cuales representan una parte importante de los movimientos religiosos actuales en Latinoamérica. La pregunta central es si dentro del sistema simbólico que se maneja en las iglesias pentecostales, pueden encontrarse puntos de referencia que ayuden a clarificar este proceso de crecimiento. Aquí se pone especial atención al liderazgo.

El análisis se basa en datos de una iglesia específica en un barrio específico –Cerro Negro– de la ciudad de Arequipa (3). Esto significa que solamente se aplican muy poco los modelos aclaratorios macrosociológicos concernientes al crecimiento del movimiento pentecostal, donde conceptos como anomia, modernización, etc., juegan un rol importante. De allí, de ninguna manera, quiero descalificar estos abordajes (en el artículo de Droogers esto es trabajado de manera fructífera), pero pienso que enfocar el nivel local puede iluminar bastante este proceso de crecimiento (4). Por este motivo, me concentro sobre todo en factores internos religioso-simbólicos.

Para comenzar, doy una impresión general del crecimiento de las iglesias pentecostales en Perú, y esbozo brevemente las relaciones económicas y religiosas en la ciudad de Arequipa. A partir de las prédicas, profecías y dichos del pastor y los líderes potenciales del barrio de Cerro Negro, comienzo a hablar de poder (simbólico), liderazgo, y la posición de los laicos creyentes con respecto al pastor. Estos son los ingredientes de los argumentos que deben proporcionar una respuesta a la pregunta central de este artículo.

1. Iglesias pentecostales en Perú

A decir verdad, el Perú figura muy poco en la literatura antropológica sobre el movimiento pentecostal latinoamericano. La mayoría son estudios hechos en Chile, Brasil o Centroamérica y el Caribe. También han aparecido estudios sobre los países andinos, Colombia y Ecuador (Bamat 1986; Flora 1980; Muratorio 1980). En los que respecta al Perú, disponemos de aún menos materiales, que en realidad provienen de escritos

3. En esta ciudad permanecí durante el período de diciembre de 1986 a noviembre 1987. Esto fue posible gracias a un subsidio de la Fundación Neerlandesa para el Fomento de Investigaciones Tropicales (WOTRO). El material fue principalmente recolectado en tres congregaciones pentecostales, distribuidas sobre otros tantos pueblos jóvenes en los distritos de Miraflores y Paucarpata. En este artículo me baso en datos relacionados con una congregación de un barrio: Cerro Negro, en el distrito de Paucarpata. Esta pertenece a la denominación "Centro Evangelístico Pentecostal". A petición de los interesados, se han cambiado los nombres del barrio, la iglesia y las personas.

4. Los abordajes aludidos son manejados en la introducción de Droogers. Willems, Lalive d'Epinay, Rolim y Howe son los más llamativos exponentes, pero también hay otros. Aunque esto ocurre poco en este artículo, quiero seguir a Droogers (1985), en el uso ecléctico de las teorías.

breves y artículos para simposios, las más de las veces con una clara finalidad evangelizadora (5).

Esta falta de datos no es tampoco tan sorprendente, si se piensa que el verdadero comienzo de las iglesias pentecostales en Perú data de apenas los últimos 10 a 15 años. Aunque una cantidad de las iglesias pentecostales actuales tiene una historia que se remonta más lejos en el tiempo (por ejemplo, las Asambleas de Dios, que fueron fundadas oficialmente en el Perú en 1939), fueron las denominaciones históricas las primeras que "pisaron tierra firme" en un Perú dominado por el catolicismo. Estas fueron los luteranos, los anglicanos, los presbiterianos y los metodistas, y desde 1951, también los bautistas. Luego, existe desde 1922 la Iglesia Evangélica Peruana, una iglesia evangélica independiente que, además del movimiento pentecostal y los Adventistas del Séptimo Día, tiene la mayor cantidad de miembros dentro de las iglesias no católicas. Los adventistas forman una denominación estable que ya era activa desde fines del siglo pasado en el Perú, y tiene su mayor número de adherentes en Lima, lo mismo que entre los indígenas aymará del altiplano (Kessler 1967; Barrett 1982:559-561) (6).

A manera de introducción, quiero dedicar algunas palabras al desarrollo de las iglesias pentecostales peruanas hasta la actualidad. Este se caracteriza, en primer lugar, por un crecimiento comparable, principalmente, con el proceso de diferenciación celular (por ejemplo, según Tennekes 1985:21). La iglesia pentecostal de mayor tamaño, las Asambleas de Dios, ha conocido en su existencia de casi cincuenta años tantas separaciones, que es sorprendente que aún sea tan grande. Además, muchas iglesias se originan a través del trabajo de los misioneros, dentro de los cuales hay muchos norteamericanos. A partir de aquí, surgen algunas denominaciones nacionales más grandes, y también un número significativo de iglesias locales.

No es simple llegar a delinear una impresión de la marcha de este proceso. Aparte del ya mencionado Kessler (1967), sólo podemos recurrir a una "historia del movimiento pentecostal en el Perú", escrita por Huamán, y a algunos estudios del Seminario Evangélico de Lima (Escobar 1981; Kessler 1981). Huamán es defensor entusiasta de la causa pentecostal. En su libro podemos encontrar una buena ilustración del

5. Ultimamente apareció un estudio de Manuel Marzal (1988), sobre la situación religiosa en uno de los pueblos jóvenes de Lima, en el que también se pone atención a las iglesias pentecostales. El único gran estudio sobre el protestantismo en Perú, el de Kessler (1967), toma muy poco en cuenta a las iglesias pentecostales.

6. Algunas cifras de la bibliografía. Barrett estimó el número de protestantes en 1975 en unos 400.000, o sea, el 2,5 % de la población. Su pronóstico para el año 2000 es del 3,5 % (Barrett 1982:559). Una investigación hecha por el Seminario Evangélico, comisionado por el CONEP, arribó a un porcentaje del 2 % de la población limeña en 1986, donde expresamente no se incluye a los adventistas. De los 610 grupos e iglesias contabilizados, hay 128 formados entre 1980 y 1985 (Concilio 1986:10). Hay en curso investigaciones de la situación en el resto del país. Vista la extensión de la tarea y los métodos utilizados, debe fijarse un margen amplio para la confiabilidad.

modo de dispersión de esta creencia. El papel central lo ocupa, sin duda, el personaje del misionero. Este puede ser un extranjero, pero en la mayoría de los casos, no es así. La iniciativa personal, y la vocación, determinan dónde se llevarán a cabo actividades misionales para poder llegar a establecer una congregación. Una vez que esto resulta, y crece, entonces otros salen de la congregación para "llevar el evangelio adelante", y fundar nuevas congregaciones. Pueden formar juntas una denominación, o también, con frecuencia, permanecer como congregaciones independientes. Dentro de las diversas denominaciones reconocidas en Perú, aparecen múltiples divisiones. Anexos locales se separan regularmente de la iglesia matriz, bajo el liderazgo del pastor, en la mayoría de los casos por razones organizacionales o doctrinarias. Un ejemplo cualquiera de Huamán:

> Por muchos años fue una de las iglesias prósperas de las Asambleas de Dios. Pero también por muchos años hubo incomprensiones. Se le criticó acremente sus formas y costumbres en los cultos y forma de administración; hasta que el día 23 de Mayo de 1979, y para evitar mayores problemas entre hermanos, decidió separarse de las Asambleas de Dios, con sus 43 *iglesias anexas* (Huamán:108).

Dentro de las iglesias pentecostales éste es el curso típico de los acontecimientos, pero éste "crecimiento por división" provoca sentimientos contradictorios. En parte es considerado inevitable y saludable (en tanto que siguen ocurriendo las separaciones dentro de la propia denominación), sin embargo, el aspecto negativo de esto es una enorme fragmentación debido a conflictos continuos y recíprocos. Estos conflictos existen también dentro del Consejo Nacional Evangélico del Perú (CONEP), deficiente ya por años, donde las iglesias pentecostales no tienen un rol directo como pioneras, aunque constituyen la mayoría de los protestantes en el país.

2. Arequipa: economía

Arequipa, la segunda ciudad del Perú, cuenta con unos 700.000 habitantes, y está situada a 2.300 metros sobre el nivel del mar; rodeada por tres volcanes, en el borde de una extensa meseta la cual comprende gran parte del sur del país. De hecho, la ciudad está situada sobre la frontera que separa el desierto de la cordillera, lo cual es determinante para el clima: éste es seco, con temperaturas templadas.

Gracias a este favorable lugar de asentamiento, Arequipa es un centro comercial y de servicios, y como consecuencia, constituye también el centro de la región sur del Perú. La ciudad se sitúa sobre las rutas comerciales normales con Bolivia y Chile, y, como tal, es un punto clave para el comercio (por vía férrea, ruta terrestre o por aire) con estos dos países, la capital, Lima, y su propio "hinterland"; de este modo, constituye prácticamente casi toda la región sur andina del Perú. Aparte de ser una ciudad comercial, Arequipa es igualmente importante desde el punto de vista industrial. Grandes cervecerías, plantas industrializadoras de leche y una importante mina, constituyen los principales pilares sobre los que se asienta esta industria. La agricultura de regadío y el comercio de la lana de alpaca, son también importantes actividades económicas (ver Flores Galindo 1977 y Zarauz 1984).

Esto es, sin embargo, mucho menos que suficiente para dar trabajo a una población en constante y rápido crecimiento. Muchos necesitan buscar empleo en el "sector informal". En conexión con el completo subdesarrollo del país, y con la crisis económica del momento, la enorme migración hacia la ciudad constituye un grave problema. Dado que apenas hay trabajo para los migrantes, provenientes de Puno y Cuzco, muchos tienen que recurrir al comercio callejero informal para sobrevivir. Se trata aquí sobre todo de indígenas de la sierra que, a causa de la progresiva presión demográfica, la sequía prolongada y/o las inundaciones, unidas a las promesas de la gran ciudad, abandonan su "habitat". Así es como Arequipa se convierte con frecuencia en la meta de puneños y cuzqueños, cuando no es estación intermedia en el camino hacia Lima (7). Por ello los migrantes, y el sector informal relacionado, constituyen para los políticos locales uno de los mayores problemas. En cambio, para las iglesias pentecostales constituyen un potencial importante de los miembros convertidos.

3. Arequipa: religión

La Iglesia Católica Romana es, con mucho, la comunidad religiosa más importante de Arequipa. Según los datos censales de 1981, un 95 % de la población se autodenomina católica. Casi el 5 % es cristiana, pero no católica. Estos son los protestantes (donde se incluyen las iglesias pentecostales), los adventistas, los testigos de Jehová y los mormones (datos censales: INE 1984:196).

La Iglesia Católica es fuerte en Arequipa, no sólo a causa del número de sus adherentes, sino también dada su gran influencia sobre la jerarquía eclesiástica a nivel nacional. Casi sin excepción, por ejemplo, el arzobispo de Lima proviene de Arequipa. La ciudad es denominada por el pueblo la "Roma del Perú". El arzobispo actual protege esta reputación con cuidado, y sacó a relucir de nuevo este título con ocasión de la visita del Papa Juan Pablo II a la ciudad, en 1985.

7. El problema de la migración es complejo. Para un buen análisis, remito a algunos artículos del libro *Problemas poblacionales peruanos II* editado por Róger Guerra García (1986). En relación con el pentecostalismo, el fenómeno migratorio es de gran importancia. En muchos análisis se plantea una relación entre esta migración hacia las ciudades y la transición hacia la creencia pentecostal (por ejemplo, Willems 1967).

Sin embargo, existen ciertas amenazas a la posición del catolicismo oficial. La continua falta de vocaciones, y los problemas económicos, han conducido a la situación de que en las provincias se tenga que practicar el servicio sin los representantes oficiales, es decir, los curas. Esto también tiene validez cada vez mayor para los "pueblos jóvenes" (los barrios populares) de la ciudad, donde tener un pastor y un edificio para la iglesia propios, se está volviendo una rareza (8).

No son tampoco la misa ni los sacramentos lo que pone en movimiento a los arequipeños católicos. La Virgen de Chapi ocupa el primer lugar como movilizadora. Esta santa (María) se encuentra en una apartada capilla, en medio del desierto, a unos 50 km. de la ciudad. Sobre todo el primero de mayo, su día, aunque también en el Día de la Madre, en mayo, el mes de María, y en algunas otras oportunidades, una enorme caravana se dirige al santuario de Chapi. La Virgen es la santa patrona de la ciudad, y de la mayoría de los católicos arequipeños. Cultos como el de Chapi ocupan una posición central en el "catolicismo popular", y no se limitan sólo a los días de festividades especiales. La comunicación con los santos, como por ejemplo la Virgen de Chapi, es importante para los católicos en su vida cotidiana, sobre todo cuando surgen problemas. En los pueblos jóvenes, donde habitan muchos indígenas y mestizos, aparece de manera central junto a ella, con frecuencia, la celebración de las cruces, dentro de la práctica religiosa (9).

El Papa, los obispos y la misa, constituyen, junto con los santos y las cruces, las rocas u obstáculos contra los cuales se enfrentan los predicadores pentecostales. El "mundo" es su enemigo, y especialmente el catolicismo y las creencias y supersticiones alrededor de éste. Este es en realidad un poderoso enemigo tradicional, sobre el cual se va ganando terreno, aunque muy lentamente, también en Arequipa, la "Roma peruana".

4. El crecimiento de una iglesia pentecostal en el barrio de Cerro Negro

En la ciudad de Arequipa había –según el censo de 1981– 16.614 evangélicos (cristianos no católicos), lo cual significa cerca de un 3,5

8. La mayoría de las veces se reserva un terreno para construir la iglesia, pero por falta de medios financieros y de entusiasmo dentro del mismo barrio, entre otras cosas, debido a la limitada posibilidad de que el lugar tenga cura propio, se demora muchas veces la construcción. Las congregaciones pentecostales no ven esto con buenos ojos. Una vez que consiguen un terreno, generalmente construyen muy rápido una iglesia, con el esfuerzo mancomunado de todos los fieles.
9. La marcación de lugares sagrados forma parte de la religión indígena. Bajo la influencia del catolicismo esto ocurre con las cruces de madera, adornadas con trozos de tela o con una figura de Cristo colgada. En la ciudad, la cruz ha adquirido más la función de un santo con el que la comunicación es posible, del mismo modo que con los santos "comunes" (ver Irarrázaval 1980).

% de la población. Amigos y enemigos concuerdan en que las cifras deben ser considerablemente más elevadas, teniendo en cuenta el rápido aumento del número de iglesias y congregaciones en la ciudad. No hay cantidades exactas, pero es seguro que el total estimado para la actualidad, de 80 congregaciones pentecostales, es demasiado bajo. Estas congregaciones varían desde 25 a 500 en el número de adherentes(10). Como en casi todas partes del Perú, las Asambleas de Dios son las más grandes: éstas se forman a partir de una congregación matriz de más o menos 500 almas, que a su vez produce nuevas "hijas" en su barrio respectivo (anexos). Bajo el amparo de la congregación matriz de la ciudad, se encuentran las congregaciones ubicadas en los pueblos de los alrededores, en la provincia de Arequipa, donde su liderazgo está, casi sin excepción, en manos del pastor local.

Dirigiendo la mirada a esta denominación en Arequipa, atrae nuestra atención la gran cantidad de congregaciones relativamente pequeñas. Esta es también la imagen que se desprende de la literatura, aunque existen ejemplos de iglesias pentecostales muy grandes. No podemos deducir en realidad, de tantas pequeñas congregaciones, que ésta tendría que ser la pauta ideal. Cada pastor arequipeño sueña con una hermosa iglesia y un voluminoso rebaño de leales creyentes. Esto se cumple sólo para unos pocos a lo largo de su camino.

La mayoría de los creyentes pobres en los pueblos jóvenes de la ciudad, carecen con frecuencia de los medios para comprar un terreno y construir una sólida iglesia dentro de éste. Es también a causa de la pobreza que los servicios religiosos (cultos) se desarrollan en el cuarto de la casa de uno de los miembros de la congregación. Tan pobres condiciones de vivienda no necesariamente tienen que frenar el crecimiento del número de miembros de la congregación, porque todos pueden "atravesar el umbral sin temor". El espacio es en realidad muy reducido y la mayoría de las veces los habitantes de un barrio no tienen ganas de salir de éste para ir a la iglesia, y ni mucho menos de caminar un trecho para llegar a ella. Muchos pastores, pentecostales o no, se quejan de la falta de disposición de los pobladores a caminar algo más lejos de dos cuadras. Por estas razones prácticas, es con frecuencia más lógico que la gente, cuando sale de su barrio, forme una nueva iglesia antes que quedarse en su "vieja congregación".

En relación al planteo central del problema de este artículo, es una pregunta importante por qué estas congregaciones son con frecuencia tan pequeñas, y permanecen así, en tanto que aumenta el número total de creyentes pentecostales. ¿Existe quizás un mecanismo interno que mantenga el tamaño reducido de las congregaciones, pero que a la vez las multiplique? Antes de contestar estas preguntas, dirijámonos primero

10, Para superar la confusión, uso los términos iglesia y congregación. Con el término iglesia quiero referirme a una denominación, con sus propias reglas eclesiásticas y artículos de fe. Con la palabra congregación se designa a la comunidad local. Esta tiene a veces una serie de anexos dependientes.

ahora a la congregación de Cerro Negro, y dejemos hablar a los creyentes por sí mismos.

Tres hermanos éramos en ese tiempo. Este templo lo hemos levantado. Los tres estamos ahora al frente de la obra, Alberto en la Joya, Alfredo en la Iglesia Maranata –su papá siempre está tocando acá– y yo, que siempre me he quedado aquí en esta denominación, el Centro Evangelístico Pentecostal. Va bien. La iglesia está creciendo (Francisco).

Bueno, todos tenemos nuestro plan por delante para la iglesia. Por ejemplo, en el conjunto (de música, FK) pensamos que yo por ejemplo voy a un lugar, me encargo de la obra del Señor, predicando la palabra de Dios, atendiendo una iglesia, yo solo, pero todavía no (Juan).

Mucho anhelaba de aprender la palabra de Dios. Mi lugar no era atrás, mi lugar era acá adelante y quería predicar, pero faltaba mucho para aprender. El pastor de nuestra congregación me dijo que orara y ayunara mucho para poder servir al Señor. Cada palabra que escuchaba de los pastores, yo lo hice. Así que yo me iba solo al cerro y allí estaba orando y ayunando, pidiendo al Señor: quiero esto, ¿acaso yo no puedo recibir? Yo nunca había pensado que iba ser líder. El Señor me llamó (Valentín).

Estas son las palabras del pastor Francisco y de dos de los miembros de su congregación. Ellos pertenecen a la iglesia del Centro Evangelístico Pentecostal en el Cerro Negro, el barrio popular más grande de Arequipa, asentado sobre las arenosas laderas del volcán Misti. La congregación tiene ahora 14 años de existencia y fue fundada por Francisco y dos hermanos más, de los primeros tiempos. Francisco alcanzó la fe después de la curación extraordinaria de uno de sus amigos. También Juan se unió a la iglesia a partir de su curación (de una úlcera en el estómago), realizada a través de la oración de un "hermano" (en la fe). Finalmente, Valentín, que iba por la vida como un criminal, pasó casualmente por una iglesia, buscando una nueva víctima, y allí tuvo una experiencia tan tremenda que de una vez "se sacudió su vieja vida". En la "nueva vida" (ver Tennekes 1984), ellos tienen ahora un solo objetivo, y éste es servir al Señor siendo sus valiosos discípulos.

La iglesia es solamente un pequeño edificio, casi un apéndice de la casa del pastor. El ha dispuesto de un terrenito para este fin. Todos pueden entrar y salir de allí y eso ocurre habitualmente. La gente acude a orar, cantar, tocar la guitarra, o tan sólo para encontrarse un rato, y naturalmente también para hablar con el pastor si hay problemas. Este grupo cuenta con aproximadamente 80 miembros, que viven en su mayoría en el barrio de la iglesia. En el mismo barrio hay igualmente una decena de otras congregaciones pentecostales, que sirven oportunamente a los creyentes que habitan el lugar. Casi todos los miembros son de origen indígena, de las tierras altas de Cuzco y Puno. Una gran parte de ellos, entre los cuales se encuentra el pastor, hablan apenas un castellano deficiente. La lectura de la Biblia, muy importante dentro de este tipo de iglesias, no es tampoco simple para la mayoría, aun cuando sepan leer. Veamos ahora cómo funciona el servicio pentecostal en la congregación de Cerro Negro.

4.1. El servicio (culto)

Además del servicio principal de la tarde del domingo, hay cultos cuatro noches en la semana. El dominical reúne a casi todos los miembros; éste es un evento de tres horas de duración que comienza con una larga oración personal, donde se vuelcan las emociones, y se presentan los acontecimientos y los problemas de la semana a Dios. El pastor Francisco tiene su propio sitio para orar, en una plataforma junto al púlpito. A medida que transcurre el tiempo, cuando todos están presentes y van terminando lentamente las oraciones, conmienza realmente el servicio con la lectura de un salmo y con una oración más. Después se retira el pastor. Uno de los hermanos o hermanas se adelanta para dirigir los cánticos; esto puede durar bastante, y la mayoría de las veces termina en una oración prolongada, a lo largo de la cual los creyentes entran ya en éxtasis, "hablan en lenguas", "danzan en el Espíritu" (a través de lo cual los fieles pasan a una especie de trance), y hasta se escuchan profecías en esta parte del culto. Dentro de la congregación son siempre los mismos quienes se destacan más. Sólo unos pocos tienen el don de la profecía. Entre ellos están algunos miembros del grupo musical evangelizador y los líderes de los anexos. Las profecías tienen en general relación con amenazas a la iglesia o a la congregación. Un ejemplo:

Así dice el Señor que seamos vigilantes en estos tiempos malos. Hay tanto peligro para nuestra vida espiritual. El enemigo es fuerte. Confíen en el Señor y sean obedientes, así dice el Señor. Confíen en sus líderes, oren por ellos, oren por esta iglesia, que salga luz de ella. Así dice el Señor: veo ríos de agua viva saliendo de esta iglesia. Se levantarán líderes y predicarán la palabra de Dios en el mundo. Oren por ellos, porque el mundo es hostil. Que den frutos, así dice el Señor...

Mientras se desarrolla esta profecía los fieles permanecen en silencio, pero en cuanto ésta ha terminado, estalla la plegaria de agradecimiento. Cuando la oración está llegando a su fin, viene el momento para los especiales (súplicas). Todos pueden adelantarse para cantar una canción, dar un testimonio de algo que le ha ocurrido a él o a ella durante la semana "por la mano de Dios", o hacer un pedido de intercesión especial a la congregación para problemas o proyectos personales. Si hay necesidad se canta nuevamente en conjunto un "coro" y se hace una colecta, combinada con la recaudación de los diezmos para la subsistencia del pastor. Este hace los anuncios, y toca entonces el turno de su contribución específica al servicio, con la cual, en general, se cierra el evento: la prédica.

4.2. La prédica: el "discipulado"

La función del pastor, y por lo tanto el derecho a prédica, están dentro de muchas iglesias pentecostales con frecuencia claramente reglamentados, pero en la práctica se pasan por alto estas reglas de manera flexible. Si consideramos qué ocurre al interior de estas iglesias, se reconoce que "los convertidos pueden ser utilizados por el Espíritu de Dios para la predicación de su Palabra", y no es la prédica, en absoluto, monopolio del pastor, por lo que puede también entonces ocuparse de ésta un miembro líder de la congregación.

La prédica tiene un objetivo movilizador: los creyentes son llevados a profundizar su vida espiritual a través de las abundantes oraciones y la lectura de la Biblia. Cuando menos, es tan importante que ellos salen a exponer su "testimonio" en público. Este testimonio puede tener lugar al aire libre (evangelización), por ejemplo, en una plaza, un parque, o en el mercado, o también dentro de la red personal de vecinos y familiares, tanto dentro como fuera del barrio. Casi siempre viene en la prédica este elemento de "reclutamiento", y es a mi juicio un factor crucial para entender desde adentro el crecimiento de las iglesias pentecostales.

Ocurre con regularidad que el pastor en su prédica dice que ha tenido una visión de Dios sobre la congregación de referencia. Lo que sigue más abajo es principalmente una paráfrasis de diferentes prédicas que yo he escuchado, al pastor Francisco y otros pastores visitantes, en la congregación de Cerro Negro. Con frecuencia aparece en las prédicas la imagen tomada de la Biblia, "ríos de agua viva" (de allí su referencia en diversos salmos), que "desde la iglesia fluyen hacia el mundo". Ya la hemos visto más arriba en una profecía. La línea de la prédica se desarrolla aproximadamente de la siguiente manera:

...los canales para que estos ríos de agua viva fluyan, deben ser abiertos por los seguidores de Cristo (los creyentes). Sólo así es que puede la Buena Nueva (el agua) alcanzar a los sedientes ignorantes del mundo. ¿Cómo adquieres siendo creyente el conocimiento para construir este canal correctamente, y que el agua fluya por él? Levantando tu casa sobre las rocas de la Palabra de Dios (la Biblia). Estos fundamentos (las rocas sólidas) nos resguardan de las duras pruebas de este mundo y nos hacen suficientemente fuertes como para levantar nuestra cabeza frente a este mundo desagradable, e incluso realizar su conversión. ¿Estamos preparados para confiar en El y cambiar el mundo? ¿Es esta iglesia una fuente del agua de la vida? ¿Son ustedes verdaderos discípulos?

Esas son, finalmente, las cuestiones de conciencia que plantea el pastor.

En su visión, el predicador ve al agua ya fluyendo, ve a "los trabajadores saliendo hacia la viña". Habla de "los campos blancos", los lugares del país que son de difícil acceso para la evangelización. El mismo siente la fuerza del mandato divino para "salir y predicar su Palabra". Sobre esto habla él a los miembros de la congregación, y principalmente a los jóvenes. "La gran comisión" (ver Mateo 28) cobra un carácter cada vez más compulsivo, especialmente cuando el predicador va a dar ejemplos de la práctica. Por ejemplo, de la mujer que llegando al cielo no puede decir cuántos ha logrado convertir, y por ello debe regresar a la tierra. Y sobre el anciano pastor que sufre del corazón y que debe continuar evangelizando, porque no asumen el cargo los jóvenes. El sabe que hay sucesores, pero no están siguiendo su discipulado. "Y tienen ustedes que hacerlo, porque el tiempo se acaba, el apocalipsis está cerca", de este modo el pastor increpa a su congregación. Enfatiza además que el Señor habla directamente a la congregación, y que él como predicador, sólo transmite la Palabra de Dios y este mandato de evangelización.

5. Especialistas religiosos y laicos: pastor y discípulo

Los ejemplos de más arriba constituyen el núcleo del discurso pentecostal. El pastor, que pretende poseer contacto directo con Dios, tiene un mandato para movilizar a los fieles, que significa que lleva el perentorio encargo de ser "discípulo del Señor". En esta cadena, Dios-pastor-discípulo, la relación de mayor importancia es, para nosotros, la última (pastor-discípulo). Voy a tratar de presentar que lo que se dice aquí contiene una paradójica relación de poder simbólico-religiosa, que puede ser fructífera para el crecimiento de la congregación local, y también para el movimiento pentecostal como totalidad. El concepto de poder que manejo aquí es, siguiendo a Max Weber, "la capacidad de limitar y controlar la conducta de otros". Pueden poseer este poder tanto grupos como individuos. En este artículo es de central importancia el poder individual. Las bases de este poder pueden diferir considerablemente, pero aquí yo hablo del poder que pertenece a cargos de carácter religioso, y que es justificado por una doctrina.

Siguiendo a Bourdieu, basado éste a su vez en Weber, voy a partir de ese capital religioso (símbolos, dogmas y rituales), que es con frecuencia reproducido y difundido por un cuerpo de especialistas religiosos (Bourdieu 1971:303). Este cuerpo puede ser, por ejemplo, el clero católico apostólico romano, pero también lo es la casta sacerdotal hinduista de los brahmanes. En cierto sentido, pueden ser también los líderes pentecostales considerados como tales (Rolim 1985:129 y sig.) El hecho de que a veces los especialistas religiosos posean conocimientos de carácter secreto y exclusivo, supone y crea para la religión una determinada proporción de autonomía en un "campo" propio, hasta cierto punto aparte de la economía, y basado en una fuerte diferenciación dentro de la sociedad. Esa es entonces, en realidad, la autonomía de los especialistas religiosos que gobiernan el capital religioso, e incluso lo monopolizan (lo que Bourdieu denomina "dominación erudita"). En tal situación, los laicos, es decir, los creyentes comunes, están fuera del gobierno que maneja el capital simbólico religioso.

En el polo opuesto de la religión dominada por especialistas religiosos, está la situación que Bourdieu denomina "autoconsumo religioso". Allí el aparato religioso está casi indiferenciado, y son los creyentes por sí mismos los que en gran medida reproducen, gobiernan y difunden los "bienes religiosos" ("dominación práctica", Bourdieu 1971:305). En el primer caso, los especialistas producen para los consumidores; en el segundo, son los mismos consumidores los productores. Estos polos pueden ser descritos también en términos de poder. ¿Está el poder simbólico (Bourdieu 1979:82-83) en manos de un pequeño grupo de especialistas, o el capital simbólico religioso, y por ende el poder religioso, son compartidos igualitariamente por los creyentes? La pregunta concreta en el marco de este artículo es: ¿cuál es el lugar que ocupan los pastores pentecostales y los creyentes en este *continuum* de poder?

Para contestar esta pregunta nos dirigimos nuevamente hacia el barrio de Cerro Negro, al pastor Francisco y a los miembros de su congregación. Si nos ceñimos a la terminología propuesta hace un momento, consideraremos al pastor Francisco como el especialista religioso en la congregación. A primera vista, él tiene sin duda las riendas del poder religioso en sus manos. La iglesia se sitúa en su terreno, él ha invertido en su interior y en los materiales de enseñanza, y él determina también, en líneas generales, lo que ocurre en los servicios religiosos y las actividades que se llevan a cabo dentro de su congregación (11).

Tal vez su poder simbólico es realmente aún mayor. El interpreta y mantiene la disciplina eclesiástica, y regula por medio de ella la conducta moral de la congregación. De modo que él puede, por ejemplo, imponer un castigo (disciplina) a miembros que se hayan desviado del camino correcto. Esto significa una serie de restricciones en relación a la participación en el ritual, e implica el precepto de orar con frecuencia. Asimismo, él determina el contenido de la enseñanza religiosa que él organiza, en los cultos de estudio y en la escuela dominical. El es al mismo tiempo la autoridad a quien se acude para la oración por los enfermos, la cual es un importante elemento de la fe en estas iglesias

---

11. Así está también escrito en el reglamento eclesiástico del Centro Evangelístico Pentecostal. El pastor es la autoridad más alta en la iglesia, y para cada actividad se necesita de su aprobación. El es asimismo el presidente del gobierno de la iglesia, y dirige toda otra comisión que se forme.

(12). El visita a los creyentes a domicilio, escucha sus problemas, ora con ellos y prescribe la forma de conducta conveniente, tanto dentro de la misma iglesia como fuera de ella. De este modo, él maneja perentorias normas bíblicas.

Por otro lado, el poder del pastor está también restringido. Dentro de la denominación a la cual Cerro Negro pertenece, tiene vigencia la regla por la cual los creyentes proporcionan los fondos que sostienen económicamente al pastor (por medio del diezmo). Eso les da la posibilidad de ejercer cierta presión económica. En el caso del pastor Francisco esto no es tan fuerte, pues él es menos vulnerable ya que tiene su pequeña empresa, aparte de su función de pastor. Se escuchan bastantes quejas de parte de los pastores respecto a que sus "ovejas pagan mal". Por el contrario, muchos creyentes señalan, aunque la mayoría no tan abiertamente, "que quieren recibir buenas mercancías por el precio que pagan". Además, ellos tienen siempre la posibilidad de marcharse a otra iglesia (por amenazas), lo cual ocurre regularmente. Por ello, el motivo más escuchado es que la gente no se siente cómoda con el pastor, los cual casi siempre significa que no puede desplegar de manera satisfactoria sus propias ideas y juicios.

De aquí, llegamos a un factor crucial: se hace referencia a una situación paradójica en relación con el liderazgo. Según los principios bíblicos, el pastor tiene derecho absoluto de disposición dentro de su congregación, mientras que, por el contrario, el creyente común obtiene en su discipulado los elementos para "rebelarse" en su contra. Un punto central en las ideas alrededor del liderazgo pentecostal, es el personaje del pastor como procurador personal de Cristo. Para Francisco, éste es un mandato que él ha recibido directamente de Dios. Su condición de pastor no está basada en años de estudio teológico en el Seminario de Lima, como es el caso de algunos otros. El ha cumplido el mandato que recibió personalmente "del Señor", de iniciar una congregación en Cerro Negro (como "obrero"). Después de bastante tiempo, obtuvo el poder estatutario que el Reglamento de la Misión le encomendó a él como pastor. Antes de eso, fue su mandato divino la única legitimación para su posición de poder, lo que él en todas partes siempre sostiene con textos bíblicos. Lo último, sigue ocurriendo todavía; en la prédica, es la obediencia, en primer lugar a Dios, pero también al pastor, un tema recurrente. De allí que con frecuencia se haga referencia al rol del sacerdote del Antiguo Testamento, y a los grandes líderes de pueblo de Israel, por ejemplo Abraham y Moisés. La historia de Moisés es en realidad también un motivo para una prédica sobre el rol del discípulo, siguiendo a Exodo 18:1-27. Allí se relata cómo su suegro Jetro dijo a Moisés que él debía nombrar líderes para gobernar el pueblo de Dios.

12. En otra parte he mostrado que el don de la "sanidad divina", y sobre todo el éxito en la práctica curativa, juegan un rol importante en la definición de la posición de poder del pastor y el laico (Kamsteeg 1988).

La analogía con la práctica peruana es explicada luego por Francisco detalladamente, por lo cual queda poco librado a la imaginación. También en su congregación tienen que surgir líderes para asistir al pastor en el gobierno (incluido el espiritual), y para colaborar en la extensión de la congregación mediante la incorporación de nuevos miembros y la fundación de iglesias y anexos. Ya anteriormente hemos visto cómo en las profecías se proclamaba el surgimiento de líderes, y la gente oraba por los nuevos. Se reducen de esta manera los obstáculos para presentarse como tales, y esto constituye un estímulo para la iniciativa religiosa, que por otra parte, siempre permanece sojuzgada ante la autoridad del pastor que mantiene una posición de infinito poder de decisión.

Por lo tanto, no debe sorprendernos que en la pequeña congregación de Francisco sean compartidas muchas tareas por los fieles. Hay ancianos, diáconos, una directiva de jóvenes, un grupo de música, un grupo de evangelización y un grupo de oración. No es exagerado plantear que la mayor parte de los creyentes ha conseguido un lugar en estos grupos. Dentro de ellos hay muchas mujeres, porque ellas no están excluidas de ninguna función dentro de la iglesia (salvo, a veces, de la condición de pastor).

Por un lado, las posibilidades de las mujeres son restringidas dentro del discurso pentecostal. Las prescripciones para la ropa y la conducta (tomadas mayormente en forma directa de la Biblia), son sumamente rigurosas para las pentecostales. La subordinación y obediencia al hombre, es decir al esposo, es también enfatizada. Paralelamente a esto, las mujeres son en realidad miembros plenos de la iglesia, con derecho al voto y con la obligación de exteriorizar sus creencias. También pueden acceder a la condición de discípulas. Las mujeres están, en su condición de laicas, al igual que los hombres, sometidas al pastor, pero además a sus esposos. Ellas pueden, del mismo modo que los hombres, evadirse del liderazgo del pastor a través del "discipulado", y con ello poner en cuestión una vez más el derecho de disposición sobre sus vidas por parte de sus esposos.

Entonces, lo que es válido para los laicos, en su relación con el pastor, puede a mi juicio aplicarse igualmente a las mujeres dentro de la iglesia pentecostal. También ellas maniobran entre los polos de la obediencia y la dependencia –con respecto al pastor y el esposo– y la iniciativa personal y el despliegue de poder. Para esto hay espacio también, hasta cierto punto, dadas las múltiples funciones dentro de una iglesia. Para un análisis más extenso del significado del pentecostalismo para la vida de las mujeres, remito a los textos de Hanneke Slootweg y Barbara Boudewijnse dentro de esta misma selección.

El núcleo de este asunto es que la especialización religiosa del pastor es accesible, en principio, a todos. Rolim nos aclara, usando un término tomado de Gramsci, "agentes intelectuales", que dentro de las iglesias pentecostales todos y cada uno son agentes intelectuales, y pueden intervenir activamente en las relaciones de poder (simbólico) dominantes. No todos lo hacen, pero la posibilidad está abierta a todos, y no está reservada a una "intelligentzia" específica. Los creyentes aspiran a las difententes categorías del poder, y por ello aparece nuevamente la oportunidad de que se forme una jerarquía dentro de la iglesia (Lalive d'Epinay 1969:48). Vemos entonces que el grupo de especialistas en el movimiento pentecostal, está constituido potencialmente por todos los creyentes (Rolim 1985:140-141).

Esta especialización no está basada, en primera instancia, en el conocimiento o estudio de carácter teológico, sino en la aceptación del mandamiento bíblico de convertirse en "discípulo", que en la mayoría de los casos es sostenido por un mandato directamente recibido del Señor. Hay institutos de enseñanza dentro de las diferentes denominaciones pentecostales, y también dentro del Centro Evangelístico Pentecostal. Este se encuentra en Lima y es, en principio –nuevamente–, accesible a todos. Pero no es realmente necesario seguir estos estudios para llegar a ser pastor. El pastor Francisco, de Cerro Negro, no lo ha hecho, y algunos de los miembros jóvenes de su congregación tampoco lo harán, pese a que ellos desean ser pastores en el futuro. Remitámonos ahora brevemente a sus palabras:

> Quizás el Señor me llama para ese lugar (San Bartolomé, FK). Nosotros los jóvenes queremos desde aquí (la congregación de Cerro Negro, FK) salir de una vez a la obra. En el seminario en Lima estudian bastante, sin embargo yo creo que el pastor Francisco no ha ido al estudio. De frente ha ido a la obra. Lo importante es lanzarse por fe. En la oración, en la Biblia, allí está todo lo que estudian en Lima también.
> Bueno, yo no sé como ha sido su nombramiento de pastor, no obstante parece que está bien firme. Por ejemplo, yo tampoco tengo estudios de seminario, nada, pero gracias a Dios, pienso que he aprendido más en la práctica, con las experiencias que he tenido. De repente tiene que ser así (empezar una obra, FK). Cuando uno sirve así de corazón, no hay nada imposible, todo lo hace el Señor.

Es claro que Juan y Valentín, que tienen aquí la palabra, quieren seguir los pasos del pastor Francisco (esto también vale, aunque en menor grado, para otros miembros de la congregación). Ambos están desde hace ya años relacionados plenamente con la congregación de Cerro Negro, y allí han logrado las posiciones más destacadas dentro de ésta. Valentín es el líder del grupo musical y el reemplazante del pastor en el anexo La Blanca. Para todas las decisiones del pastor y el gobierno de la iglesia, se los consulta. Juan es el líder del grupo de evangelización (sumamente importante), y tiene el puesto segundo en el grupo de música. Es asimismo uno de los cinco jóvenes responsables del anexo de San Bartolomé, recientemente fundado. Esta es un área de irrigación, fuera de la ciudad, en medio del desierto, donde después de una campaña de evangelización se ha abierto una pequeña iglesia al aire libre, en la que ya se están congregando unos treinta peones rurales. Esta es lo que se dice una "congregación naciente". Así es que para Juan, tanto como para Valentín, el próximo paso en su "carrera espiritual" es ser pastores independientes: Valentín en La Blanca, y Juan en San Bartolomé.

Ambas "congregaciones nacientes" están bajo la supervisión de Francisco, y ésta es respetada. El pastor es siempre, tal como ya hemos visto, la autoridad local directamente enviada por Dios. Y él ha fundado también estos dos anexos. Pero ahora Valentín y Juan intentan hacerse cargo de la herencia y ampliarla, para de ese modo crear una congregación propia y reconocida, donde ellos puedan ser pastores independientes. Francisco no va en realidad a ceder todavía estos anexos. El los guarda porque considera que la tarea del pastor es pesada, y se necesita para encararla amplia experiencia y conocimientos. El continúa actualmente visitando y gobernando "sus" anexos. Al mismo tiempo, él comprende –según los jóvenes– que ellos quieren hacer tal como él, ir a trabajar, y eso él lo enseña sobre bases bíblicas, del modo en que ya hemos visto.

Esta tensión entre el pastor y algunos de los miembros de su congregación, es la misma que existe entre el especialista religioso y los laicos. En este caso, se trata realmente de un tipo especial de laicos. Estos son formados por el especialista religioso, el mismo pastor Francisco, para aspirar a ser especialistas. Entre los laicos, los creyentes comunes, es que surge la ambición de ser discípulos y de prestar oídos a las "inspiraciones del Espíritu Santo", en cuanto ellas se presenten. Bourdieu habla de tensiones posibles entre especialistas religiosos dominantes y dominados, y junto a éstas, de aquellas entre el clero y los laicos (Bourdieu 1971:324). En las iglesias pentecostales arequipeñas encontramos esta misma tensión en la relación entre pastor y laicos creyentes. El nombrado en primer término puede ser señalado como el especialista dominante; los últimos tal vez como futuros especialistas, aún dominados.

Podemos aquí, poniéndolo de otro modo, hablar de un juego de poder que tiene vigencia en esta congregación, o incluso de un conflicto de poder, aunque probablemente en estas iglesias la gente preferiría evitar un término semejante, volviendo nuevamente a las bases bíblicas. Este conflicto es, en realidad, consecuencia de la accesibilidad para todos de la función de pastor (líder religioso) (13). El discurso pentecostal hace posible entonces que todos los creyentes, especialistas y laicos, obtengan el poder simbólico, y lleva en sí el germen del conflicto.

Es claro que este conflicto de poder no puede resolverse dentro de la congregación. Se sobreentiende que también algunas partes dentro

13. En Perú, así como en todos los países latinoamericanos, la figura del líder cobra con frecuencia una dimensión exagerada que raya en la exaltación personal. Tal personalismo no es raro tampoco para el movimiento pentecostal. Lalive d'Epinay (1969) nos refiere a la analogía entre la posición del patrón/terrateniente y la del pastor pentecostal.

del conflicto buscan esta solución fuera de la propia congregación. En la situación ya descrita de Francisco, Juan y Valentín, esto podría evolucionar de la siguiente manera. Valentín ya es, de hecho, pastor en La Blanca. En tanto su "futura" congregación siga creciendo (y él pone lo mejor de sí para que esto ocurra), él podrá muy pronto separarse de la congregación de Francisco y seguir adelante independiente y siendo reconocido (primero, por los miembros de su congregación, y luego, posiblemente también por el gobierno local y nacional del Centro Evangelístico Pentecostal). Para Juan ésta es igualmente la perspectiva, aunque a un plazo un poco más largo. De este modo veríamos funcionar en pequeña escala el "proceso de diferenciación celular". La victoria sobre el campo de tensión creado puede evaluarse así como un saldo positivo, dado que éste se revierte en más creyentes y más congregaciones. Y éste es además un proceso repetitivo, cuyo resultado es un crecimiento del movimiento pentecostal en su totalidad.

6. Resumen y conclusión

Mediante la introducción de las ideas de Bourdieu acerca del rol de los laicos y los especialistas religiosos, he planteado la pregunta de si dentro de las iglesias pentecostales de Arequipa son los laicos o los especialistas religiosos (pastores o creyentes "comunes") quienes tienen el papel más relevante. Con la ayuda de los datos concretos de la práctica pentecostal del barrio Cerro Negro, llego a la paradójica conclusión de que ambos lo hacen (14). Es cierto que el pastor es una autoridad reconocida que logra un gran poder en el discurso pentecostal (que él ejercita efectivamente), pero, al mismo tiempo, la posición de poder está abierta para cualquier creyente "común". La base para esto es la vocación divina que puede recaer sobre los creyentes individuales. Es significativo para el pentecostalismo que los laicos apelen a esta vocación para asumir funciones dentro de la congregación y/o emprender actividades. El objetivo es transformarse en "discípulo del Señor", y la realización ideal de éste es, definitivamente, convertirse en pastor y conducir una congregación.

Ahora bien, hemos visto que esta ambición es apenas posible de realizar dentro de la propia congregación, debido a la posición dominante que ocupa el pastor. Esto constituye un poderoso estímulo para buscar dicha posición fuera de la propia congregación. El pastor, soberano de su iglesia, tiene que tratar con creyentes que realizan acciones "inspirados en el Espíritu Santo". El mismo alimenta esas ambiciones predicando

14. En su artículo incluido en este libro, Willemier Westra nos ilumina acerca de la fuerza de la religión candomblé, también a partir de una paradoja interna. Igualmente, la introducción de Droogers pone fuerte énfasis en el carácter paradójico del pentecostalismo. El modo paradójico de crecimiento de una iglesia pentecostal local que aquí he descrito, constituye una buena ilustración de esto.

las enseñanzas del discipulado, pero por su propia posición de poder, que se fundamenta en la Biblia, continúa siendo un obstáculo en el camino para los ambiciosos "discípulos". Este "impasse" únicamente puede resolverse fundando una congregación propia, o por el traspaso del cargo.

Para terminar, quiero arribar a la conclusión de que se puede aclarar parcialmente el crecimiento, con frecuencia espectacular, de las iglesias pentecostales, a partir del hecho de que hay siempre creyentes que quieren concretar su vocación, pero que no pueden alcanzar el cargo más alto dentro de la congregación a la que pertenecen. Esto sí es posible dentro de una congregación propia, en la cual puedan echar a andar nuevamente el proceso de formación de discípulos. Dicho de otro modo: la tensión (ver la introducción de Droogers) entre las tendencias jerárquicas y las más igualitarias y democráticas, respetuosas de la voluntad de la gente, tanto en el sistema simbólico como en la práctica, puede ser fructífera, e inclusive contribuir a la expansión del movimiento. Ante esta constatación, me parece que por lo menos he contribuido a aclarar parcialmente el enigma del paradójico pentecostalismo.

Bibliografía

Bamat, Tomás 1986, ¿Salvación o dominación? Las sectas religiosas en el Ecuador. Quito: Ed. El Conejo.

Barrett, David B. (ed.) 1982, World Christian Encyclopedia. Nairobi: Oxford University Press.

Bourdieu, Pierre 1971, "Genèse et structure du champ religieux". En: Revue Française de Sociologie, XII, págs. 295-334.

Bourdieu, Pierre 1977, Outline of a Theory of Practice. Londen: Cambridge University Press.

Bourdieu, Pierre 1979, "Symbolic Power". Critique of Anthropology, 13/14, vol. 4.

Concilio Nacional Evangélico del Perú 1986, Directorio evangélico 1986, Lima, Callao y Balnearios. Lima: PROMIES.

Droogers, André F. 1985, "From Waste-Making to Recycling: a Plea for an Eclectic Use of Models in the Study of Religious Change". En: van Binsbergen, W. en Schoffeleers, M. (eds.), Theoretical Explorations in African Religion. Londen: KPI.

Eliécer Sálesman, P. n.n. 50 respuestas a los protestantes y comunistas, supersticiones, masones y espiritistas. Bogotá.

Escobar, Samuel 1981, Las etapas del avance evangélico en el Perú. Lima: Seminario Evangélico.

Flora, Cornelia Butler 1980, "Pentecostalism and Development: the Colombian Case". En: Glazier, Stephen D. (ed.), Perspectives on Pentecostalism. Case Studies from the Caribbean and Latin America. Washington D.C.: University Press of America.

Flores-Galindo, Alberto 1977, Arequipa y el sur andino, siglos XVIII-XX. Lima: Editorial Horizonte.

Guerra García, Róger (ed.) 1986, Problemas poblacionales peruanos II. Lima: AMIDEP.

Huamán, Santiago A. n.n. La primera historia del movimiento pentecostal en el Perú. Lima, Instituto Nacional de Estadística.

Huamán, Santiago A. 1984, Censos Nacionales VIII de Población II de Vivienda, 12 de julio de 1981, Departamento de Arequipa, vol. A, tomo I. Lima: INE.

Irarrázaval, Diego. 1980, "Fiesta de la Cruz –del campesino o del misti." En: *Pastoral Andina* 3. Cuzco: IPA.

Kamsteeg, Frans H. 1988, *Pentecostal Healing and Power, a Peruvian Case*. Artículo para el Congreso Internacional de Americanistas, 4-8 de Julio 1988; Amsterdam: Universidad Libre.

Kessler, J.B.A. 1967, *A Study of the Older Protestant Missions and Churches in Peru and Chili*. Goes: Oosterbaan & Le Cointre.

Kessler, J.B.A. 1981, *La historia de la Iglesia en América Latina*. Lima: Seminario Evangélico.

Marzal, Manuel M. 1988, *Los caminos religiosos de los migrantes en la Gran Lima*. Lima: Fondo Editorial de la Pontificia Universidad Católica del Perú.

Muratorio, Blanca 1980, "Protestantism and Capitalism Revisited". En: *Journal of Peasant Studies* 8 (1).

Rolim, Francisco C. 1985, *Pentecostais no Brasil, uma interpretação sócio-religiosa*. Petrópolis: Vozes.

Tennekes, Hans 1985, *El movimiento pentecostal en la sociedad chilena*. Amsterdam: VU/Iquique: CIREN.

Wagner, C.P. 1973, *Look Out! The Pentecostals Are Coming*. Illinois: Creation House Carol Stream.

Willemier Westra, Allard 1987, *Axe, kracht om te leven. Het gebruik van symbolen bij de hulpverlening in de Candomble-religie in Alagoinhas (Bahia, Brazilië)*. Amsterdam: CEDLA.

Willems, Emilio 1967, *Followers of the New Faith. Culture Change and the Rise of Protestantism in Brazil and Chile*. Nashville: Vanderbilt University Press.

Zarauz, Luis 1984, *Parque industrial de Arequipa y crisis del sector empresarial*. Lima: CIED.

LA CONDUCTA DEL CONSUMIDOR EN EL MERCADO BRASILEÑO DE SALVACION.
La opinión pública relativa al pentecostalismo y las religiones afro-americanas en la ciudad provincial de Alagoinhas (Bahía)

Allard Willemier Westra

1. La religión como mercado

Nos encontramos en una calle sin pavimentar en la ciudad provincial de Alagoinhas. Está desierta. Esto no es de extrañar, porque el calor es agobiante, y el viento deja una capa de polvo gris sobre las casitas abigarradas. Dos mujeres negras están sentadas en la sombreada escalera de una de estas casas, hablando sobre la gente del barrio. De este modo, ellas se adentran en detalle en las últimas noticias y los chismes locales. Estos son, evidentemente, tan interesantes, que las dos mujeres no parecen notar las nubes de polvo que cada tanto se levantan.

Su conversación no trata sólo de las virtudes y debilidades humanas, sino principalmente sobre las preocupaciones de la vida cotidiana. De su charla se evidencia que ellas ven en la religión un importante medio para aliviar estas últimas. Una de ellas dice:

> ¡Ay!, tú sabes bien que yo soy muy creyente, pero ahora ya no sé más que hacer. Prendo cada día una vela para Cosme y Damián (dos santos cuyas imágenes están colocadas en su altar doméstico), pero esto no ayuda. He estado ya en lo de doña Matamba (una sacerdotisa del candomblé: un culto africano basado en la posesión de los espíritus). He hecho un voto en la iglesia católica de Nosso Senhor do Bonfim (en la capital provincial, Salvador, que está situada a aproximadamente 110 km. de Alagoinhas). Ahora ya no sé más que hacer. Chico (su hijito), sin embargo, no se mejora. Esa tendencia a los ataques de cólera (después de los cuales sigue a veces uno de epilepsia), es horrible.

Su amiga permanece largo rato callada y suspira. Finalmente dice:

¿Por qué no pruebas con los *crentes* (creyentes pentecostales), que tienen dones *(dons)* que otorgan salvación?, según dicen ellos. Mi vecina tenía también un niño tan difícil como el suyo. Todos pensaban que esto ocurría porque lo había poseído un espíritu maligno *(exu)*. Ella va ahora un par de veces por semana a la *Assembléia de Deus* (una iglesia pentecostal), y ahora está mucho mejor.

Este tipo de conversaciones son corrientes en Brasil. En especial para los brasileños de los sectores sociales pobres es muy común no ligarse exclusivamente a una religión, sino mantener una actitud flexible, orientada a incrementar las posibilidades de supervivencia. La pregunta que se hace la gente al respecto es: "¿Qué religión, o mejor dicho, qué autoridad religiosa me ayuda mejor, y en qué problemas materiales o espirituales?" Respecto a esto, debe señalarse que escasean otras instancias de apoyo aparte de las religiosas. No es difícil relacionar la comodidad con que la gente pasa de una religión a otra con el oportunismo barato, pero en realidad se trata sólo de una estrategia nacida de la necesidad.

Además, Brasil conoce una larga historia de mezcla de creencias (Warren 1970). A lo largo de ésta, desde tiempos antiguos, la población se ha acostumbrado a una delimitación poco definida entre las distintas corrientes religiosas. Esto es reforzado considerablemente por las condiciones de vida sumamente precarias en las cuales vive una gran parte de la gente. En el Brasil, como totalidad, aproximadamente dos tercios de los habitantes no ganan ni siquiera el salario mínimo (NRC Handelsblad, 29 julio 1987). Sin duda, en Alagoinhas la situación no es mejor. Se estima que sólo de un 15% al 25% de la población puede obtener alimentos, vestido, vivienda y medicinas suficientes (Willemier Westra 1987:29). Esto significa que un sector muy grande de la población está preocupado en la lucha por la pura supervivencia.

A partir del ejemplo tan adecuado de las dos mujeres conversando, se evidencia ya una característica fundamental de esta lucha por la supervivencia. Esta se convierte, a los ojos de la gente, en un problema espiritual. Lo cual no es tan sorprendente, en tanto se comprenda que casi toda la población está profundamente compenetrada con la idea de que la vida terrena posee un fundamento religioso.

Este último es desarrollado de manera diferente por medio de cada una de las distintas tendencias religiosas. En el candomblé se cree que esta base existe a partir de una "fuerza" (mágica), que, pasando por una extensa serie de seres espirituales ordenados jerárquicamente, tiene su origen último en Dios (en la religión umbanda, emparentada con el candomblé, también es visto de este modo). La mayoría de los católicos cree que los santos tienen muchísima influencia sobre sus vidas. Dios es también la fuente de su "fuerza". Los pentecostales se distinguen por poseer una imagen mucho más clara del fundamento de su existencia terrena. Para ellos, éste es el Espíritu Santo-Dios, y ninguna otra cosa.

La distinción hecha más arriba, en tres tendencias religiosas, es por diversas razones demasiado simple. En primer lugar, hay en Alagoinhas más denominaciones religiosas, tales como los Adventistas del Séptimo Día, y los bautistas, que juntos constituyen un cierto porcentaje de la población. En segundo término, a la mayoría de quienes se autodenominan católicos rara vez, o nunca, se los encuentra en la iglesia. Por el contrario, esta gente participa en el candomblé, que está presente en casi todas partes. Posiblemente tres cuartos de la población participan, regularmente o no, en los rituales del candomblé. Sin embargo, más importante que esto es el punto mencionado anteriormente de que la población –al menos desde un punto de vista europeo– poco piensa o se maneja en términos principistas, si de religión se trata. El caso sólo es reforzar el fundamento espiritual de la existencia, donde esto sea en alguna medida posible. Se busca la salvación religiosa donde ésta sea factible, con la esperanza de mejorar las oportunidades de supervivencia.

Aunque los creyentes pentecostales (que constituyen de un 5 al 10% de la población) tengan formalmente la reputación de otorgar dedicación exclusiva a su religión, una cantidad considerable de ellos constituye una excepción para esta regla general. En Alagoinhas, al menos, he oído sobre muchos hechos de los cuales se evidencia que incluso se busca salvación en el candomblé, aunque esta religión sea rotulada como diabólica en los círculos pentecostales. Se trata eso sí, principalmente, de casos de necesidad, la mayoría de los cuales son cuestión de vida o muerte. Un médium experimentado del candomblé, dice:

La gente de la iglesia pentecostal siempre viene cuando está oscuro. Ellos entran por detrás, de modo que nadie pueda verlos. Se sienten culpables de acudir aquí. Yo digo entonces: "escucha de una vez, aquí trabajamos también con Dios, justamente como entre ustedes. Todos los *orixás* (fuertes seres espirituales africanos), deben obedecer a Dios. Sin Dios ellos no pueden hacer nada por ustedes". Pero yo pienso que ellos no creen esto. Sin embargo, si están suficientemente desesperados, vienen de todos modos.

El efecto de esta apertura religiosa es que una gran parte de la población se acomoda a la oferta de ayuda (espiritual o material), de modo tal que ésta se concrete por medio de las diferentes religiones. El producto, calificado como religioso por la gente, no es, tal como ya hemos visto, adquirido exclusivamente de una sola religión. Uno se proyecta, por decirlo así, como un consumidor de un "bien" que sirve para resolver problemas, y que circule activamente dentro de un mercado religioso servido por medio de distintas instancias.

En este artículo trataré de describir este mercado, y además, volcar una serie de consideraciones que juegan un rol en la "conducta de consumo". Asimismo, me concentraré en los dos competidores más importantes que operan en este mercado: el candomblé, religión de la posesión, y el pentecostalismo, cada vez más floreciente en Alagoinhas. Primero, de manera sintética, pondré mucha atención en la iglesia católica local, vista ésta actuando en el mismo mercado religioso. Se cae por su propio peso que en este artículo parto no sólo de la idea de que hay consumidores activos en este mercado, sino de que hay también "productores".

Por medio de este abordaje, posiblemente un tanto extraño, espero hacer salir a la luz una propiedad específica de la religiosidad brasileña. Sin embargo, tal presentación proporciona, aparte de claridad, también imágenes confusas. La compra de un pollo es, indiscutiblemente, algo muy diferente que la búsqueda de acercamiento a una iglesia o templo. Esto último se hace comúnmente no sólo evaluando costos y beneficios; tampoco en Alagoinhas.

Las experiencias con creencias de toda naturaleza son parte de la vida cotidiana de una gran parte de los habitantes de la ciudad. Su vivencia religiosa se convierte para ellos en la pauta considerada más importante para valorar a una instancia religiosa. Aún este dato básico no reductible, está sujeto al mecanismo de mercado. En la religión en que se viva la experiencia religiosa más profunda, o solamente se sospeche tal cosa, se da por supuesta también la presencia de un "bien" más eficaz para resolver problemas. Muchos habitantes de Alagoinhas tienen la sensación de que sus condiciones de vida son a tal punto precarias, que no pueden dejar de volcarse activamente en la búsqueda de esta salvación.

Este comportamiento del consumidor está influido por una gran cantidad de consideraciones. Aunque éstas sean tratadas en parte en este artículo, he pensado resumirlas en un anexo esquemático. La intención de hacerlo así es que el lector o lectora puedan relacionar más fácilmente los casos analizados, y las consideraciones sobre el mercado correspondientes a estos, con el mercado religioso en su totalidad.

2. Un panorama global del mercado católico

El catolicismo oficial, con sus iglesias y capillas, domina en Alagoinhas no sólo el paisaje callejero, sino que también es experimentado por los líderes de las iglesias pentecostales y del candomblé como un rival poderoso. No considerando a los creyentes pentecostales, ni a otros protestantes, toda la población restante en la ciudad se autodenomina católica; también los muchos seguidores del candomblé. Dado que en este artículo deseo concentrarme en el candomblé, y en los creyentes pentecostales, me remitiré en lo que respecta a la iglesia católica a la reproducción de algunas características que son relevantes para su papel como competidora de los dos primeros.

Tal como veremos más tarde, tanto el candomblé como el pentecostalismo se caracterizan por una elevada proporción de emotividad en los cultos. En ambos casos no es exagerado referirse a éxtasis religioso. Dejadas de lado algunas excepciones, llama la atención que la iglesia católica oficial, y también las comunidades de base ligadas a ella, ofrezcan poco espacio para este tipo de experiencia religiosa. Ellas apelan más al sentido común, y a la honorabilidad burguesa, que a la necesidad de una descarga de sentimientos religiosos. Igualmente, como consecuencia, los creyentes de las capas pobres de la población experimentan una gran distancia entre ellos y esta iglesia. Piensan que, desde tiempos muy antiguos, no puede separarse el éxtasis de la religiosidad.

Aparte de este punto, difícilmente mensurable, de la necesidad de un tipo especial de inspiración religiosa, juegan también en Alagoinhas otra serie de factores más terrenos, que determinan la conducta de los creyentes (potenciales). En primer lugar, sorprende que se le atribuya poca utilidad práctica sobre este aspecto a la iglesia católica oficial. Esta iglesia es vista generalmente como una "iglesia de ricos", que está poco imbricada en la vida del pueblo, y por esto, sus "cuerdas" religiosas no están afinadas según el gusto popular. Uno no se siente especialmente cómodo en una iglesia vivenciada como distinguida, donde todo parece estar muy lejos de la vida cotidiana.

De este modo, por ejemplo, es sentido como una carencia el hecho de que la iglesia católica sea la única que niegue la existencia de la magia negra (o bien hechicería), y esto sin considerar que esta iglesia defiende los intereses de sus creyentes, que se sienten amenazados por la mencionada magia negra. Este inconveniente es experimentado como aún más opresivo, porque toda la ciudad está apresada dentro de una atmósfera paranoica relacionada con esta magia antisocial (comparando con Fry 1976). Una mujer joven, que está desilusionada por los contactos que mantuvo con la iglesia a través de un grupo de base, dice:

> Cuando pregunté una vez sobre magia negra, ni siquiera conseguí respuesta, y debe usted saber que mi tía en ese tiempo estuvo muy enferma. Esto ocurrió porque alguien la había hechizado. Me sentí entonces muy abandonada. No he regresado nunca más; tampoco a la iglesia.

Un punto sumamente perjudicial en relación con el candomblé y las iglesias pentecostales, es sin duda el hecho de que cada uno, a su propio modo, tomen en serio la creencia en la hechicería. Frente a esto, está la atribución de una serie de otras atractivas propiedades a la iglesia oficial, aunque la mayoría de los servidores de esta iglesia no sean conscientes de ello. Por ejemplo, hay curas que tienen fama de ser los hechiceros más poderosos del mundo. Una hostia consagrada por ellos puede prestar muy buenos servicios al ejercer la magia blanca (curativa). Lamentablemente, se estima que también sea muy posible usarla para la práctica de la magia negra. Asimismo, se cree que los curas católicos pueden volver "potente" al agua bendita, de modo que ésta pueda ser usada para "cargar" las imágenes en el altar doméstico o del candomblé. Además, la presencia física en una celebración eucarística es vista también como una buena posibilidad de adquirir "poder" protector y curativo que sirva para la lucha por la existencia. Para esto no es necesario entender nada de la misa, ni siquiera estar presente en la iglesia. Merodear cerca de la entrada de ésta, es considerado plenamente suficiente.

Uno de los más importantes puntos de contacto de la iglesia católica con la vida cotidiana, es el bautismo. Salvo la segunda generación de los pentecostales y otros protestantes, casi todos han recibido el bautismo católico (inclusive los adherentes al candomblé). También el bautismo está relacionado con la atracción de la salvación y el rechazo a las catástrofes. Un cura relata:

Me despertó a las once y treinta de la noche una llamada a mi puerta. Había un gran hombre negro frente a mí, de unos veinticinco años. Debía ser bautizado, dijo él, porque había conseguido trabajo lejos, en el interior del país, y tenía que viajar. No podía recordar si había sido bautizado porque sus padres habían muerto. Sus amigos y compañeros de viaje le exigieron que se hiciera bautizar. De otro modo, a la mañana siguiente no lo llevarían por miedo a un accidente con el auto (que en efecto era muy viejo).

Las actividades de la iglesia católica, indudablemente, no se restringen a la oferta involuntaria de ayuda mágica. Tanto en Alagoinhas como en otras partes del país, resulta esto, por ejemplo, del significado social de las *comunidades eclesiales de base*. Estas son la consecuencia de la solidaridad que la iglesia quiere practicar con aquellos carentes de oportunidades. Esta política no se limita al planteo de nuevas estructuras eclesiales a partir de las bases, sino que se extiende también, además, a la emancipación de los creyentes (ver, por ejemplo, Krischke 1986: 188s).

En Alagoinhas esto se tradujo (en 1979 y algunos años después), en un gran programa de desarrollo *(promoção humana)*. Este comprendía una serie de actividades muy divergentes, tales como alfabetización, mejoramiento del agua potable, organización de clubes de madres y servicios de asistencia jurídica. Existían incluso en el seno de la iglesia, diferencias de opiniones en cuanto a la pregunta sobre cuál era la esencia real de las comunidades eclesiales de base. En el sentido más amplio de la palabra, caían bajo este rubro igualmente, por ejemplo, treinta y cinco grupos barriales de catequesis (Brasilien Team 1976). En un sentido más restringido, se hablaba de las comunidades de base como de aquellas claramente ocupadas en actividades sociales o políticas. Ejemplos de esto son una cooperativa de vivienda y agricultura, un grupo que combatía el robo de tierras por parte de la élite local, y otro que luchaba contra la sociedad petrolera que había contaminado sus fuentes de aprovisionamiento de agua. En este sentido más restringido, había sólo, según el obispo dom José Cornelis, siete comunidades de base, en las cuales participaban algunos cientos de personas (de una población de algo más de 100.000).

Tanto en un sentido más restringido, como en uno más amplio, las comunidades de base en Alagoinhas se caracterizaban por una actitud contraria a la religiosidad popular. No solamente uno se movilizaba contra el omnipresente candomblé, sino también contra las directivas eclesiásticas, aunque quizás algo de esto haya cambiado en los últimos años. La brecha que los creyentes experimentan entre su vida cotidiana, y la que llevan a cabo dentro de las comunidades de base, sin duda se reduciría a causa de esto último (ver Azevedo 1986:135,144s). El anexo de este artículo se basa, sin embargo, en la situación tal como la encontré a fines de los años setenta.

No quiero extenderme aquí demasiado sobre el catolicismo popular. Esta otrora tan importante corriente religiosa, ha perdido fuerza considerablemente, en gran medida a consecuencia de la actitud negativa de la iglesia oficial hacia ella. Además, el candomblé pudo atraer hacia sí una parte importante de la veneración de los santos. Un sacerdote de candomblé, expresa:

> La iglesia católica somos nosotros. Si usted no me cree, debe usted por una vez mirar mi altar. Allí están las imágenes que ellos han echado fuera de la iglesia (católica). ¡Esto es una vergüenza!

Sea como sea, está claro de todos modos que el candomblé ha podido beneficiarse de la actitud contraria al catolicismo popular de muchos eclesiásticos. Unicamente en la esfera privada puede mantenerse esta corriente religiosa. Sólo raras veces se duda, por ejemplo, de los poderes especiales de los "especialistas de la oración" (*rezadores* o *rezadoras*), que son llamados a domicilio en circunstancias extraordinarias. Asimismo, se estima que las peregrinaciones, en algunos casos, son tan útiles como antes para resolver problemas personales.

3. El pentecostalismo

En Alagoinhas, los creyentes pentecostales son vistos por mucha gente con sentimientos ambiguos. Por un lado, se los respeta, pero por el otro se los considera gente muy rara. Una mujer que se dice católica, aunque ella no ha puesto nunca todavía un pie en la iglesia, hizo el comentario siguiente:

> Los pentecostales no beben alcohol, tampoco los hombres. No puedo entenderlo, aunque siento por esto admiración. También ahorran dinero. Yo quisiera que mi esposo también pensara un poco en éste. A veces

él se toma todo lo que gana, y entonces mis hijos no tienen nada que comer. Pero, bueno, son así, necesitan de "algunas cosas": amigas o prostitutas. Esto tampoco ocurre si eres pentecostal. Eso dicen ellos, no obstante yo conozco una prostituta que es visitada regularmente por hombres de esta iglesia. Yo no tengo confianza total en ellos. Lo que dicen es muy hermoso para que sea verdad.

En una localidad rural como Alagoinhas, el chisme es el equivalente a lo que para nosotros es una revista vulgar. Rondan por ahí muchas historias sobre los creyentes pentecostales *(crentes)*. En éstas, muchas veces se percibe un cierto escepticismo. Aparentemente, no se cree que la "bestia que anida en el hombre", pueda realmente domesticarse. Un punto importante relacionado con esto es el *machismo*. Esta es una imagen ideal del hombre como macho, en la cual se trata de que éste haga alarde de fuerza bruta y de virilidad desenfrenada. Si bien por estos motivos se tiene más dificultad con los curas que con los *crentes* masculinos, estos últimos son también, a los ojos de muchos, seres casi suprahumanos. Un hombre de edad mediana expresa:

¡Ay!, usted es un hombre, señor. Usted sabe cómo somos nosotros. Haces el ridículo si no sales con tus amigos. Toma por ejemplo a Alonso, que vive en esta calle. Antes podías reír con él, pero ahora sólo pasa el tiempo en casa con su mujer e hijos. ¿Es esa vida para un hombre? Ya no tiene amigos, sólo esa iglesia de él. A mí no me gusta nada de esto.

Los hombres tienen menos dificultades con las mujeres que se han convertido en pentecostales. Ellos piensan comúnmente que las mujeres son, por naturaleza, sumisas amas de casa, condición que aseguran con su conversión. También el recogimiento sexual *(marianismo),* concuerda con esta imagen estereotipada. Las mujeres ven además otros puntos. Ellas plantean con frecuencia que los creyentes pentecostales tienen una estabilidad conyugal notablemente mayor. Esta también la relacionan, la mayoría de las veces, con un ingreso familiar más regular, y mejores oportunidades de educación para los hijos. Una mujer joven, que conoce algunas familias pentecostales en la calle donde vive, señala:

Los *crentes* son ahorrativos. Los hombres llevan su dinero a casa. Esto debe ser así según su creencia. Ellos entregan mucho a su iglesia. Es una lástima, sin embargo, bueno, ellos deben decidirlo por sí mismos. Deben también trabajar duro y estudiar. Aprenden a leer y a comprender la Sagrada Biblia. Todos saben que los *crentes* trabajan mucho. También la iglesia les obliga a hacerlo. Cada patrón quisiera tenerlos como empleados. Yo creo que son locos por trabajar tanto para un patrón, pero si tú eres la esposa de un creyente pentecostal, esto es conveniente.

Tales ideas positivas sobre los pentecostales, aunque atravesadas por un ligero tinte de envidia, son bastante comunes. Se ponen la sorpresa y la admiración en un lado de la balanza, pero, generalmente, también una gran cantidad de desventajas –verdaderas o falsas– en el otro. Pienso que esto no sólo tiene que ver con la conversión y la abrupta reorientación conductual que es su consecuencia, sino también con el ideal pentecostal de mostrar el evangelio en la práctica de su vida cotidiana a cada no iniciado. El sociólogo residente en Alagoinhas (y padre de Taizé), Michel Bergmann, manifestó en una conversación grabada lo siguiente:

Para el creyente pentecostal uno de los puntos más atractivos es la liberación del miedo. Si se quiere que esta liberación tenga éxito, entonces la iglesia pentecostal debe demostrar credibilidad. Esta condición puede aparecer en señales visibles, tales como el poner freno al alcoholismo, llevar una vida monógama y cosas por el estilo. Sólo entonces actúa de manera convincente. Esta convicción es necesaria para librarse del miedo (a la magia negra). La nueva vida debe ser visible en lo cotidiano

Bergmann dice aquí que es necesario para la liberación del miedo que el mismo creyente pentecostal se convenza a sí mismo, y a otros, de su conversión. Mediante lo uno es estimulado lo otro (y viceversa). Con ayuda de medios externos e internos se muestra una convicción irrebatible, también en aquellos casos en que no está totalmente presente. Podría decirse que el deseo de librarse del miedo, es aquí el "padre" de la liberación en la práctica. Esta liberación no es únicamente sicológica, no importa cuán importante sea este aspecto. Estar librado significa igualmente deshacerse de la necesidad de comprar por mucho dinero, rituales curadores y protectores donde alguno de los muchos tipos de curadores populares que abundan en la ciudad. En cambio, muchos no pentecostales encuentran esto actualmente una inversión más lucrativa que, por ejemplo, gastar en una mejor educación.

Aparte de la prevención contra este continuo "pellizco" financiero para solventar las curaciones, la creencia pentecostal ofrece asimismo la oportunidad de desprenderse de la red social de la cual se forma parte. En tanto se necesite del apoyo de los miembros de la familia, esto último no es en sí mismo muy atractivo. Sin embargo, si se pertenece a los "trepadores sociales", y ésta es también en Alagoinhas una oportunidad razonable para un creyente pentecostal, esto es algo completamente diferente. El afán de ahorro e inversión en un futuro financiero mejor, no resiste bien, por supuesto, un ataque continuo a los medios económicos sumamente limitados, en la forma de ayuda a parientes, amigos y vecinos. Se afirma que la ayuda a los familiares se restringe considerablemente como consecuencia de la incorporación al pentecostalismo. Esto es favorecido por la elevada contribución eclesiástica, a causa de la cual no resta mucho para los no iniciados (en algunos casos, esa contribución es de un 10 % de los ingresos familiares). Además, el pentecostalismo exige un grado intensivo de participación tal, que deja poco tiempo para las relaciones no eclesiásticas. A través de esto se debilita también la red social de obligaciones.

En amplios sectores de la población es evidente la comprensión de que un creyente pentecostal tiene mejores oportunidades en el mercado de trabajo, y con ello, de ascenso social; además, tiene perspectivas de una vida sin miedo a las formas mágicas de violencia (hechicería). Esta imagen es curiosamente sostenida por uno de los sacerdotes de candomblé más conocidos del lugar. El indica:

> Mucha gente que antes daba su dinero al candomblé, se ha pasado ahora a los *crentes*. Es mucho más barato. Un ritual de curación no cuesta nada allí, y para mucha gente los costos son por supuesto sumamente importantes. En el candomblé son caros los rituales, y con los pentecostales todo va más fácil. No obstante, más importante es que el candomblé no salva a nadie. No es más que un compromiso, un compromiso con los espíritus, pero, sin embargo, la vía más segura es la que se dirige a Dios. El es el único que está en capacidad de luchar contra las cosas malas que hacemos. Dios libera, el candomblé no. En mi religión, permaneces siempre ocupado en hacer ofrendas y servir a los espíritus (de más baja categoría). En la iglesia pentecostal lo hacen mejor.

4. Candomblé

En Alagoinhas, no sólo los pentecostales, sino también los adeptos del candomblé, son vistos con sentimientos ambiguos. Se los mira como a gente que brinda mucha ayuda a los pobres y otros indigentes, pero que también –si lo desean– pueden causar incontables daños. De ahí que la actitud de los no iniciados se caracterice por una mezcla de estima y admiración, por un lado, y de recelo y temor, por otro. Desde un punto de vista antropológico, el candomblé es una religión amoral, lo cual significa que se abstiene de juicios con respecto a la moral pública. Alguien que se incorpora al candomblé no necesita, la mayoría de las veces, cambiar demasiado sus características personales, buenas o malas. En esta religión se trata sobre todo de encontrar soluciones prácticas a problemas con que la gente debe enfrentarse cotidianamente. Estas actividades de orientación práctica se denominan "curación" *(cura)*. Esta palabra tiene, entonces, un significado más amplio que en Europa y los Estados Unidos.

Un creyente principiante del candomblé simplemente amplía las cualidades adquiridas en el hogar con una serie de habilidades mágicas. No llega comúnmente a una clara revolución en el pensamiento y la acción. Por esto, tampoco se origina una ruptura clara y notable en las relaciones sociales de una persona. Todo sigue normalmente, de la manera acostumbrada. Solamente ahora se cree que existe un lazo entre los adherentes y los seres espirituales, por el cual se otorga a los vinculados un mayor control sobre su propia vida y la de otros.

Ocurre incluso que este contacto íntimo con los seres espirituales, contiene en su seno el hecho de que sean legitimados rasgos característicos ya existentes. Una mujer joven relata sobre su promiscuo compañero, quien es médium de candomblé, lo siguiente:

> Es su espíritu (orixá). Su misma sacerdotisa de candomblé lo ha dicho. Los hombres que son devotos de Ogum (un espíritu sumamente viril), no tienen suficiente con una sola mujer. Y los que pertenecen a Oxossi son cazadores. El (su compañero) tiene de ambas cosas. Y con esto nada se puede hacer.

Entre los pentecostales hemos visto una diferencia significativa en, por ejemplo, la conducta sexual y con respecto al alcohol de una persona, antes y después de la conversión; en el candomblé se habla poco o nada de esto. Aunque este cambio favorece la oportunidad de movilidad social ascendente para los pentecostales, casi no llama la atención fuera de su propio núcleo de creyentes. En general, es considerado más bien como una gran ventaja del candomblé que esta religión sea tan flexible.

Sin embargo, el candomblé también presenta una serie de restricciones relacionadas con la conducta sexual y el consumo de alcohol. Estas tienen no obstante, sólo una aplicabilidad limitada. Se es consciente, por ejemplo, de que con las prostitutas hay una gran posibilidad de coger un espíritu maligno (exu), de la misma manera en que puede ocurrir en otros lugares "impuros". Además, se teme poner en duda la reputación de la propia sacerdotisa o sacerdote, por lo cual generalmente se tratará de vivir con un poco más de prudencia y de una manera no tan reñida con la moral. Luego, prescriben los orixás la abstinencia sexual algunas días antes de la participación en rituales, mientras que en este período valen tambien restricciones para la ingestión de alcohol. No se puede establecer un contacto óptimo con los seres espirituales, si hay desenfrenos en cualquier campo. De este contacto proviene entonces un impulso moral implícito, aunque claro y definido, pese a que éste generalmente no lleve a conductas que estén en conflicto con opiniones locales sobre la moral.

Una excepción a esta regla tiene que ver con la revolución o la ruptura de las ideas sobre los roles sexuales. Los hombres que muestran conductas que son reputadas como femeninas, son vistos como ridículos por los de su mismo sexo, a menos que su conducta desviada pase a estar bajo la influencia de un orixá. No sólo los homosexuales legitiman con este último su conducta, sino también hombres heterosexuales que, por ejemplo, prefieren ocuparse de las tareas domésticas. También las conductas consideradas masculinas de algunas mujeres, tal como una actitud activa con respecto a diversas parejas sexuales, pueden ser legitimadas con ayuda de los orixás. La orixá Iansã, conocida por muy voluptuosa, es muy nombrada en este sentido. En otras palabras: en el campo de la moral sexual, el candomblé ofrece, a la vez, tanto espacio nuevo como restricciones.

En lo que respecta al uso excesivo (muy frecuente) del alcohol, la situación es muy diferente. Este fenómeno que da motivo a tanta miseria, casi no es legitimado por los *orixás,* conocidos como salvadores, sino, por el contrario, descalificado por relacionarlo con espíritus malignos *(exus).* Estos demonios tienen, según se cree, una influencia extremadamente negativa sobre las personas. Así pues, el alcoholismo es rechazado de una manera simbólica. Esto también significa, al mismo tiempo, que al alcohólico no le toca ningún reproche. El o ella son únicamente víctimas involuntarias de las manipulaciones de las fuerzas mágicas. Se podría decir entonces que en el candomblé la moral es despersonalizada. Está extremadamente lejana la idea de que habría un pecado personal, de que se debería recibir una penitencia por éste, o pedirse perdón (como en la creencia pentecostal). El libera a las personas de sus sentimientos de culpa, no importa cuán mal se hayan conducido con sus allegados. Se puede, pues, comenzar haciendo "borrón y cuenta nueva"; también en la percepción de aquellos que han sufrido el daño.

A largo plazo, esta relativa amoralidad significa que la gente no llega a cambiar su estilo de vida radicalmente –por ejemplo, volviéndose ahorrativa de golpe e invirtiendo en una educación profunda–, mientras que entre los pentecostales esto ocurre con mucha frecuencia. En el candomblé no se invierte tanto en asuntos que puedan con el tiempo acrecentar la prosperidad, sino más bien en rituales que aseguren la relación con los *orixás,* y otros seres espirituales. Se ve a esta relación como el único fundamento sólido para lograr bienestar personal y prosperidad económica. Asimismo, la pertenencia al candomblé implica, en muchos casos, que se consigue cierta seguridad económica. En casos de emergencia la gente se ayuda entre sí, y a través de los sacerdotes y sacerdotisas se tiene una mejor oportunidad de conseguir indirectamente un trabajo. Si se logra hacer carrera como médium, entonces se abre el camino hacia un futuro independiente.

Resumiendo, se puede decir que el candomblé se limita a ofrecer soluciones relativamente fáciles a los problemas que sufre la gente. Además, son soluciones que, principalmente, tienen efecto a corto plazo, a menos que se tenga la suerte de ser un médium talentoso.

Un punto importante es la manera en la cual el candomblé acaba con el miedo. Bien es cierto que, previo pago, éste es eliminado para aliviar la necesidad de los individuos, pero esto ocurre poniendo mucho énfasis en las fuentes mágicas. Así resuelto, el problema continúa presente desde un punto de vista social, de modo tal que los inconvenientes relacionados con el miedo pueden presentarse nuevamente en cualquier momento. En este sentido, el candomblé tiene también algo de eterna inconclusión, de un proceso que se repite y no encuentra una solución (tal como hemos visto, incluso a los ojos de algunos creyentes fervientes).

Curiosamente, es la constante atmósfera de temor la que sustenta los resultados de la dispensa de ayuda. No se duda de usar las potencialidades intimidatorias del candomblé como medio de presión sobre la élite política y económica local, para estimular la concesión de toda clase de favores. Luego, éstos son redistribuidos entre su propia clientela en la forma de milagros. Por sí solo, este tipo de ayuda hace muy bien a la reputación del candomblé, al menos entre los pobres. De este modo puede naturalmente también ejercerse presión política, y esto en efecto ocurre (Willemier Westra 1982 y 1987, por ejemplo, capítulo 7).

Lo anterior evidencia que los sacerdotes del candomblé tienen mucho poder externo, aunque éste es, en su mayor parte, informal. Evidentemente, los líderes de esta religión están en capacidad de influir a su propia clientela. Son conocidos por ser extraordinariamente autoritarios y exigir obediencia absoluta (Lima 1977: 56s). Esta obediencia, cuando es necesario, es impuesta por medios mágicos sumamente amedrentadores. Esto tiene como consecuencia que la condición de miembro sea experimentada por muchos como una carga, a pesar de las ventajas que ofrece. Es significativo que sólo raras veces se describa a la propia creencia como una experiencia jubilosa. Por el contrario, se la denomina generalmente como una "obligación" *(obrigação)*.

5. Comparación entre las iglesias pentecostales y el candomblé

A primera vista, el candomblé tiene una gran cantidad de ventajas para su clientela, que el pentecostalismo no puede ofrecer. Uno de los principales puntos a favor de esta "religión de la posesión", es que la distancia con relación a la vida cotidiana es mínima. Es verdad que el candomblé conoce una serie de conductas restrictivas en lo referente al uso del alcohol y la sexualidad, pero estos preceptos no tienen como consecuencia que uno se ubique al concordar con ellos, fuera de los marcos normativos aceptados por la generalidad.

En el pentecostalismo, en cambio, éste sí es claramente el caso. Se aspira, incluso conscientemente, a romper con las normas y valores establecidos. Tal como ya hemos visto se instituye la monogamia estricta, y la ingestión de alcohol es considerada "cosa del diablo". Teniendo en cuenta sólo esto, uno se coloca de algún modo fuera del orden vigente; sin embargo, hay más. Los contactos sociales con los amigos y vecinos del barrio, se reducen necesariamente como resultado de la incorporación al pentecostalismo. Lo mismo vale para las relaciones que se mantienen con los parientes, aunque éstas, en términos generales, se reducen menos. La limitación de los contactos sociales fuera del propio grupo, conduce a veces a grandes tensiones psíquicas entre los fieles. La consecuencia es, en algunas oportunidades, que tenga lugar el traspaso al candomblé, una religión en la que no existen tales restricciones sociales.

En una serie de otros puntos, el pentecostalismo es igualmente menos valorado que el candomblé. Este (y en menor medida, también umbanda), constituye un atractivo juego audiovisual. Siempre hay algo interesante para experimentar, que pueda mantener viva la conversación durante varios días. Los cantos, la danza, los vestidos y sobre todo las humoradas de los seres espirituales que se presentan, aseguran que los visitantes (que no son siempre miembros fijos), gocen de un poco de teatro popular gratuito. Además, se puede disfrutar allí de una deliciosa comida gratis (con carácter de ofrenda a los espíritus). No se habla de compulsión alguna para afiliarse al grupo. Responde a la técnica de reclutamiento del candomblé, el hecho de hacer sentir a todos que pueden entrar y salir a discreción. No sin razón, uno parece estar convencido de que todo lo que pasa en el templo es tan fascinante, que la mayoría de los visitantes quieren regresar nuevamente. Según el juicio de los no iniciados, los grupos pentecostales ofrecen un juego visual menos atractivo. Su táctica consiste más en hacer sentir a la gente que son rápidamente incorporados al círculo de hermanas y hermanos. Algunos encuentran esto agradable; a otros, al contrario, este hecho les impide entrar en una iglesia pentecostal.

Las ganancias y pérdidas de las diferentes religiones constituyen –para la población pobre predominante en la ciudad– una importante consideración para decidir la incorporación o no a una de ellas. Se sabe de las iglesias pentecostales que ellas reclaman un porcentaje importante de los ingresos familiares, no importa que éstos sean altos o bajos. Es difícil hacer una comparación entre los costos de ambas religiones, pero es una idea generalizada que el candomblé es más barato, cuando menos después del caro período de iniciación. Además, esta última religión tiene la reputación de que, a corto plazo, proporciona más beneficios en la forma de los favores que son concedidos a los miembros fijos a través de sus líderes. Incluso, existe la posibilidad de ejercer el chantaje (Willemier Westra 1982).

Al principio, en la mayoría de los casos, la ganancia de prestigio por parte de la gente que se incorpora al candomblé o a una iglesia pentecostal, no es tan grande. A largo plazo se puede, sin embargo, lograr un ascenso considerable en un sentido social. Es notable que este ascenso de alguien dentro del candomblé, sea, en la opinión popular, el resultado de una mezcla de admiración hacia sus dones de curación y de resolución de los problemas, por un lado, y de miedo hacia su potencial de magia negra por otro. Las amenazas por medio de actos abominables, permanecen siempre al acecho. En lo que atañe a los fieles pentecostales, las consideraciones que conducen a un mayor prestigio son mucho más claras. Se los ve por cierto un poco santurrones, pero son dignas de ser tenidas en cuenta la admiración por su modo de vida decoroso, casi suprahumano, y el mejoramiento de la suerte que resulta con frecuencia de esto. Asimismo, esta admiración no se mezcla en absoluto con el temor.

Pareciera que en los últimos años, las iglesias pentecostales han ganado terreno con respecto al candomblé en Alagoinhas. En relación con esto, es de suma importancia la relativa claridad del pentecostalismo. La vida de aquellos que tienen pocas oportunidades ya es suficientemente insegura, aun sin temores mágicos. Una religión que difunde con convicción el mensaje de que el Espíritu Santo está en condiciones de conjurar cualquier amenaza proveniente de la magia negra, ofrece —ya sólo por eso– algo muy atractivo a los ojos de muchos. Las iglesias pentecostales proclaman con entusiasmo su posición en contra de la magia negra. Por otra parte, no sólo se combate a sangre y fuego esta forma de magia, sino también al candomblé. Esta religión es denominada incluso sin ambages como una "cosa del diablo".

El candomblé, en cambio, no se opone al pentecostalismo, así como tampoco nunca se opuso a la iglesia católica. El se siente satisfecho por recibir a los disidentes del pentecostalismo y, por lo demás, negando la propaganda opositora. Esto refuerza, por otro lado, la imagen de "fuerza" extraordinaria del candomblé; pese a que esa imagen esté basada en el miedo.

La ambivalencia de la opinión pública en lo que respecta al candomblé, se encuentra también en los relatos que rondan sobre la disciplina interna de esta religión. Aunque la mayoría de los sacerdotes y sacerdotisas de este culto suelen presentarse como figuras maternas y paternas llenas de amor, quienes no escatiman esfuerzos para contentar a los clientes, aparecen con regularidad en los chismes, e incluso en la prensa locales, historias que se contraponen con esta imagen idílica. Es muy famoso, por ejemplo, un método de castigo para los rebeldes, por el cual se encarga la aplicación de medidas disciplinarias a los seres espirituales enviados por el sacerdote o la sacerdotisa. Se dice que los castigados de este modo pueden sufrir daños muy serios. Este tipo de advertencias evidencian claramente que la estructura de poder dentro del candomblé es sumamente autoritaria, y, además, profundamente cargada de temor. La incorporación a éste se convierte así en un acto, por el cual el creyente entrega una gran parte de su poder de decisión sobre su propia vida.

En el pentecostalismo, existe, por el contrario, una gran dosis de libertad personal. También allí se hacen esfuerzos evidentes para retener a la gente que quiere salirse del movimiento. Esto ocurre, por cierto, con medios de presión psicológica, pero de todos modos, no con métodos mágicos. Además, prevalece, al menos en las iglesias de Alagoinhas, el don *(dom)* del creyente por sobre las relaciones oficiales de poder. Cada uno que es tocado por el Espíritu Santo tiene una posición reconocida en el círculo religioso, que no puede ser eliminada por orden superior. En lo que respecta a las relaciones de poder, el pentecostalismo local es entonces considerablemente más horizontal, y sobre todo, la carga de temor que conlleva es menor que en el candomblé.

Esto aparece tal vez con mayor claridad en la *cura* (en un sentido amplio, o sea incluida también la resolución de problemas), que cobra un lugar central en ambas religiones. En el pentecostalismo, esta *cura* es vista como consecuencia de la influencia benefactora del Espíritu Santo. En la práctica, esto implica la celebración de la bondad divina.

En el candomblé la *cura* es, sin embargo, un procedimiento sumamente paradójico. El núcleo de esto es que el mal es expulsado con el mal, las catástrofes con las catástrofes y los problemas con los problemas. Se cree que aquello que despierta temor, causa enfermedad y provoca problemas, ofrece las mejores oportunidades de *cura*. La *cura* tiene, de acuerdo con esto, algo de "celebración del miedo". Esto no quita que, aun en estos casos excepcionales, el miedo finalmente disminuya, o incluso desaparezca totalmente. La mayoría de las veces la *cura* tiene como consecuencia que el "paciente" siente que el problema planteado se ha acercado a una solución, y que se puede enfrentar a la vida normalmente otra vez.

6. Consideraciones finales

El mercado religioso de Alagoinhas es, para los legos, un poco incomprensible. Es así como el paisaje urbano está dominado por los edificios de las iglesias católicas, mientras que el numéricamente fuerte candomblé, y las iglesias pentecostales, no llaman mucho la atención. Además, el candomblé ni siquiera figura en las estadísticas, por cuanto los seguidores de esta "religión de la posesión" se autodenominan católicos (igual que los devotos de la umbanda en otras partes del país).

Se agrega a esto que parte de la táctica del candomblé es mantener este mercado incomprensible para los no iniciados. Por esto, no quiere proclamarse como rival de ninguna religión. Los fieles no necesitan, según los líderes del candomblé, hacer una opción exclusiva por la religión propia. También a través de esto es que el candomblé contiene elementos contradictorios. Ese mismo rasgo paradójico lo hemos encontrado en el análisis del núcleo del candomblé: la *cura*. Esta condición paradójica aparece también en la opinión pública sobre esta religión.

Existe sobre las iglesias pentecostales, una imagen considerablemente menos contradictoria. Es cierto que se considera a veces a los creyentes un poco apartados del mundo, sin embargo ellos imponen respeto. La opción por esta religión es en principio excluyente, lo cual en sí ya da algo de claridad a las actividades cotidianas. El núcleo teológico de la religión tampoco admite segundas interpretaciones. Está absolutamente definido lo que es bueno y lo que no lo es. La condición paradójica parece, con todo esto, muy lejana.

Esto no impide que yo pueda suscribir, en líneas generales, la conclusión de Droogers en el artículo introductorio. Visto desde el punto de vista de un científico o científica *(ética),* existen sin duda dentro del pentecostalismo una serie de contradicciones fundamentales. Quisiera llamar a estas últimas, no manejadas por los fieles, con el término de paradojas-*éticas*. Droogers constata, a mi juicio acertadamente, que una serie de paradojas de este tipo pueden reducirse a los diferentes modelos teóricos contradictorios manejados por los científicos. Esto significa que la teoría en sí misma es, en estos casos, la fuente de la paradoja. Este tipo especial de paradojas –causadas por la construcción de modelos–, las quisiera llamar paradojas-*modelo*. Los modelos contradictorios invocan, en tal caso, una imagen contradictoria de una religión. Señalaría, por el contrario, a las paradojas que aparecen dentro de un solo marco teórico, con el término general de paradojas-*éticas*. Me parece muy valioso que Droogers muestre esta distinción en relación con el pentecostalismo (en lo que respecta al candomblé, ver Willemier Westra 1987:221 ss).

Sin embargo, sería una lástima poner demasiado énfasis en la carencia de concordancia entre los que construyen modelos, como la fuente de la condición paradójica del pentecostalismo (lo cual Droogers tampoco hace). Kamsteeg, por ejemplo, hace referencia, en su contribución a este libro, a que las tendencias jerárquicas e igualitarias ocurren simultáneamente dentro de las iglesias pentecostales. El sugiere incluso que la tensión estructural unida a esto, es ventajosa para la expansión de esta iglesia (conflictos internos y divisiones).

El artículo de Hoekstra, trae asimismo a la luz un rasgo pentecostal paradójico. Ella hace aceptable que tanto corrientes conservadoras como progresistas, aparezcan juntas en un mismo grupo eclesial. El aspecto que se sobreponga dependerá de cuán provechoso resulte para la iglesia o grupo en cuestión. Parece aquí que se trata de paradojas-*éticas*. En el texto de Kamsteeg, éste es un caso dudoso. Esto me lleva al próximo tipo de paradojas. Aparte de las paradojas *éticas*, hay también otras que manejan los mismos fieles. A éstas quisiera llamarlas paradojas-*émicas*. Droogers piensa, siguiendo a van Baal (1971), que las paradojas subyacen en la base de cada religión. Eso no quita que éstas reciban más acento en una religión que en la otra.

Mi primera tesis es que las paradojas-*émicas* se destacan fuertemente en el candomblé. Pienso que inclusive son agudizadas. Por el contrario, en las iglesias pentecostales, al igual que en la ciencia, se las minimiza (ver, por ejemplo, Horton 1973). El pentecostalismo se ubica más cerca de la forma de pensar occidental y racional, que lo que está el candomblé. Es muy llamativo que Droogers, en su descripción de las iglesias pentecostales, apenas nombre las paradojas-*émicas*, mientras que éstas son prominentes en el candomblé.

Mi segunda tesis tiene relación con la primera. La condición paradójica menos significativa del pentecostalismo conduce, cuando menos a largo plazo, a una ventaja con respecto a las religiones paradójicas, como el candomblé y la umbanda, que ofrecen más soluciones a corto plazo. Los grupos pentecostales proporcionan sobre todo claridad y apoyo en cuanto a la vida y el sufrimiento cotidianos. En contraposición con el candomblé, este apoyo no siempre tiene que ser obtenido por la fuerza, por medio de rituales privados. El apoyo dado es entonces no solamente bien definido, sino también más permanente, lo cual favorece la claridad de la presentación hacia el exterior.

Esta tesis me lleva a otra distinción teórica que es importante para la comparación entre las iglesias pentecostales y el candomblé. Las paradojas-*émicas* se clasifican en paradojas que tienen que ver con la estructura grupal, y otras que están contenidas dentro del sistema de creencias. Al primer tipo lo llamo estructural, y al segundo, teológico. Aunque una comparación entre las paradojas estructurales en ambas religiones puede ofrecer seguramente datos interesantes, me quiero limitar a las paradojas teológicas. Al igual que las otras orientaciones para las actividades cotidianas, los aspectos estructurales de una religión provienen también de la teología. Esto vale también naturalmente para la manera en la cual se resuelven los problemas cotidianos y se lucha contra las enfermedades *(cura)*. Las iglesias pentecostales difunden la creencia de que la *cura* y la orientación exlusiva hacia Dios, son idénticas. Por lo tanto, el modelo conductual que ofrecen es simple y absolutamente no contrapuesto. El candomblé, por el contrario, maneja, en el campo de la *cura*, un método paradójico. Las fuerzas y poderes causantes de los problemas son invocados, con el propósito de exorcizarlos.

Sin embargo, Fry y Howe (1975:89), nombrados en la introducción de Droogers, tienen razón al señalar la "fuerza de persuasión dramática" del ritual de la umbanda (implicando en esto al candomblé). El candomblé dispone ciertamente de medios auxiliares rituales impresionantes que son atractivos para un gran público, tales como una música y danza excitantes. Estos medios auxiliares sirven igualmente para crear un sentimiento de unión frente a los no iniciados, que supera lo cotidiano *(communitas)*. Con esto no sólo se suprime la diferencia social, sino sobre todo la propia condición paradójica, tal como ésta aparece, principalmente, en los métodos (privados) de prestación de ayuda.

Los rituales públicos de las iglesias pentecostales son encontrados mucho menos atractivos por los no iniciados, pero no necesitan tampoco serlo, ya que estas iglesias no tienen el problema de tener que justificar públicamente un sistema paradójico de prestación de ayuda, y una teología también paradójica. Además, ellos se sirven, en primera instancia, de otro método de reclutamiento. Este consiste en ejemplificar con la propia vida el cambio de conducta que experimenta el nuevo creyente. Se agregan a esto las ventajas sociales y económicas que son visibles a más largo plazo. En este sentido, las soluciones que ofrece el pentecostalismo se ubican más cerca de las necesidades de un país en vías de modernización, como el Brasil. Por otro camino, llego entonces a suscribir los descubrimientos de Howe (1981; ver la introducción de Droogers). Esto me proporciona, al mismo tiempo, una hipótesis para explicar el espacio ganado por las iglesias pentecostales en los últimos años en Alagoinhas.

Bibliografía

Azevedo, Marcello 1986, *Comunidades eclesiais de base e inculturação da fé*. São Paulo: Edições Loyola.

Baal, J. van 1971, *Symbols for Communication: an Introduction to the Anthropological Study of Religion*. Assen: Van Gorcum.

Brasilien Team 1977, *Bilanz nach 8 Jahren*. Passau: Diözese Passau.

Droogers, André F. Fry, Peter 1976, *Regional Cult or National Religion: the Predatory Expansion of Umbanda in Urban Brazil*.

Fry, Peter & Gary Nigel Howe 1977, "Duas respostas a aflição: Umbanda e pentecostalismo". *Debate e Crítica* 9: 75-94.

Horton, Robin 1973, "Paradox and Explanation: a Reply to Mr. Skorupski". *Philosophy of Social Sciences* 3: 231-256, 289-312.

Howe, Gary Nigel 1980, "Capitalism and Religion at the Periphery: Pentecostalism and Umbanda in Brazil". En: Stephan D. Glazier (ed.), *Perspectives on Pentecostalism: Case Studies from the Caribbean and Latin America*. Washington: University Press of America, págs. 125-141.

Krischke, Paulo 1986, *A Igreja nas bases em tempo de transição*. Porto Alegre: CEDEC.

Lima, Vivaldo Costa da 1977, *A familie-de-santo nos candomblés Jeje-Nagôs da Bahia –um estudo de relações intra-grupais*. Salvador: Universidade Federal da Bahia, dissertação de mestrado.

Warren, David 1970, "Notes on the Historical Origins of Umbanda". *Universitas* 6/7 (Salvador).

Willemier Westra, Allard 1982, "Religie en dagelijks overleven: hulpverlening in de candomblé-religie van Brazilië". *Internationale Spectator* 17/1: 151-153.

Willemier Westra, Allard 1987, *Axê, Kracht om te leven: het gebruik van symbolen bij de hulpverlening in de candomblé-religie in Alagoinhas (Bahia, Brazilië)*. Amsterdam: CEDLA.

Panorama parcial del mercado religioso de Alagoinhas

	Católico			No católico	
	Igl. Cat. oficial	Comunidades de base	Catolicismo popular	Candomblé/Umbanda	Iglesias pentecost.
Brecha cultural con la vida cotidiana (sexo, moral, alcoholismo, y otros)	P/élite: pequeña, clase baja: gr.	Grande (abordaje racional)	Muy pequeña	Muy pequeña	Muy grande
Factores psicológicos — Miedo a la magia negra	Se niega	Se niega	No se niega, tampoco se lo combate	Desaparece individualmente; aumenta socialm.	Liberación del miedo a la magia negra
Fiestas y otros, teatro y relajación	Casi inaccesible para población pobre	Ausente	Disminuyendo fuertemente en importancia	Muy importante	Menos importante, éxtasis religioso
Relaciones sociales — Contactos sociales con familia	No influidos	No influidos	En algunos casos, fomentados	No influidos	Generalmente más pobres
Contactos sociales con barrio/amigos	No influidos	No influidos	Padrinos, entonces fomentados	No influidos	Fuertemente disminuidos
Contraer nuevas obligaciones y obediencias soc.	No aplicables	Sobre una base voluntaria	En algunos casos específicos	Al principio, sacrificio parcial libertad personal	Sobre base voluntaria, pero grande

	Católico			No Católico	
	Igl. Cat. oficial	Comunidades de base	Catolicismo popular	Candomblé/ Umbanda	Iglesias pentecost.
Ampliar red social	A través del parentesco ritual	Apoyo jurídico, educativo y.o. (expertos)	A través del parentesco ritual	Muy grande, interna y externa	Sobre todo en relaciones internas
Contraer cargas financieras	Obligaciones: caras para creyentes comunes	A veces, pero generalmente con ayuda	A veces caras en casos personales	Cargas rituales al principio muy grandes	Permanentemente muy grandes
Oportunidades de supervivencia — **Beneficios financieros**	Ninguno	Dependiente del proyecto. A veces grandes	Ninguno	Sólo grandes para médiums experimentados	A largo plazo, sustanciales
Oportunidad de trabajo asalariado	Oportunidades no aumentan	Dependen del proyecto. A veces mejoran	No mayores. Según creyentes, vía milagro	P/íntimos, más grandes, p/pacientes, a veces	Mayores por su confiabilidad y su educación
Solución de problemas cotidianos concretos	No aumenta la oportunidad	Depende del proyecto, generalmente aumenta	Como arriba	También materialmente, seguramente posible	Sobre todo efectiva a largo plazo
Respeto y poder social — **Aumento de prestigio personal**	En caso de membresía activa, grande	Probablemente no aplicable	Sólo en casos específicos	Fuerte aumento para médiums experimentados	Considerable
Oportunidad de ejercer presión política	Para élite: grande; para pobres: no	Vía org. eclesiást. oficiales	Ninguna	Segura para médiums conocidos	No se aspira

BIBLIOGRAFIA
sobre pentecostalismo y movimientos carismáticos en Latinoamérica y el Caribe

André Droogers

1. Sólo han sido incluidas publicaciones en inglés, francés, alemán, portugués y español.

2. Sólo han sido incluidas publicaciones que toman el pentecostalismo como objeto de estudio −sean escritas por pentecostales o no−, excluyendo aquellas que tienen fines claramente religiosos.

3. Las publicaciones sin autor conocido han sido incluidas según su título, poniendo las primeras palabras de éste en el lugar donde comúnmente se coloca el nombre del autor.

4. En el caso de recopilaciones de artículos, tanto el libro como los artículos mismos −si son de interés− han sido incluidos.

5. No ha sido posible revisar el contenido de todos los títulos mencionados. Varios han sido tomados de fuentes secundarias.

6. Los autores españoles y portugueses han sido incluidos en orden alfabético, según su apellido paterno.

7. El autor agradece grandemente por su ayuda a Jean-Pierre Bastian, Mark Droogers, Manuel J. Gaxiola-Gaxiola, Roswith Gerloff, Bernardo Guerrero, Walter Hollenweger, Frans Kamsteeg, Cornelis van der Laan, Paul van der Laan, Leny Lagerwerf, Jorge Laffitte, Luis Samandú, Harold W. Turner y Jacob Uitermark.

A

ABD-EL-JALI, R.P., y.o. (eds.), 1956, L'EGLISE, L'OCCIDENT, LE MONDE. Paris: Arthème Fayard [Cf. Gaete 1956].
ADAMS, Richard N., 1983, CONSERVATIVE EVANGELISM IN LATIN AMERICA. *Royal Anthropological Institute News* 59, 2-4.
ALBAN ESTRADA, María; MUÑOZ, Juan Pablo, 1987, CON DIOS TODO SE PUEDE, LA INVASION DE LAS SECTAS AL ECUADOR. Quito: Planeta, Colección Espejo del Ecuador 1.
ALBO, Xavier, 1988, ¡OFADIFA, OFAIFA! UN PENTECOSTES CHIRIGUANO. *América Indígena*, 48, 1: 63-125.

ALEXANDER, Bobby C., 1989, PENTECOSTAL RITUAL RECONSIDERED: 'ANTI-STRUCTURAL' DIMENSIONS OF POSSESSION. *Journal of Ritual Studies* 3, 1.

ALISEDO, Pedro, y.o., 1981, EL INSTITUTO LINGUISTICO DE VERANO. México: *Proceso*.

ALMEIDA, Abraão de (ed.), 1982, HISTORIA DAS ASSEMBLEIAS DE DEUS NO BRASIL. Rio de Janeiro: CEPAD Casa Publicadora das Assembléias de Deus.

ALVAREZ, C.E., 1988, LOS PENTECOSTALES EN AMERICA LATINA: ¿ECUMENICOS EVANGELICOS? *Pasos* 18, 2: 1-4.

ALVAREZ, Carmelo, y.o., 1988, IGLESIA PENTECOSTAL DE CHILE: HISTORIA Y PRESENCIA. Version preliminar. Santiago de Chile: Centro Ecuménico Diego de Medellín.

ALVES, Rubem A., 1984, A EMPRESA DA CURA DIVINA: UM FENOMENO RELIGIOSO? En: Valle y Queiróz 1984: 11-117 [Brasil, ver también Teixeira Monteiro 1984].

AMAN, Kenneth, 1987, FIGHTING FOR GOD: THE MILITARY AND RELIGION IN CHILE. *Cross Currents* 36: 459-66.

ANDERSON, Robert Mapes, 1979, VISION OF THE DESINHERITED: THE MAKING OF MODERN PENTECOSTALISM. New York: Oxford University Press.

ANFUSO, Joseph; SCZEPANSKI, David, 1985, RIOS-MONTT: SERVANT OR DICTATOR. Ventura, California: Regal Books.

ANFUSO, Joseph; SCZEPANSKI, David, 1986, SIERVO O DICTADOR: DIOS DA... DIOS QUITA. Barcelona: Ediciones Sa-Ber.

ANNIS, Sheldon, 1987, GOD AND PRODUCTION IN A GUATEMALAN TOWN. Austin: University of Texas Press.

ANTONIO, W. d'; PIKE, F (eds.), 1964, RELIGION, REVOLUTION AND REFORM. Nueva York [Cf. Willems 1964].

APARICIO, James, 1985, LAS NUEVAS TRIBUS. ¿OTRO INSTITUTO LINGUISTICO DE VERANO? *Diálogo Social* 18, 174: 48-49.

ARLT, Augusto E. Fernandez, 1962, THE SIGNIFICANCE OF THE CHILEAN PENTECOSTALS' ADMISSION TO THE WORLD COUNCIL OF CHURCHES. *The International Review of Missions* 51: 480-482.

ARMSTRONG, Robert G., 1983, REPLY TO JONATHAN BENTHALL. *Royal Anthropological Institute News* 55, 13 [cf. Benthall 1982, ILV].

ASSERETO, María Josefina Amerlinck y, 1970, IXMIQUILPAN: UN ESTUDIO COMPARATIVO DE EVANGELISTAS Y CATOLICOS. México D.F.: Universidad Iberoamericana, Escuela de Antropología Social [Tesis profesional].

ASSMANN, Hugo, 1986, A IGREJA ELETRONICA E SEU IMPACTO NA AMERICA LATINA, CONVITE A UM ESTUDO. Petrópolis: Vozes & WACC/ALC.

ASSMANN, Hugo, 1987, LA IGLESIA ELECTRONICA Y SU IMPACTO EN AMERICA LATINA. San José, Costa Rica: DEI.

AUBREE, Marion, 1984, LES NOUVELLES TRIBUS DE LA CHRETIENTE. *Raison Presente* 72: 71-87.

AULIE, Henry W., 1979, THE CHRISTIAN MOVEMENT AMONG THE CHOLS OF MEXICO, WITH SPECIAL REFERENCE TO PROBLEMS OF SECOND GENERATION CHRISTIANITY. Pasadena: Fuller Theological Seminary [Tesis doctoral].

AUSTIN, Diane J., 1981, BORN AGAIN... AND AGAIN AND AGAIN: COMMUNITAS AND SOCIAL CHANGE AMONG JAMAICAN PENTECOSTALISTS. *Journal of Anthropological Research* 37, 3: 226-246.

AVALES DE CAVILLA, Ana María, 1982, SE REABRE DEBATE SOBRE MISION NEW TRIBES EN VENEZUELA. *Noticias Aliadas* 1, abril: 7,8.

AVILA, M. Buse de, 1985, PARA REFLEXIONAR SOBRE LAS SECTAS. Cajamarca: Publicaciones del Obispado [Perú].

AVINA, Jeff, 1985, EVANGELICAL REVIVAL SWEEPS BRAZIL. *Latinamerica Press* 17: 6.

138

B

BACCHETTA, Vittorio, 1985, BRAZIL'S DIVERSE PROTESTANT GROUPS UNITED IN CONSERVATIVE SOCIAL ROLE. *Latinamerica Press* 17, 45: 5-6.

BAEZ-CAMARGO, G., 1957-58, PROTESTANTS IN LATIN AMERICA: 2. MEXICO. *Religion in Life* 27: 35-44.

BAIRD, Harry Russell, 1979, AN ANALYTICAL HISTORY OF THE CHURCH OF CHRIST MISSIONS IN BRAZIL. Pasadena: Fuller Theological Seminary [Tesis].

BAKLANOFF, E.N. (ed.), 1966, NEW PERSPECTIVES OF BRAZIL. Nashville: Vanderbilt University Press [Cf. Willems 1966].

BAMAT, Tomás, 1986, ¿SALVACION O DOMINACION?: LAS SECTAS RELIGIOSAS EN EL ECUADOR. Quito: Editorial El Conejo.

BAMAT, Tomás, 1986, HISTORIC ECUMENICAL MEETING STUDIES GROWTH OF REGION'S RELIGIOUS SECTS. *Latinamerica Press* 18, 45: 3,4,8.

BARBOSA, Marcos Aurélio de Souza, 1985, A EXPERIENCIA DO ESPIRITO SANTO: O PENTECOSTALISMO NO BRASIL. *Imagens...* 1985: 60-71.

BARBOSA, Roberto, 1974, BREAD AND GOSPEL: AFFIRMING A TOTAL FAITH - AN INTERVIEW WITH BRAZILIAN PENTECOSTALIST MANOEL DE MELLO. The Christian Century, Dec. 25, 1974: 1223-1226 [Igreja Pentecostal Brasil Para Cristo].

BARRETT, David B (ed.), 1982, WORLD CHRISTIAN ENCYCLOPEDIA: A COMPARATIVE SURVEY OF CHURCHES AND RELIGIONS IN THE MODERN WORLD, A.D. 1900-2000. Oxford etc.: Oxford University Press.

BARRETT, David B., 1988, THE TWENTIETH-CENTURY PENTECOSTAL/ CHARISMATIC RENEWAL IN THE HOLY SPIRIT, WITH ITS GOAL OF WORLD EVANGELIZATION. *International Bulletin of Missionary Research* 12, 3: 119-129.

BARTOLOME, L., 1971, MILLENARIAN ACTIVITIES AMONG INDIANS OF THE ARGENTINE CHACO FROM 1905 TO 1933. Buenos Aires [Argentina, sin publicar].

BASTIAN, Jean-Pierre, 1978, EL PROTESTANTISMO LATINOAMERICANO EN BUSQUEDA DE SU IDENTIDAD Y FUTURO. *Estudios Ecuménicos* 34: 35-42.

BASTIAN, Jean-Pierre, 1979, PROTESTANTISMO Y POLITICA EN MEXICO. *Taller de Teología*, 5: 7-23.

BASTIAN, Jean-Pierre, 1981, GUERRA FRIA, CRISIS DEL PROJECTO LIBERAL Y ATOMIZACION DE LOS PROTESTANTISMOS LATINO-AMERICANOS 1949-1959. *Cristianismo y Sociedad*, 92, 2: 7-12.

BASTIAN, Jean-Pierre, 1981, PROTESTANTISMO Y POLITICA EN MEXICO. *Revista Mexicana de Sociología*, 431: 1947-1966.

BASTIAN, Jean-Pierre, 1982, PROTESTANTISMOS MINORITARIOS Y PRESENTATARIOS EN MEXICO. Actas del II Simposio sobre religión popular e identidad. México D.C.: UNAM.

BASTIAN, Jean-Pierre, 1983, PROTESTANTISMO Y SOCIEDAD EN MEXICO. México: Casa Unida de Publicaciones.

BASTIAN, Jean-Pierre, 1984, PROTESTANTISMOS LATINOAMERICANOS ENTRE LA RESISTENCIA Y LA SUMISION 1961-1983. *Cristianismo y Sociedad* 82: 49-68.

BASTIAN, Jean-Pierre, 1985, DISIDENCIA RELIGIOSA EN EL CAMPO MEXICANO. En: De la Rosa y Reily, págs. 177-192.

BASTIAN, Jean-Pierre, 1985, DISSIDENCE RELIGIEUSE DANS LE MILIEU RURAL MEXICAIN. *Social Compass* 32, 2-3: 245-260.

BASTIAN, Jean-Pierre, 1985, PARA UNA APROXIMACION TEORICA DEL FENOMENO RELIGIOSO PROTESTANTE EN AMERICA CENTRAL. *Cristianismo y Sociedad* 85: 61-68.

BASTIAN, Jean-Pierre, 1986, BREVE HISTORIA DEL PROTESTANTISMO EN AMERICA LATINA. México: Casa Unida de Publicaciones.

BASTIAN, Jean-Pierre, 1986, PROTESTANTISMO POPULAR Y POLITICA EN GUATEMALA Y NICARAGUA. *Revista Mexicana de Sociología* 48, 3: 181-200.

BASTIAN, Jean-Pierre, 1986, DISIDENCIA RELIGIOSA PROTESTANTE E IMPERIALISMO EN MEXICO. En: Concha Malo, págs. 293-308.

BASTIAN, Jean-Pierre, 1987, MODELOS DE MUJER PROTESTANTE: IDEOLOGIA RELIGIOSA Y EDUCACION FEMENINA, 1889-1910. En: *Presencia* ... , págs. 163-180.

BASTIAN, Jean-Pierre, 1988, EL PARADIGMA DE 1789, SOCIEDADES DE IDEAS Y REVOLUCION MEXICANA. *Historia Mexicana* 1: 79-110.

BASTIAN, Jean-Pierre, 1988, LAS SOCIEDADES PROTESTANTES Y LA OPOSICION A PORFIRIO DIAZ 1877-1911. *Historia Mexicana* 3: 469-512.

BASTIAN, Jean-Pierre, 1989, LOS DISIDENTES, SOCIEDADES PROTESTANTES Y REVOLUCION EN MEXICO 1872-1911. México: El Colegio de México-Fondo de Cultura Económica.

BASTIDE, Roger, 1971, NICHT-KATHOLISCHE RELIGIONEN IN BRASILIEN. *Internationales Jahrbuch für Religionssoziologie* 1971: 83-98.

Behind..., 1985, BEHIND THE HEADLINES, COLOMBIA IS WITNESSING A MAJOR RELIGIOUS REVIVAL. *Christianity Today* 29, 13: 40.

BELLI, Humberto, n.d., NICARAGUA: CHRISTIANS UNDER FIRE. San José, Costa Rica; Garden City, Mich.: Puebla Institute.

BENTHALL, Jonathan, 1982, THE SUMMER INSTITUTE OF LINGUISTICS. *Royal Anthropological Institute News* 53: 1-5 [cf. Armstrong 1983].

BENZ, Ernst, 1970, DER HEILIGE GEIST IN AMERIKA. Düsseldorf, Köln: Eugen Diedericks Verlag [Puerto Rico].

BERBERIAN, Samuel, 1980, MOVIMIENTO CARISMATICO EN LATINOAMERICA 1960-1980. Mariano Gálvez University [Tesis de licenciatura].

BERBERIAN, Samuel, 1983, TWO DECADES OF RENEWAL: A STUDY OF THE CHARISMATIC RENEWAL IN LATIN AMERICA, 1960-1980. Guatemala: Ediciones Saber.

BERG, Daniel, 1955, ENVIADO POR DEUS, MEMORIAS DE DANIEL BERG. São Paulo: Assembléias de Deus. [Brazil, Assembléias de Deus].

BERNALES, Andrés Opazo, 1987, LA IGLESIA Y EL PUEBLO COMO SUJETO POLITICO. *Polémica* (San José, Costa Rica) 3: 2-14.

BERNARD, H. Russell, 1985, THE POWER OF PRINT: THE ROLE OF LITERACY IN PRESERVING NATIVE CULTURES. *Human Organization* 44, 1: 88-93 [ILV].

BERRYMAN, Phillip, 1984, THE RELIGIOUS ROOTS OF REBELLION: CHRISTIANS IN CENTRAL AMERICAN REVOLUTIONS. Maryknoll, N.Y.: Orbis.

BIRDWELL-PHEASANT, Donna, 1980, THE POWER OF PENTECOSTALISM IN A BELIZEAN VILLAGE. En: Glazier 1980: 95-109.

BISNAUTH, Dale A., 1988, PENTECOSTAL MOVEMENT VALID. *Caribbean Contact*, February 1988, 12.

BITTENCOURT, José, 1985, A MEMORIA É SEMPRE SUBVERSIVA: AS AS-SEMBLEIAS DE DEUS NO CONTEXTO BRASILEIRO. En: *Imagens...* 1985: 32-37.

BLOCH-HOELL, Nils, 1964, THE PENTECOST MOVEMENT: ITS ORIGIN, DEVELOPMENT, AND DISTINCTIVE CHARACTER. Oslo, London: Universitetsforlaget, Allen & Unwin.

BOBSIN, Oneide, 1984, PRODUÇAO RELIGIOSA E SIGNIFICAÇAO SOCIAL DO PENTECOSTALISMO A PARTIR DE SUA PRATICA E REPRESENTAÇAO. São Paulo: Pontífica Universidade Católica de São Paulo [Brasil, Tesis de maestría].

BOMBART, J.P., 1969, LES CULTES PROTESTANTS DANS UNE FAVELA DE RIO DE JANEIRO. América Latina (Rio de Janeiro) 12, 3: 137-156.

BONILLA, P., s.f., CRISIS DEL PROTESTANTISMO COSTARRICENSE ACTUAL. *Pastoralia* 18: 65-128.

BORGES COSTAS, Esdras, 1968, RELIGIÃO E DESENVOLVIMENTO ECONOMICO NO NORDESTE DO BRASIL (IGREJAS PROTESTANTES). Brussel (La Haya: ISS, Leuven: Feres).

BORGES COSTAS, Esdras, 1969, PROTESTANTISME ET DEVELOPPEMENT AU NORD-EST DU BRESIL. *Social Compass* 16, 1: 51-61.

BOTTASSO, Juan, 1984, LAS MISIONES PROTESTANTES Y LA ACULTURACION DE LOS SHUAR. *América Indígena* 44, 1: 143-156.

BOURGUIGNON, Erika (ed.), 1973, RELIGION, ALTERED STATES OF CONSCIOUSNESS AND SOCIAL CHANGE. Columbus: Ohio State University Press [Goff 1973].

BRANDÃO, Carlos Rodrigues, 1980, OS DEUSES DO POVO, UM ESTUDO SOBRE A RELIGIÃO POPULAR. São Paulo: Brasiliense [Brasil].

BRANDT-BESSIRE, Daniel, 1988, AUX SOURCES DE LA SPIRITUALITÉ PENTECOTISTE. Paris: Labor et Fides.

BRECKENRIDGE, David C., 1951, PENTECOSTAL PROGRESS IN CHILE. *World Dominion* 29: 295-298.

BRIDGES, Julian C., 1973, EXPANSION EVANGELICA EN MEXICO. Madrid, Miami: Editorial Mundo Hispano.

BRIDGES, Julian C., 1980, EVANGELICAL EXPANSION IN MEXICO: A STUDY OF THE NUMBER, DISTRIBUTION, AND GROWTH OF THE PROTESTANT POPULATION, 1957-1970. En: Brown and Cooper 1980: 150-168.

BRINKERHOFF, Merlin B.; BIBBY, Reginald W., 1985, CIRCULATION OF THE SAINTS IN SOUTH AMERICA: A COMPARATIVE STUDY. *Journal for the Scientific Study of Religion* 24, 1: 39-55.

BROWN, Lyle C.; COOPER, William F. (eds.), 1980, RELIGION IN LATIN AMERICAN LIFE AND LITERATURE. Waco, Texas: Markham Press Fund [Cf. Bridges 1980].

BROWN, Oral Carl, 1972, HAITIAN VODOU IN RELATION TO NEGRITUDE AND CHRISTIANITY: A STUDY IN ACCULTURATION AND APPLIED ANTHROPOLOGY. Indiana University, Anthropology Department [Tesis doctoral].

BRUMBACK, Carl, 1961, SUDDENLY ... FROM HEAVEN: A HISTORY OF THE ASSEMBLIES OF GOD. Springfield Miss.: Gospel Publishing House.

BRUSCO, Elizabeth, 1986, THE HOUSEHOLD BASIS OF EVANGELICAL RELIGION AND THE REFORMATION OF MACHISMO IN COLOMBIA. Ann Arbor, Mich.: University Microfilms [Tesis doctoral, City University of New York].

BRUSCO, Elizabeth, 1986, COLOMBIAN EVANGELICALISM AS A STRATEGIC FORM OF WOMEN'S COLLECTIVE ACTION. *Feminist Issues* 6, 2: 1-13.

BURCHARDT, Gabriele, 1986, "SEKTEN SIND UNBEGLICHENE RECHNUNGEN DER KIRCHE". ZUM PHAENOMEN "NEUER RELIGIöSER BEWEGUNGEN" IN LATEINAMERIKA. *Herder Korrespondenz* 40, 3: 124-128.

BURNETT, Virginia G., 1986, A HISTORY OF PROTESTANTISM IN GUATEMALA. Tulane University [Tesis doctoral].

BUSWELL, James O., 1981, SURVIVAL INTERNATIONAL AND THE MISSIONARY IMAGE: A CRITIQUE AND EXHORTATION [Sin publicar].

BUTLER FLORA, Cornelia, 1973, SOCIAL DISLOCATION AND PENTECOSTALISM, A MULTIVARIATE ANALYSIS. *Sociological Analysis* 34, 4: 296-305.

BUTLER FLORA, Cornelia, 1975, PENTECOSTAL WOMAN IN COLOMBIA RELIGIOUS CHANGE AND THE STATUS OF WORKING-CLASS WOMAN. *Journal of Interamerican Studies and World Affairs* 17, 4: 411-425.

BUTLER FLORA, Cornelia, 1976, 1978, PENTECOSTALISM IN COLOMBIA: BAPTISM BY FIRE AND SPIRIT. Rutherford N.J.: Fairleigh Dickinson University Press (1976); Cranbury N.J.: Associated University Presses (1978).

BUTLER FLORA, Cornelia 1980, PENTECOSTALISM AND DEVELOPMENT: THE COLOMBIAN CASE. En: Glazier 1980: 81-93.

C

CABESTRERO, Teófilo, 1983, MINISTERS OF GOD, MINISTERS OF THE PEOPLE: TESTIMONIES OF FAITH FROM NICARAGUA. Maryknoll, N.Y.: Orbis.

CABRAL, Joal, 1982, RELIGIONES, SECTAS Y HEREJIAS. Editorial Vida.

CAMARGO, Cândido Procópio Ferreira de, y.o., 1973, CATOLICOS, PROTESTANTES, ESPIRITAS. Petrópolis: Vozes [Brasil].

CAMPBELL, Joseph E., 1951, THE PENTECOSTAL HOLINESS CHURCH 1898-1948. Franklin Springs, Georgia: Pentecostal Holiness Church.

CAMPICHE, Roland J., 1987, SECTAS Y NUEVOS MOVIMIENTOS RELIGIOSOS: DIVERGENCIAS Y CONVERGENCIAS. *Cristianismo y Sociedad* 93, 3, 9-20.

CAMPOS, Alvaro; RODRIGUEZ, Mario, 1986, RELIGION E IDEOLOGIA: ANALISIS PSICOSOCIAL DE TRES DENOMINACIONES PENTECOSTALES DEL AREA METROPOLITANA, SAN JOSE [Tesis de licenciatura, Universidad de Costa Rica].

CAMPOS, Leonildo Silveira, 1982, O MILAGRE NO AR - PERSUASÃO A SERVIÇO DE QUEM? LEVANTAMENTO DE TECNICAS PERSUASIVAS NUM PROGRAMA RADIOFONICO EM SÃO PAULO. Simpósio (ASTE): 26: 92-114 [Brasil].

CALDERON B., Moisés A., s.f., HISTORIA DE LA IGLESIA EVANGELICA APOSTOLICA DEL NOMBRE DE JESUS EN EL ECUADOR. Quito: edición personal del autor.

CARDENAS, Gonzalo Castillo, 1964, EL CRISTIANISMO EVANGELICO EN LA AMERICA LATINA. *Cristianismo y Sociedad* 2: 61-65.

CARDENAS, Gonzalo Castillo, 1964, PROTESTANT CHRISTIANITY IN LATIN AMERICA: AN INTERPRETATION OF TODAY'S SITUATION. *Student World* 57, 1: 61-66.

CARDIEL CORONEL, José Cuauhtémoc, 1983, CAMBIO SOCIAL Y DOMINACION IDEOLOGICA: 43 AÑOS DE EVANGELIZCION DEL ILV EN LA ZONA CHOL DE TUMBALA [Tesis de licenciatura, Universidad Autónoma Metropolitana-Iztapalapa, México].

CARRASCO MALHUE, Pedro , 1982, SACERDOTE, PROFETA Y BRUJO, LA CONFIRMACION DEL CAMPO RELIGIOSO EN UN PUEBLO DEL ESTADO DE OAXACA, MEXICO. *Taller de Teología,* 10: 19-39.

CARRASCO MALHUE, Pedro, 1983, PROTESTANTISMO Y CAMPO RELIGIOSO EN UN PUEBLO DEL ESTADO DE OAXACA, MEXICO. México D.F.: Instituto Internacional de Estudios Superiores [Tesis de licenciatura en Sociología de la Religión].

CARRASCO MALHUE, Pedro, 1988, ¿CONVERTIR PARA NO TRANSFORMAR? *Cristianismo y Sociedad* 95, 1, 7-50.

CARRILLO ALDAY, Salvador, 1973, RENOVACION CRISTIANA EN EL ESPIRITU SANTO. México: Instituto de Sagrada Escritura.

CARRILLO ORTIZ, Mario, s.f., LA IGLESIA EVANGELICA EN GUATEMALA. *Polémica* 9.

CARRION, Mario, 1986, FUGITIVO DE LA TIERRA PROMETIDA. Pueblo Indio (Edición Tawantinsuyu) 2, 8: 28-29.

CASAGRANDE, Joseph B., 1978, RELIGIOUS CONVERSION AND SOCIAL CHANGE IN AN INDIAN COMMUNITY OF HIGHLAND ECUADOR. En: Hartmann y Oberem 1978: 105-111.

CASCO, Miguel Angel, 1982, LAS SECTAS EN NICARAGUA. Ponencia Congreso Nicaragüense de Ciencias Sociales, Associación Nicaragüense de Científicos Sociales.

142

CASTAÑEDA, Amílcar, 1982, LOS ISRAELITAS DEL NUEVO PACTO UNIVERSAL DE PERU. San José, Costa Rica: Seminario Bíblico Latinoamericano.

CASTRO, Emilio, 1972, PENTECOSTALISM AND ECUMENISM IN LATIN AMERICA. *Christian Century*, September, 955-957.

CATO, Clive Stilson, 1984, PENTECOSTALISM: ITS SOCIAL AND RELIGIOUS IMPLICATIONS FOR JAMAICAN SOCIETY. Mona, Jamaica: University of West Indies [Tesis de licenciatura].

CEDOLASI, 1986, BIBLIOGRAFIA SOBRE SECTAS. *Estudios Ecuménicos* 5, 2: 67-68.

CELEP, 1987, EL EVANGELIO Y LA RELIGION ELECTRONICA. *Pastoralia* 9, 10.

CENTRO DE CAPACITACION SOCIAL, 1983, LAS SECTAS: SALVACION BAJO LAS CARPAS. *Diálogo Social* 148: 18-22.

CENTRO DE PLANIFICACION Y ESTUDIOS SOCIALES, 1984, VISION MUNDIAL: EVALUACION Y SEGUIMIENTO EN ALGUNAS COMUNIDADES DE LA SIERRA ECUATORIANA. Quito: Ediciones Abya Yala.

CENTRO ECUMENICO ANTONIO VALDIVIESO, 1982, LOS EVANGELICOS EN LOS TRES AÑOS DE REVOLUCION. *Amanecer*, junio-julio: 24-25.

CENTRO ECUMENICO ANTONIO VALDIVIESO, 1984, CONFLICTO EN LAS ASAMBLEAS DE DIOS. *Amanecer*, marzo-abril: 9-10.

CENTRO ECUMENICO ANTONIO VALDIVIESO, s.f., LAS SECTAS EN NICARAGUA: HERENCIA DEL PASADO E INSTRUMENTO DEL IMPERIALISMO. III Congreso Nicaragüense de Ciencias Sociales, Managua.

CEPEDA, R. (ed.), 1986, LA IGLESIA MISIONERA EN CUBA. San José, Costa Rica: DEI [Cf. González 1986].

CERI-GUA, 1987, LAS SECTAS FUNDAMENTALISTAS Y LA CONTRA-INSURGENCIA EN GUATEMALA. *Servicio Especial*, marzo.

CÉSAR, Waldo A., 1968, SITUAÇÃO SOCIAL E CRESCIMENTO DO PROTES-TANTISMO NA AMERICA LATINA. En: César 1968: 7-36.

CÉSAR, Waldo A., y.o., 1968, PROTESTANTISMO E IMPERIALISMO NA AMERICA LATINA. Petrópolis: Vozes, Questões Abertas.

CÉSAR, Waldo A., 1973, PARA UMA SOCIOLOGIA DO PROTESTANTISMO BRASILEIRO. Petrópolis: Vozes, Trilhas 2.

CHACON, Arturo, 1964, THE PENTECOSTAL MOVEMENT IN CHILE. *Student World* 57, 1: 85-88.

CHAUNU, P., 1965, POUR UNE SOCIOLOGIE DU PROTESTANTISME LATINO-AMERICAIN: PROBLEMES DE METHODE. *Cahiers de Sociologie Economique* 12: 5-18.

CHORDAS, Thomas J., 1980, CATHOLIC PENTECOSTALISM: A NEW WORD IN THE NEW WORLD. En: Glazier 1980: 143-175 [Caribbean, México, Chile].

Church of God..., 1954, CHURCH OF GOD IN THE AMERICAS. Cleveland, Tenn.: Board of Foreign Missions, Church of God.

CLAWSON, David Leslie, 1976, RELIGION AND CHANGE IN A MEXICAN VILLAGE [Tesis doctoral, University of Florida].

CLAWSON, David, 1984, RELIGIOUS ALLEGIANCE AND ECONOMIC DEVELOPMENT IN RURAL LATIN AMERICA. *Journal of Interamerican Studies and World Affairs* 26, 4: 499-524.

COKE, Hugh M., 1978, AN ETHNOHISTORY OF BIBLE TRANSLATION AMONG THE MAYA. Pasadena: Fuller Theological Seminary [Tesis doctoral].

Compreendendo..., 1982, COMPREENDENDO A RENOVAÇÃO. Porto Alegre: Renovação. [15 artículos en *Lutheran Renewal International*].

CONCEIÇAO, Manuel da, 1980, ESSA TERRA É NOSSA. Petrópolis: Vozes [Brasil].

CONCHA MALO, Miguel, y.o., 1986, LA PARTICIPACION DE LOS CRISTIANOS EN EL PROCESO POPULAR DE LIBERACION EN MEXICO (1968-1983). México D.C.: Siglo Veintiuno.

CONCILIO NACIONAL EVANGELICO DEL PERU, 1986, DIRECTORIO EVANGELICO 1986, LIMA, CALLAO Y BALNEARIOS. Lima: Departamento de Proyección Misionera, Estadística y Estudios Socio-Religiosos.

143

CONDE. Emílio, 1960, HISTORIA DAS ASSEMBLEIAS DE DEUS NO BRASIL. Rio de Janeiro: Casa Publicadora Assembléias de Deus.

CONFERENCIA EPISCOPAL PANAMEÑA, 1984, CARTA PASTORAL, EL ECUMENISMO: OBJETIVOS, LOGROS Y FALLAS EN PANAMA. Mimeo, 18 octubre 1984.

CONGREGAÇÃO CRISTÃ NO BRASIL, s.f., BREVE HISTORICA, FÉ, DOUTRINA E ESTATUTOS. São Paulo: Indústrias Reunidas Irmãos Spina.

CONN, Charles W., 1956, PILLARS OF PENTECOST. Cleveland, Tenn.: Pathway Press [Iglesia de Dios].

CONN, Charles W., 1959, WHERE THE SAINTS HAVE TROD: A HISTORY OF THE CHURCH OF GOD MISSIONS. Cleveland, Tenn.: Pathway Press.

CONN, Charles W., 1955, LIKE A MIGHTY ARMY MOVES THE CHURCH OF GOD 1886-1955. Cleveland, Tenn.: Church of God Publishing House.

CONSEJO EPISCOPAL LATINOAMERICANO (CELAM), 1982, SECTAS EN AMERICA LATINA. Guatemala: Gutenberg.

Consultation..., 1985, CONSULTATION ON PENTECOSTALISM AND LIBERATION THEOLOGY. *Occasional Essays* 12, 2: 150-155.

Contemporary..., 1986, CONTEMPORARY RELIGIOUS MOVEMENTS AND THEIR CHALLENGE TO OUR CHURCHES. Consultación Cuenca, 4-10 octubre [Cf. Gouvea Mendonça 1986].

CONWAY, Frederick James, 1978, PENTECOSTALISM IN THE CONTEXT OF HAITIAN RELIGION AND HEALTH PRACTICE. Ann Arbor, Mich.: University Microfilms [Tesis doctoral, The American University, Washington D.C.].

CONWAY, Frederick J., 1980, PENTECOSTALISM IN HAITI: HEALING AND HIERARCHY. En: Glazier 1980: 7-26.

COOK, Guilherme Bewick, 1973, ANALISIS SOCIO-TEOLOGICO DEL MOVIMIENTO DE RENOVACION CARISMATICA CON REFERENCIA ESPECIAL AL CASO COSTARRICENSE. San José, Costa Rica: Publicaciones INDEF [Tesis Seminario Bíblico Latinoamericano, San José].

COOK, William, 1983, INTERVIEW WITH CHILEAN PENTECOSTALS (WCC, VANCOUVER 1983). *International Review of Mission* 72: 591-595.

COOK, Scott, 1965, 1971, THE PROPHETS: A REVIVALIST FOLK RELIGIOUS MOVEMENT IN PUERTO RICO. *Caribbean Studies* 4, 4: 20-35; reedicion en Horowitz 1971: 560-579.

CORRAL PRIETO, Luis, 1984, LAS IGLESIAS EVANGELICAS DE GUATEMALA. Universidad Francisco Marroquín [Tesis de licenciatura].

CORREA M., Pedro, s.f., IGLESIA LOCAL E IDENTIDAD CRISTIANA Y PROTESTANTISMO. ESTUDIO SOBRE CONGREGACIONES EVANGELI-CAS DE ALGUNOS SECTORES POPULARES DE SANTIAGO. Santiago de Chile: Centro Ecuménico Diego de Medellín, Documento de Trabajo.

COSTA, Neusa Meirelles, 1985, RELATORIO DE PESQUISA: ASSEMBLEIA DE DEUS - OPINIOES E ATITUDES DE SEUS MEMBROS. En: *Imagens...* 1985: 38-59 [Brasil].

COSTAS, Orlando E., 1975, EL PROTESTANTISMO EN AMERICA LATINA HOY: ENSAYOS DEL CAMINO. San José, Costa Rica: IINDEF Publicaciones.

COSTAS, Orlando E., 1976, THEOLOGY OF THE CROSSROADS IN CONTEMPORARY LATIN AMERICA: MISSIOLOGY IN MAINLINE PROTESTANTISM 1969-1974. Amsterdam: Rodopi [Tesis doctoral, Vrije Universiteit, Amsterdam].

COSTAS, Orlando E., 1978, CONVERSION AS A COMPLEX EXPERIENCE. *Gospel in Context* 1: 14-24.

COSTAS, Orlando E., 1984, ORIGEN Y DESARROLLO DEL MOVIMIENTO DE CRECIMIENTO DE LA IGLESIA. *Misión* 3, 1: 7-13; 3, 2: 56-60.

COSTELLO, Gerald M., 1979, MISSION TO LATIN AMERICA: THE SUCCESSES AND FAILURES OF A TWENTIETH CENTURY CRUSADE. Maryknoll, N.Y.: Orbis.

COTTER, George, 1983, SPIES, STRINGS AND MISSIONARIES. *Christian Century:* 321-325.

CROUCH, Archie R., 1970, A SHOOT OUT OF THE DRY GROUND: THE MOST RAPIDLY GROWING CHURCH IN MEXICO. New World Outlook (United Methodist Church, New York), N.S., 30, 8: 33-35 [Iglesia Cristiana Independiente Pentecostal].

Cuántos protestantes..., 1955, ¿CUANTOS PROTESTANTES HAY EN CHILE? *Mensaje* 4, 44: 421.

CURRY, Donald Edward, 1968, LUSIADA: AN ANTHROPOLOGICAL STUDY OF THE GROWTH OF PROTESTANTISM IN BRAZIL. Ann Arbor: University Microfilms [Tesis doctoral, Columbia University].

CURRY, Donald Edward, 1970, MESSIANISM AND PROTESTANTISM IN BRAZIL'S SERTÃO. *Journal of Inter-American Studies and World Affairs* 13, 3: 416-438.

CURRY, Donald Edward, 1975, PROTESTANTISM. En: *Encyclopedia of Latin America*, New York: McGraw-Hill.

CUTLER, Donald R. (ed.), 1969, THE RELIGIOUS SITUATION: 1969. Boston: Beacon Press [Cf. Lalive d'Epinay 1969].

D

DAMBORIENA, Prudencio, 1957, EL PROTESTANTISMO EN CHILE. *Mensaje* 6, 59: 145-154.

DAMBORIENA, Prudencio, 1958, A VERY ACTIVE PROTESTANT SECT IN CHILE: THE PENTECOSTALS. *Christ to the World* 3, 1: 111-122.

DAMBORIENA, Prudencio, 1958, PROTESTANTISME LATINO-AMERICAIN. *Nouvelle Revue Théologique* 90, 10: 944-965, 1062-1176.

DAMBORIENA, Prudencio, 1958, UNE SECTE PROTESTANTE TRES ACTIVE AU CHILI: LES PENTECOTISTES. *Le Christ au Monde* (Roma) 3, 1: 103-115.

DAMBORIENA, Prudencio, 1962, THE PENTECOSTALS IN CHILE. *Catholic Mind* 60: 27-32.

DAMBORIENA, Prudencio, 1963, EL PROTESTANTISMO EN AMERICA LATINA. Freiburg, Madrid: Oficina Internacional de Investigaciones Sociales de FERES, 2 tomos.

DAMBORIENA, Prudencio, 1969, TONGUES AS OF FIRE, PENTECOSTALISM IN CONTEMPORARY CHRISTIANITY. Washington, Cleveland: Corpus Books.

DAMEN, Franz, 1986, EL PENTECOSTALISMO EN BOLIVIA. *Fe y Pueblo* 3, 14: 22-23.

DAMEN, Franz, 1986, EL PENTECOSTALISMO: ALGUNOS RASGOS. *Fe y Pueblo* 3, 14: 31-39.

DAMEN, Franz, 1986, EL PENTECOSTALISMO: RUPTURA Y CONTINUIDAD. *Fe y Pueblo* 3, 14: 44-49.

DAMEN, Franz, 1988, EL DESAFIO DE LAS SECTAS. Serie Fe y Compromiso: 5; Oruro/La Paz: Secretariado Nacional de Ecumenismo.

DAMEN, Franz; PREISWERK, Matias, 1986, PENTECOSTALISMO Y RELIGIOSIDAD POPULAR: DOS ENFOQUES. *Fe y Pueblo* 3, 14: 40-43.

DANTAS FILHO, Elias, 1988, O MOVIMENTO PENTECOSTAL BRASILEIRO: SUA HISTORIA E INFLUENCIA SOBRE AS DENOMINAÇÕES TRADICIONAIS NO BRASIL. Ann Arbor, Mich./Godstone, Surrey: University Microfilms International.

DARY, Claudia, 1989, PROTESTANTISMO EN UNA COMUNIDAD TZUTUJIL: EL CASO DE SANTIAGO ATITLAN. En: *El Protestantismo* ..., págs. 49-85.

DAVIS, J. Merle, 1943, HOW THE CHURCH GROWS IN BRAZIL: A STUDY OF THE ECONOMIC AND SOCIAL BASIS OF THE EVANGELICAL CHURCH IN BRAZIL. International Mission Conference.

DAYTON, Edward R. (ed.), 1981, MISSION HANDBOOK: NORTH AMERICAN PROTESTANT MINISTRIES OVERSEAS. Monrovia, California: Missions Advanced Research Center (MARC), World Vision.

DAYTON, Edward R.; WILSON, Samuel (eds.), 1983, UNREACHED PEOPLES '83. Monrovia, California: Missions Advanced Research Center.

DAYTON, Edward R.; WILSON, Samuel (eds.), 1984, THE FUTURE OF WORLD EVANGELIZATION: UNREACHED PEOPLES '84. Monrovia, California: Missions Advanced Research Center.

DEIROS, Pablo A. (ed.), 1986, LOS EVANGELICOS Y EL PODER POLITICO EN AMERICA LATINA. Grand Rapids, Mich.: Eerdmans.

DEKKER, James C., 1985, NORTH AMERICAN PROTESTANT THEOLOGY: IMPACT ON CENTRAL AMERICA. *Evangelical Review of Theology* 9, 3, 226-243.

DI BELLA, M.P.; SIGNORELLI, A., 1983, LE "IMMAGINI" DELL'AMERICA. I GRUPPI PENTECOSTALI DEL MEZZGIORNO IN CULTURA POPULARE E CULTURA DI MASSA. *Ricerca Folclorica* (La) Milano 7: 79-83.

DIAMOND, Sarah, 1988, HOLY WARRIORS. *NACLA, Report on the Americas* 22, 5: 28-40.

DIAS, Zwinglio M., 1977, KRISEN UND AUFGABEN IM BRASILIANISCHEN PROTESTANTISMUS, EINE STUDIE ZU DEN SOZIALGES CHICHTLICHEN BEDINGUNGEN UND VOLKSPÄDAGOGISCHEN MÖGLICHKEITEN DER EVANGELISATION. Universität Hamburg [Tesis doctoral].

Directorio..., 1982, DIRECTORIO EVANGELICO 1981-82. Lima: Ediciones CLAI.

Directorio..., 1983, DIRECTORIO DE IGLESIAS, ORGANIZACIONES Y MINISTERIOS DEL MOVIMIENTO PROTESTANTE. San José, Costa Rica: INDEF.

DIRKSEN, Murl Owen, 1984, PENTECOSTAL HEALING: A FACET OF THE PERSONALISTIC HEALTH SYSTEM IN PAKAL-NA, A VILLAGE IN SOUTHERN MEXICO. Ann Arbor: University Microfilms [Tesis doctoral, University of Tennessee].

Documentos..., 1984, DOCUMENTOS DEL CONGRESO PARA EVANGELISTAS DE CENTROAMERICA Y PANAMA. San José, Costa Rica, setiembre 1984 [Cf. Justiniano 1984, Mora 1984, Paninski 1984, Vásquez 1984, Zapata 1984].

DODSON, Michael, 1986, THE POLITICS OF RELIGION IN REVOLUTIONARY NICARAGUA. *Annals of the American Society of Political and Social Scientists* 483: 36-49.

Dominación ideológica..., 1979, DOMINACION IDEOLOGICA Y CIENCIA SOCIAL, EL INSTITUTO LINGUISTICO DE VERANO EN MEXICO. México: Nueva Lectura, Colegio de Etnólogos y Antropólogos Sociales A.C., Declaración José Carlos Mariátegui.

DOMINGUEZ, Enrique, 1984, THE GREAT COMMISSION. *NACLA, Report on the Americas* 18, 1: 12-22.

DOMINGUEZ, Enrique; HUNTINGTON, Deborah (eds.), 1984, THE SALVATION BROKERS: CONSERVATIVE EVANGELICALS IN CENTRAL AMERICA. *NACLA, Report on the Americas* 18, 1: 2-36.

DOMINGUEZ, Enrique; HUNTINGTON, Deborah (eds.), 1984, LOS TRAFICANTES DE LA SALVACION: EVANGELICOS CONSERVADORES EN CENTRO AMERICA. *NACLA, Report on the Americas* 18, 1.

DOMINGUEZ, Roberto, 1971, PIONEROS DE PENTECOSTES EN EL MUNDO DE HABLA HISPANA, VOL. 1: NORTEAMERICA Y LAS ANTILLAS. Miami, Fa.: Literatura Evangélica.

E

EASTON, William C., 1954, COLOMBIAN CONFLICT. London: Christian Literature Crusade [World Wide Evangelization Crusade].

ECHEVARRIA, Máximo, 1986, EL NUEVO PACTO Y EL VIEJO INFIERNO EN LA AMAZONIA. *Pueblo Indio* (Edición Tawantinsuyu) 2, 8: 38-41.

EDDY, Norman, 1963, A MOVEMENT OF THE HOLY SPIRIT-PENTECOSTALISM IN CHILE. Mimeo [Asambleas de Dios].

EDWARDS, Fred E., 1971, THE ROLE OF THE FAITH MISSION-A BRAZILIAN CASE STUDY. South Pasadena: Fuller Theological Seminary.

EGE, Konrad, 1985, ACTUALIDAD DE UN FUNDAMENTALISMO, EL FIN DEL MUNDO. *Le Monde Diplomatique* 7, 84: 20-21.

EISENSTADT, S. (ed.), 1968, THE PROTESTANT ETHIC AND MODERNIZATION: A COMPARATIVE VIEW. Nueva York [Cf. Willems 1968].

El Frente..., 1986, EL FRENTE PROTESTANTE. *Pueblo Indio* (Edición Tawantinsuyu) 2, 8: 17-21.

El Protestantismo..., 1989, EL PROTESTANTISMO EN GUATEMALA. Universidad de San Carlos de Guatemala, *Cuadernos de Investigación*, no. 2-89 [Cf. Dary, Samandú, Similox Salazar].

ELLIOTT, William W., s.f., SOCIOCULTURAL CHANGE IN A PENTECOSTAL GROUP: A CASE STUDY IN EDUCATION AND CULTURE OF THE CHURCH IN SONORA, MEXICO. Knoxville: University of Tennessee [Tesis doctoral].

ENDRUVEIT, Wilson Harle, 1975, PENTECOSTALISM IN BRAZIL: A HISTORICAL AND THEOLOGICAL STUDY OF ITS CHARACTERISTICS. Evanston, Ill.: Northwestern University [Tesis doctoral].

ERICKSON, Leif, 1989, MAS ALLA DE LA AURORA. Lima: Asambleas de Dios.

ERSKINE, Noel Leo, 1978, BLACK RELIGION AND IDENTITY: A JAMAICAN PERSPECTIVE. Nueva York: Union Theological Seminary [Tesis doctoral].

ESPINOZA, Enrique, 1984, LA SECTA ISRAEL DEL NUEVO PACTO UNIVERSAL: UN MOVIMIENTO MESIANICO PERUANO. *Revista Teológica Limense* 18, 1: 47-81.

Espírito Santo..., 1966, O ESPIRITO SANTO E O MOVIMENTO PENTECOSTAL, SIMPOSIO DA ASTE. São Paulo: ASTE, mimeo [Brasil, artículos de conferencia, 4-8 octubre 1965].

Espírito Santo..., 1967, O ESPIRITO SANTO GLORIFICANDO O CRISTO. Rio de Janeiro: Casa Publicadora das Assembléias de Deus [Brasil, 8ª Conferencia Mundial Pentecostal, Rio de Janeiro, 18-23 julio 1967].

Evangelical Handbook.., 1939, EVANGELICAL HANDBOOK OF LATIN AMERICA. Londres: World Dominion Press.

EZCURRA, Ana María, 1982, LA OFENSIVA NEOCONSERVADORA. LAS IGLESIAS DE U.S.A. Y LA LUCHA IDEOLOGICA HACIA AMERICA LATINA. Madrid: IEPALA (Instituto de Estudios Políticos para América Latina y Africa).

EZCURRA, Ana María, 1983, THE NEOCONSERVATIVE OFFENSIVE: U.S. CHURCHES AND THE IDEOLOGICAL STRUGGLE FOR LATIN AMERICA. Nueva York: Circus Publications.

EZCURRA, Ana Maria, 1984, IDEOLOGICAL AGGRESSION AGAINST THE SANDINISTA REVOLUTION: THE POLITICAL OPPOSITION CHURCH IN NICARAGUA. New York: Circus Publications.

F

FAJARDO, Andrés, 1987, FROM THE VOLCANO: PROTESTANT CONVERSION AMONG THE IXIL MAYA OF HIGHLAND GUATEMALA [Tesis de licenciatura, Harvard College].

Fe cristiana..., 1972, FE CRISTIANA Y CAMBIO SOCIAL EN AMERICA LATINA, ENCUENTRO DE EL ESCORIAL. Salamanca: Ed. Sígueme [Cf. Míguez Bonino 1972].

FEIRREIRA, J.A., 1966, O ESPIRITO SANTO E A RENOVAÇAO DOS CRISTAOS. En: *O espírito...* 1966: 14-20.

FELDMAN, Harry, 1983, MORE ON THE ANTAGONISM BETWEEN ANTHROPOLOGISTS AND MISSIONARIES. *Current Anthropology:* 24, 114-115 [ILV].

FENTON, Jerry, 1969, UNDERSTANDING THE RELIGIOUS BACKGROUND OF THE PUERTO RICAN. Cuernavaca: Centro Intercultural de Documentación.

FERNANDES, Rubem César, 1977, O DEBATE ENTRE SOCIOLOGOS A PROPOSITO DOS PENTECOSTAIS. *Cadernos do ISER* 6: 49-60.

FERNANDES, Rubem César, 1981, FUNDAMENTALISMO A LA DERECHA Y A LA IZQUIERDA: MISIONES EVANGELICAS Y TENSIONES IDEOLOGICAS. *Cristianismo y Sociedad* 69-70, 3-4: 21-50.

FERNANDES, Rubem César, 1982, OS CAVALEIROS DO BOM JESUS, UMA INTRODUÇÃO AS RELIGIÕES POPULARES. São Paulo: Brasiliense.

FERNANDEZ, Celestino, 1983, LAS SECTAS: UN EXTRAÑO SUPERMERCADO ESPIRITUAL. *Vida Nueva* 1381: 23-30 [Colombia].

FERRIS, George, 1981, PROTESTANTISM IN NICARAGUA: ITS HISTORICAL ROOTS AND INFLUENCES AFFECTING ITS GROWTH. Temple University [Tesis doctoral].

FORTUNY, Patricia, 1981, EL PROTESTANTISMO EN YUCATAN, ESTRUCTURA Y FUNCION DEL CULTO EN LA SOCIEDAD RELIGIOSA ESTUDIADA. *Yucatán: Historia y Economía* 5: 35-47 [México].

FORTUNY, Patricia, 1982, INSERCION Y DIFUSION DEL SECTARISMO RELIGIOSO EN EL CAMPO YUCATECO. *Yucatán: Historia y Economía* 6: 3-23 [México].

FOULKES, I.W. de, 1987, ALGUNOS FENOMENOS LINGUISTICOS EN LOS SERMONES DE UN EVANGELISTA NORTEAMERICANO DIFUNDIDOS EN AMERICA LATINA. *Pastoralia* 18: 39-54.

FRANKLIN, Karl J., 1987, CURRENT CONCERNS OF ANTHROPOLOGISTS AND MISSIONARIES. Dallas, Texas: The International Museum of Cultures Publication number 22 [ILV, Wycliffe].

FRASE, Ronald, 1975, A SOCIOLOGICAL ANALYSIS OF THE DEVELOPMENT OF BRAZILIAN PROTESTANTISM: A STUDY IN SOCIAL CHANGE. Princeton Theological Seminary [Tesis doctoral].

FRODSHAM, Stanley Howard, 1946, WITH SIGNS FOLLOWING. THE STORY OF THE PENTECOSTAL REVIVAL IN THE TWENTIETH CENTURY. Springfield Miss.: Gospel Publishing House.

FRY, Peter Henry; HOWE, Gary Nigel, 1975, DUAS RESPOSTAS A AFLIÇÃO: UMBANDA E PENTECOSTALISMO. *Debate e Crítica* 6: 75-94 [Brasil].

G

GAETE, Arturo, 1956, UN CAS D'ADAPTATION: LES 'PENTECOSTALES' AU CHILI. En: Abd-el-Jali 1956: 142-149.

GARCIA-RUIZ, Jesús, 1985, LAS SECTAS FUNDAMENTALISTAS EN GUATEMALA. Guatemala: Ciencia y Tecnología para Guatemala, Cuaderno 4.

GARMA NAVARRO, Carlos , 1982, EL PROTESTANTISMO EN UNA COMUNIDAD TOTONACA, UN ESTUDIO POLITICO. *Cuadernos de Investigación* (INAH, Cuicuilco) 2: 113-129 [México, tambien en RELIGION POPULAR: HEGEMONIA Y RESISTENCIA, México: Cuicuilco].

GARMA NAVARRO, Carlos , 1983, PODER, CONFLICTO Y REELABORACION SIMBOLICA: PROTESTANTISMO EN UNA COMUNIDAD TOTONACA. México: Escuela Nacional de Antropología e Historia [México, tesis].

GARMA NAVARRO, Carlos, 1984, LIDERAZGO PROTESTANTE EN UNA LUCHA CAMPESINA EN MEXICO. *América Indígena* 44, 1: 127-141.

GARMA NAVARRO, Carlos, 1987, PROTESTANTISMO EN UNA COMUNIDAD TOTONACA DE PUEBLA, MEXICO. México: Instituto Nacional Indigenista, Serie de Antropología Social, número 76.

GARMA NAVARRO, Carlos, 1988, LIDERAZGO, MENSAJE RELIGIOSO Y CONTEXTO SOCIAL. *Cristianismo y Sociedad* 95, 1, 89-99.

GARMA NAVARRO, Carlos, 1988, LOS ESTUDIOS ANTROPOLOGICOS SOBRE EL PROTESTANTISMO EN MEXICO. *Revista Iztapalapa:* 8, 15: 53-66.

GARRISON, Vivian, 1974, SECTARIANISM AND PSYCHOSOCIAL ADJUSTMENT: A CONTROLLED COMPARISON OF PUERTO RICAN PENTECOSTALS AND CATHOLICS. En: Zaretsky y Leone 1974: 298-329.

GATES. Charles Wise, 1982, THE BRAZILIAN REVIVAL OF 1952: ITS ANTECENDENTS AND ITS EFFECTS. Pasadena: Fuller Theological Seminary [Tesis doctoral].

GAXIOLA LOPEZ, Malovio, 1964, HISTORIA DE LA IGLESIA APOSTOLICA DE LA FE EN CRISTO JESUS. México: Librería Latinoamericana.

GAXIOLA-GAXIOLA, Manuel J., 1975, THE SERPENT AND THE DOVE: A HISTORY OF THE APOSTOLIC CHURCH OF THE FAITH IN CHRIST JESUS IN MEXICO (1914-1964). Pasadena: Fuller Theological Seminary [Tesis de maestría].

GAXIOLA-GAXIOLA, Manuel J., 1984, THE SPANISH SPEAKING ONENESS CHURCHES IN LATIN AMERICA: SEARCH FOR IDENTITY AND POSSIBILITIES OF DOCTRINAL RENEWAL. En: *Papers*...1984: 121-144.

GAXIOLA-GAXIOLA, Manuel Jesús, 1975, LA SERPIENTE Y LA PALOMA, ANALISIS DEL CRECIMIENTO DE LA IGLESIA APOSTOLICA DE LA FE EN CRISTO JESUS DE MEXICO. South Pasadena, Cal.: William Carey Library.

GEE, Donald, 1967, WIND AND FLAME, INCORPORATING THE FORMER BOOK "THE PENTECOSTAL MOVEMENT" WITH ADDITIONAL CHAPTERS. Croydon: Assemblies of God Publishing House.

GELPI, D., 1973, EL PENTECOSTALISMO AMERICANO. *Concilium:* 89: 403-410.

GERBERT, Martin, 1970, RELIGIONEN IN BRASILIEN. Berlin: Colloquium Verlag, Bibliotheca Ibero-Americano, Tomo 13.

GERLACH, Luther P., 1974, PENTECOSTALISM: REVOLUTION OR COUNTER-REVOLUTION? En: Zaretsky y Leone 1974: 669-699 [Haiti].

GILL, Kenneth D., 1984, A MEXICAN JESUS' NAME EXPERIENCE. En: *Papers*...1984: 102-120.

GILL, Lesley, 1988, BOLIVIA: PENTECOSTALS FILL A GAP (WOMEN AND POVERTY IN THE ANDES II). *Christianity and Crisis:* 395-397.

GIMENEZ, Gilberto, 1978, CULTURA POPULAR Y RELIGION EN EL ANAHUAC. México: Centro de Estudios Ecuménicos.

GINETTE, Cano; NEUFELDT, Karl; y.o., 1981, LOS NUEVOS CONQUISTADORES. Quito: CEDIS.

GLAZIER, Stephen D., 1977, THE ECONOMICS OF TOLERATION: RELIGIOUS PLURALISM IN THE SPIRITUAL BAPTIST CHURCH. Ponencia, Annual Meeting Society for the Scientific Study of Religion, Chicago.

GLAZIER, Stephen D., 1980, PENTECOSTAL EXORCISM AND MODERNIZATION IN TRINIDAD, WEST INDIES. In Glazier (ed.) 1980: 67-80.

GLAZIER, Stephen D., 1980, RELIGION AND CONTEMPORARY RELIGIOUS MOVEMENTS IN THE CARIBBEAN: A REPORT. *Sociological Analysis* 41, 2, 181-183.

GLAZIER, Stephen D. (ed.), 1980, PERSPECTIVES ON PENTECOSTALISM: CASE STUDIES FROM THE CARIBBEAN AND LATIN AMERICA. Washington D.C.: University Press of America.

GLAZIER, Stephen D., 1982, AFRICAN CULTS AND CHRISTIAN CHURCHES IN TRINIDAD. *Journal of Religious Thought* 39, 17-25.

GLAZIER, Stephen D., 1983, CARIBBEAN PILGRIMAGES: A TYPOLOGY. *Journal for the Scientific Study of Religion* 22, 4: 316-325.

GLAZIER, Stephen D., 1983, MARCHING THE PILGRIMS HOME: LEADERSHIP AND DECISION MAKING IN AN AFRO–CARIBBEAN FAITH. Westport, Conn.: Greenwood.

GLAZIER, Stephen D., s.f., MOURNING AND THE ARTICULATION OF LIFE CRISIS AMONG THE SPIRITUAL BAPTISTS OF TRINIDAD. University of Connecticut: Department of Anthropology.

GODDARD, Burton L. (ed.), 1967, ENCYCLOPEDIA OF MODERN CHRISTIAN MISSIONS: THE AGENCIES. Camden, N.J.: Thomas Nelson.

GOFF, James E., 1965, PROTESTANT PERSECUTION IN COLOMBIA 1948-1958. Cuernavaca, México: CIDOC.

GOFF, James E., 1966, CENSO DE LA OBRA EVANGELICA EN COLOMBIA, PARTE 1 INTRODUCCION Y MEMBRESIA, PARTE 2 ESCUELAS Y OTRAS INSTITUCIONES. Bogotá: Confederación Evangélica de Colombia.

GOFF, James E., 1973, APOSTOLICS OF YUCATAN. En: Bourguignon, 1973: 198-218.

GOICOCHEA, Antonio, 1983, SECTAS PROTESTANTES. Lima: Ediciones TAU [Perú].

GOLDER, Morris E., 1973, HISTORY OF THE PENTECOSTAL ASSEMBLIES OF THE WORLD. Indianapolis, Ind.: edición del autor.

GOMES, Geziel N., 1967, PORQUE SOU PENTECOSTAL. Rio de Janeiro: Casa Publicadora das Assembléias de Deus [Brasil].

GOMES, José Francisco, 1985, RELIGIÃO E POLITICA: OS PENTECOSTAIS NO RECIFE. Recife: Universidade Federal de Pernambuco [Tesis de maestría].

GONZALEZ MARTINEZ, José Luis; RONZELEN, Teresa María van, 1983, RELIGIOSIDAD POPULAR EN EL PERU. Lima: Centro de Estudios y Publicaciones.

GONZALEZ ALVARADO, Eloy , 1986, PRESENCIA MISIONERA EN EL NORTE DEL PERU. Lima [Iglesia Santidad de Peregrinos].

GONZALEZ, A., 1986, LA IGLESIA CRISTIANA PENTECOSTAL DE CUBA COMO MISIONERA Y MISIONADA. En: Cepeda 1986.

GONZALEZ, Justo L., 1967, HISTORIA DE LAS MISIONES. New York: TEF [Cap. 9 Latinoamérica].

GONZALEZ, Justo L., 1969, THE DEVELOPMENT OF CHRISTIANITY IN THE LATIN CARIBBEAN. Grand Rapids, Mich.: Eerdmans.

GOODMAN, Felicitas D., 1969, PHONETIC ANALYSIS OF GLOSSOLALIA IN FOUR CULTURAL SETTINGS. *Journal for the Scientific Study of Religion* 8: 227-239.

GOODMAN, Felicitas D., 1972, SPEAKING IN TONGUES, A CROSS-CULTURAL STUDY OF GLOSSOLALIA. Chicago/Londres: University of Chicago Press.

GOODMAN, Felicitas D., 1972, UN CULTO DE CRISIS EN YUCATAN. Sociedad Mexicana de Antropología, Religión en Mesoamérica, XXII Mesa Redonda, 617-621 [México].

GOODMAN, Felicitas D., 1973, APOSTOLICS OF YUCATAN, A CASE HISTORY OF A RELIGIOUS MOVEMENT. En: Bourguignon 1973: 178-218 [México].

GOODMAN, Felicitas D., 1974, DISTURBANCES IN THE APOSTOLIC CHURCH, A TRANCE–BASED UPHEAVAL IN YUCATAN. En: Goodman y.o. 1974: 227-364.

GOODMAN, Felicitas D., y.o., 1974, TRANCE, HEALING AND HALLUCINATION, THREE FIELD STUDIES IN RELIGIOUS EXPERIENCE. Nueva York: John Wiley [Cf. Goodman 1974, Henney 1974].

GOODMAN, Felicitas D., 1974, PROGNOSIS: A NEW RELIGION? En: Zaretsky y Leone 1974: 244-254 [México].

GOODMAN, Felicitas D., 1975, BELIEF SYSTEM, MILLENARY EXPECTATIONS, AND BEHAVIOR. En: Hill 1975: 130-138.

GOODMAN, Felicitas D., 1988, HOW ABOUT DEMONS? POSSESSION AND EXORCISM IN THE MODERN WORLD. Bloomington & Indianapolis: Indiana University Press [México, cap. 4].

GOSLIN, Tomás S., 1956, LOS EVANGELICOS EN LA AMERICA LATINA: SIGLO XIX, LOS COMIENZOS. Buenos Aires: La Aurora.

GOUVEA MENDONÇA, Antonio, 1986, DESAFIOS DOS PENTECOSTAIS AS IGREJAS EVANGELICAS TRADICIONAIS. *Tempo e Presença* 209: 20-21 [Brasil].

GOUVEA MENDONÇA, Antonio, 1986, SECTS: SOME THEORETICAL REFLECTIONS. En: *Contemporary...* 1986 [Ponencia].

GOUVEIA, Eliane H., 1987, O SILENCIO QUE DEVE SER OUVIDO: MULHERES PENTECOSTAIS EM SÃO PAULO. São Paulo: Pontífica Universidade Católica [Tesis de maestría].

GREEN, Raul, 1983, EL DESAFIO DE LOS PROTESTANTES Y DE LAS SECTAS. *Le Monde Diplomatique* 51.

GROSS, Sue Anderson, 1968, RELIGIOUS SECTARIANISM IN THE SERTÃO OF NORTHEAST BRAZIL, 1815-1966. *Journal of Inter-American Studies* 10: 369-383.

GRÜNDLER, Johannes, 1961, LEXIKON DER CHRISTLICHEN KIRCHEN UND SEKTEN. Viena, etc.: Herder.

Guatemala..., 1983, GUATEMALA: EL PAIS-EXPERIMENTO DE LAS IGLESIAS FUNDAMENTALISTAS. *Altercom* 29.

GUERRERO, Bernardo, 1978, LOS PENTECOSTALES Y EL PROCESSO DE DESINTEGRACION DE LAS COMUNIDADES DEL NORTE GRANDE CHILENO. Antofagasta: Universidad del Norte, Facultad de Ciencias Sociales, Departamento de Sociología.

GUERRERO, Bernardo, 1984, MOVIMIENTO PENTECOSTAL, CORRIENTES MODERNISTAS Y SOCIEDAD AYMARA. *Cuaderno de Investigación Social,* 8, 8 [Chile].

GUERRERO, Bernardo, 1990, LAS CAMPANAS DEL DOLOR: VIOLENCIA Y CONFLICTO EN LOS ANDES CHILENOS. Iquique: Ediciones El Jote Errante.

Guía..., 1953, GUIA DE LAS IGLESIAS EVANGELICAS Y OTRAS NO CATOLICO-ROMANAS. Buenos Aires: La Aurora [Argentina].

GUILLEN, Miguel, 1982, LA HISTORIA DEL CONCILIO LATINO AMERICANO DE IGLESIAS CRISTIANAS. Brownsville, Texas: Latin American Council of Christian Churches [México, E.E.U.U., historia de una iglesia pentecostal entre los mexicanos en los E.E.U.U. y en México].

GULLICK, Charles, 1971, SHAKERS AND ECSTASY. *New Fire* (Oxford, Society of St. John the Evangelist) 9: 7-11 [St. Vincent, Bautistas espirituales].

H

HADDEN, Jeffrey; SHUPE, Anson (eds.), 1986, PROPHETIC RELIGION AND POLITICS. Nueva York: Paragon [Cf. Poloma].

HARGRAVE, O.T., 1958, A HISTORY OF THE CHURCH OF GOD IN MEXICO. San Antonio: Trinity University [Tesis de maestría].

HARNDEN, Philip, 1977, TODAY'S WYCLIFFE VERSION. The Other Side: mayo, 24-34; 46-48.

HARPER, Gordon P., 1963, THE CHILDREN OF HIPOLITO - A STUDY OF BRAZILIAN PENTECOSTALISM. Harvard University, cuaderno de investigacion no publicado.

HARTMANN, R; OBEREM, U. (eds.), 1978, AMERIKANISTISCHE STUDIEN. St. Augustin: Anthropos-Institut, Collectanea Instituti Anthropos 20 (1) [Cf. Casagrande 1978].

HASLAM, David, 1987, FAITH IN STRUGGLE: THE PROTESTANT CHURCHES IN NICARAGUA AND THEIR RESPONSE TO THE REVOLUTION. Londres: Epworth Press.

HASSE, Elemer, 1964, LUZ SOBRE O FENOMENO PENTECOSTAL. São Paulo: edicion del autor [Brasil].

HEATH, S. Brice, 1977, LA POLITICA DEL LENGUAJE EN MEXICO. México: Instituto Nacional Indigenista [ILV].

HEFLEY, Jame; HEFLEY Martin, 1974, UNCLE CAM. Waco, Texas: Word Books [ILV].

HEGY, Pierre, 1971, INTRODUCCION A LA SOCIOLOGIA RELIGIOSA DEL PERU. Lima: Ediciones Libraria "Studium".

HENNEY, Jeannette H., 1967, TRANCE BEHAVIOUR AMONG THE SHAKERS OF ST. VINCENT. Columbus, Ohio: The Ohio State University Cross Cultural Study of Dissociated States, *Working Paper* no. 8.

HENNEY, Jeannette H., 1968, SPIRIT POSSESSION BELIEF AND TRANCE BEHAVIOR IN A RELIGIOUS GROUP IN ST.VINCENT, BRITISH WEST INDIES. Columbus, Ohio: The Ohio State University [Tesis doctoral, bautistas espirituales].

HENNEY, Jeannette H., 1971, THE SHAKERS OF ST. VINCENT: A STABLE RELIGION. En: Bourguignon 1971: 219-263 [Bautistas espirituales].

HENNEY, Jeannette H., 1974, SPIRIT-POSSESSION BELIEF AND TRANCE BEHAVIOR IN TWO FUNDAMENTALIST GROUPS IN ST. VINCENT. En: Goodman 1974: 1-111.

HERNANDEZ, Juan Antonio, 1985, EL FANATISMO DE LOS "CARISMATICOS". *Correo del Sur* 1215 [México].

HILL, Carole E. (ed.), 1975, SYMBOLS AND SOCIETY, ESSAYS ON BELIEF SYSTEMS IN ACTION. Athens: University of Georgia Press [Cf. Goodman 1975].

HILL, Jonathan D., 1984, LOS MISIONEROS Y LAS FRONTERAS. *América Indígena* 44, 1: 183-190 [Brasil, Venezuela, Colombia, Nuevas Tribus].

Historia..., 1977, HISTORIA DEL AVIVAMIENTO ORIGEN Y DESARROLLO DE LA IGLESIA EVANGELICA PENTECOSTAL. Corporación Iglesia Evangélica Pentecostal [Chile].

HODGES, Serena M. (ed.), 1956, LOOK ON THE FIELDS, A MISSIONARY SURVEY (DATA SUPPLIED BY ASSEMBLIES OF GOD MISSIONARIES). Springfield, Miss.: Gospel Publishing House.

HOFF, Paul B., 1984, THE PENTECOSTAL MOVEMENT OF CHILE. *World Pentecost* 3: 4-6.

HOFFNAGEL, Judith Chambliss, 1978, THE BELIEVERS: PENTECOSTALISM IN A BRAZILIAN CITY. Ann Arbor: University Microfilms International [Tesis doctoral, Indiana University].

HOFFNAGEL, Judith Chambliss, 1980, PENTECOSTALISM: A REVOLUTIONARY OR CONSERVATIVE MOVEMENT? En: Glazier 1980: 111-123 [Brasil].

HOFMAN, J. Samuel, 1983, OPPOSITION TO SIL IN LATIN AMERICA. *Missionary Monthly:* Junio-julio, 3-4;8.

HOLLAND, Clifton (ed.), 1981, WORLD CHRISTIANITY: CENTRAL AMERICA AND THE CARIBBEAN. Monrovia, California: MARC (Missions Advanced Research and Communications Center).

HOLLENWEGER, Walter J., 1964, ENTHUSIASTES CHRISTENTUM IN BRASILIEN, *Reformatio* 13: 484-488, 623-631.

HOLLENWEGER, Walter J., 1965, HANDBUCH DER PFINGSTBEWEGUNG. TEILDRUCK: AUFSTELLUNG UND KLASSIFIZIERUNG DER ORGANISATIONEN DER PFINGSTBEWEGUNG. München: Uni-Druck [Tesis doctoral, Universität Zürich].

HOLLENWEGER, Walter J., 1965-1967, HANDBUCH DER PFINGSTBEWEGUNG. 10 vol. [Mimeo, tomo 02b sobre Latinoamérica y el Caribe, págs. 855-1116].

HOLLENWEGER, Walter J., 1968, EVANGELISM AND BRAZILIAN PENTECOSTALS. *Ecumenical Review* 20: 163-170.

HOLLENWEGER, Walter J., 1969, O MOVIMENTO PENTECOSTAL NO BRASIL. Simpósio 2, 3: 5-41.

HOLLENWEGER. Walter J., 1969, ENTHUSIASTES CHRISTENTUM IN BRASILIEN. En: Tschuy 1969: 97-106 [Reedición de Hollenweger 1964].

HOLLENWEGER, Walter J., 1969, ENTHUSIASTES CHRISTENTUM; DIE PFINGSTBEWEGUNG IN GESCHICHTE UND GEGENWART. Wuppertal, Zürich: Brockhaus.

HOLLENWEGER, Walter J., 1970, PENTECOSTALISM AND THE THIRD WORLD. *Dialogue* 9, 2: 122-129.

HOLLENWEGER, Walter J., 1970, A BLACK PENTECOSTAL CONCEPT: A FORGOTTEN CHAPTER OF BLACK HISTORY - THE PENTECOSTALS' CONTRIBUTION. *Concept* (Geneva, WCC) 30: 4-5, 18.

HOLLENWEGER, Walter J. (ed.), 1971, DIE PFINGSTKIRCHEN, SELBSTDARSTELLUNGEN, DOKUMENTE, KOMMENTARE. Stuttgart: Evangelisches Verlagswerk.

HOLLENWEGER, Walter J., 1972, THE PENTECOSTALS: THE CHARISMATIC MOVEMENT IN THE CHURCHES. Minneapolis: Augsburg Publishing House.

HOLLENWEGER, Walter J., 1973, PFINGSTLER, KATHOLIKEN UND POLITIK IN LATEINAMERIKA. *Reformatio* 22, 6: 334-341.

HOLLENWEGER, Walter J., 1974, CHARISMATIC AND PENTECOSTAL MOVEMENTS. En: Kirkpatrick 1974.

HOLLENWEGER, Walter J. , 1974, PENTECOST BETWEEN BLACK AND WHITE. Belfast: Christian Journals.

HOLLENWEGER, Walter J., 1976, EL PENTECOSTALISMO, HISTORIA Y DOCTRINAS. Buenos Aires, Argentina: Asociación Editoral La Aurora.

HOLLENWEGER, Walter J., 1977, CHRISTEN OHNE SCHRIFTEN. FÜNF FALLSTUDIEN ZUR SOZIALETHIK MÜNDLICHER RELIGION. Erlangen: Evangelisch-Lutherische Mission.

HOLLENWEGER, Walter J., 1980, ROOTS AND FRUITS OF THE CHARISMATIC RENEWAL IN THE THIRD WORLD: IMPLICATIONS FOR MISSION. *Theological Renewal* 14.

HOLLENWEGER, Walter J., 1982, METHODISM'S PAST IN PENTECOSTALISM'S PRESENT; A CASE STUDY OF A CULTURAL CLASH IN CHILE. *Methodist History* 20: 169-182.

HOLLENWEGER, Walter J., 1985, AS ASSEMBLEIAS DE DEUS NO BRASIL. En: *Imagens...*1985: 22-31.

HOMRIGHAUSEN, E.G., 1970, THE CHURCH IN THE WORLD; PENTECOSTALISM AND THE THIRD WORLD. *Theology Today* 26, 4: 446-450.

HOOVER, Willis C., 1931, s.f., HISTORIA DEL AVIVAMIENTO PENTECOSTAL EN CHILE. Santiago: Imprenta El Esfuerzo (1931). Santiago: Comunidad Evangélica de Chile, PRESOR (s.f.).

HOOVER, Willis C., 1932, PENTECOST IN CHILE. *World Dominion* 10: 155-161.

HOPKIN, John Barton, 1984, MUSIC IN JAMAICAN PENTECOSTAL CHURCHES. *Jamaica Journal* (Kingston: The Institute of Jamaica).

HOROWITZ, Michael M. (ed.), 1971, PEOPLES AND CULTURES OF THE CARIBBEAN: AN ANTHROPOLOGICAL READER. Garden City, N.Y.: Natural History Press [Cf. Cook 1965, 1971].

HOWE, Gary Nigel, 1977, REPRESENTAÇÕES RELIGIOSAS E CAPITALISMO: UMA "LEITURA" ESTRUTURALISTA DO PENTECOSTALISMO NO BRASIL. *Cadernos do ISER* 6: 39-48.

HOWE, Gary Nigel, 1980, CAPITALISM AND RELIGION AT THE PERIPHERY: PENTECOSTALISM AND UMBANDA IN BRAZIL. En: Glazier 1980: 125-141.

HUAMAN P., Santiago A., 1982, LA PRIMERA HISTORIA DEL MOVIMIENTO PENTECOSTAL DEL PERU. Lima: El gallo de oro.

HUCK, Eugene, and Edward MOSELEY, 1970, MILITANTS, MERCHANTS AND MISSIONARIES: U.S. EXPANSION IN MIDDLE AMERICA. Bloomington Al.: University of Alabama Press.

HUNKA, Jack W., 1967, THE HISTORY/PHILOSOPHY OF ASSEMBLIES OF GOD IN LATIN AMERICA. Western Evangelical Seminary.

HUNTINGTON, Deborah, 1984, GOD'S SAVING PLAN. *NACLA, Report on the Americas* 18, 1: 23-33.

HUNTINGTON, Deborah, 1984, THE PROPHET MOTIVE. *NACLA, Report on the Americas* 18, 1: 2-11.

HURBON, Laënnec, 1987, LOS NUEVOS MOVIMIENTOS RELIGIOSOS EN EL CARIBE. *Cristianismo y Sociedad* 93, 3, 37-64.

HUTCHINSON, William R., 1987, ERRAND TO THE WORLD: AMERICAN PROTESTANT THOUGHT AND FOREIGN MISSION. Chicago, etc.: University of Chicago Press.

HUTTEN, Kurt, 1963, DIE STÄRKSTE PROTESTANTISCHE KONFESSION LATEINAMERIKAS. *Materialdienst* (Stuttgart) 26: 118.

HVALKOF, Soren; AABY, Peter, 1981, IS GOD AN AMERICAN? AN ANTHROPOLOGICAL PERSPECTIVE ON THE MISSIONARY WORK OF THE SUMMER INSTITUTE OF LINGUISTICS. Copenhagen/London: International Workgroup for Indigenous Affairs/Survival International [ILV].

HVALKOF, Soren; Stoll, David, 1984, ON THE SUMMER INSTITUTE OF LINGUISTICS AND ITS CRITICS. *Current Anthropology:* 25, 124-125.

I

IBARRA BELLON, Araceli; REISE L., Alisa Lanczyner, 1972, LA HERMOSA PROVINCIA, NACIMIENTO Y VIDA DE UNA SECTA CRISTIANA EN GUADALAJARA. Guadalajara: Universidad de Guadalajara [México, Tesis de *maestría en filosofía y letras*].

Imagens..., 1985, IMAGENS DA ASSEMBLEIA DE DEUS. Rudge Ramos, São Bernardo do Campo SP: IMES, *Cadernos de Pós-graduação Ciências da Religão* 4 [Brasil, Asambleas de Dios].

IMMERMAN, Richard H., 1982, THE CIA IN GUATEMALA. Austin: University of Texas Press.

INSTITUTO DE RELACIONES ECUMENICAS, s.f., EL USO DE LAS SECTAS RELIGIOSAS EN AMERICA LATINA. Documentos de circulación interna no. 3 [Argentina].

Intelligence..., s.f., INTELLIGENCE INFILTRATION INTO RELIGIOUS ORGANIZATIONS. Socio Pastoral Institute, *Special Issue* 3, Year Two, Mimeo.

Invasión..., s.f., INVASION DE SECTAS PROTESTANTES. Asunción: Vicariato Castrense [Paraguay].

IRELAND, Rowan, 1987, THE POLITICS OF BRAZILIAN PENTECOSTALS. Bundoora: La Trobe University [Ponencia SAANZ Conference, University of South Wales, julio 1987].

J

JACKSON, Jean E., 1984, TRADUCCIONES COMPETITIVAS DEL EVANGELIO EN EL VAUPES, COLOMBIA. *América Indígena* 44, 1: 49-94 [ILV, Nuevas Tribus].

JIMENEZ, Julio, 1985, LA IGLESIA DENUNCIA EL NARCOTRAFICO Y LA UTILIZACION DE LAS SECTAS. *Vida Nueva* 1484.

JOHNSON, Norbert E., 1970, THE HISTORY, DYNAMIC, AND PROBLEMS OF THE PENTECOSTAL MOVEMENT IN CHILE. Richmond, Va.: Union Theological Seminary.

JOHNSON, Robert Edward, 1984, AN HISTORICAL ANALYSIS OF THE SOURCES OF RELIGIOUS ABERTURA IN BRAZIL. Southwestern Baptist Theological Seminary [Tesis doctoral].

JONES, Charles E., 1974, A GUIDE TO THE STUDY OF THE HOLINESS MOVEMENT. Metuchen, N.J.: Scarecrow Press y American Theological Library, ATLA Bibliography Series no. 1.

154

JONES, Charles E., 1983, A GUIDE TO THE STUDY OF THE PENTECOSTAL MOVEMENT. Metuchen, N.J.: Scarecrow Press y American Theological Library Association, ATLA Bibliography Series no. 6, 2 tomos.

JONHSON, Norbert E., s.f., THE HISTORY, DYNAMICS AND PROBLEMS OF THE PENTECOSTAL MOVEMENT IN CHILE. Richmond, Va.: Union Theological Seminary [Tesis de maestría].

JORDAN, W.F., 1926, CENTRAL AMERICAN INDIANS AND THE BIBLE. Nueva York: Fleming H. Revell.

JUNGKUNTZ, Theodore, 1981, UM CATECISMO LUTERANO CARISMATICO. Porto Alegre: Renovação. [Brasil].

Junta..., 1979, JUNTA CURBS RELIGIOUS LIBERTY OF SECTS IN ARGENTINA. *Latinamerica Press* 11, 43: 5-7.

JUSTINIANO, Rolando, 1984, COMO FINANCIAR LAS CAMPAÑAS. En: *Documentos...* 1984.

K

KAMI, Peter, 1975, REVOLUTIONARY CUBAN PENTECOSTALS. Bristol: Pentecost and Politics.

KAMI, Peter, s.f., THE CHURCH IN REVOLUTIONARY CUBA. En: *Cuba now*...s.f.

KATOLLA-SCHÄFER, K., 1987, DIE ROLLE DER PFINGSTKIRCHLICHEN MISSION IN SOZIOKULTURELLEN VERÄNDERUNGEN IM HOCHLAND GUATEMALAS. Tübingen: Eberhardt-Karls-Universität.

KEMPER, W., 1965, ARCHISCH-EKSTATISCHE MASSENBEWEGUNGEN IM HEUTIGEN BRASILIEN. En: Bitter 1965:133-150.

KENDRICK, Klaude, 1961, THE PROMISE FULFILLED: A HISTORY OF THE MODERN PENTECOSTAL MOVEMENT. Springfield, Miss.: Gospel Publishing House [Tesis, University of Texas, Austin 1959].

KESSEL, Juan van; GUERRERO J., Bernardo, 1987, "SANIDAD Y SALVACION" EN EL ALTIPLANO CHILENO: DEL YATIRI AL PASTOR. Iquique: CIREN, *Cuaderno de Investigación Social* no. 21.

KESSLER, J.B., 1967, A STUDY OF THE OLDER PROTESTANT MISSIONS AND CHURCHES IN PERU AND CHILE, WITH SPECIAL REFERENCE TO PROBLEMS OF DIVISION, NATIONALISM AND NATIVE MINISTRY. Goes: Oosterbaan & Le Cointre [Tesis doctoral, Universidad de Utrecht].

KEYES, Lawrence E., 1983, THE LAST AGE OF MISSIONS: A STUDY OF THIRD WORLD MISSION SOCIETIES. Pasadena, Cal.: William Carey Library.

KIRKPATRICK, D. (ed.), 1974, THE HOLY SPIRIT. Tydings: World Methodist Council.

KLIEWER, Gerd Uwe, 1975, DAS NEUE VOLK DER PFINGSTLER; RELIGION, UNTERENTWICKLUNG UND SOZIALER WANDEL IN LATEINAMERIKA. Bern: Herbert Lang, *Studien zur interkulturellen Geschichte des Christentums* no. 3.

KLIEWER, Gerd Uwe, 1976, DOUTRINA PENTECOSTAL E AMBIENTE SOCIAL. *Estudos Teológicos* (São Leopoldo) 16, 3: 37-44. [Brasil].

KLOPPENBURG, Boaventura, 1975, REFLEXIONES PSICOLOGICO-TEOLOGICAS SOBRE LA FENOMENOLOGIA PENTECOSTAL. Medellín, *Teología y Pastoral para América Latina* 1, 3: 297-314.

KUHL, Paul E., 1982, PROTESTANT MISSIONARY ACTIVITY AND FREEDOM OF RELIGION IN ECUADOR, PERU AND BOLIVIA [Tesis doctoral, Southern Illinois University, Carbondale].

KUNKEL, Heimberto, 1987, CONTEMPORARY RELIGIOUS MOVEMENTS CHALLENGE LATIN AMERICAN CHURCHES. *LW Information* 2, 10.

L

La penetración..., 1982, LA PENETRACION PROTESTANTE EN HONDURAS. *Boletín Informativo de Honduras* 18.

La Penetración..., 1983, LA PENETRACION PROTESTANTE EN HONDURAS. *Boletín Informativo de Honduras* 23.

La santa..., 1984, LA SANTA CONTRAINSURGENCIA: SECTAS PROTESTANTES EN CENTRO-AMERICA. *Diálogo Social* 17, 169, 47-49.

LAGOS SCHUFFENEGER, Humberto, 1978, LA LIBERTAD RELIGIOSA EN CHILE, LOS EVANGELICOS Y EL GOBIERNO MILITAR. Santiago de Chile: Edición UNELAM/Vicaría de la Solidaridad.

LAGOS SCHUFFENEGER, Humberto, 1983, LA FUNCION DE LAS MINORIAS RELIGIOSAS: LAS TRANSACCIONES DEL PROTESTANTISMO CHILENO EN EL PERIODO 1973-1981 DEL GOBIERNO MILITAR. Louvain-la-Neuve: Ed. Cabay [Tesis doctoral en sociología].

LAGOS SCHUFFENEGER, Humberto, 1983, LA LIBERTAD RELIGIOSA Y LAS CORPORACIONES DE DERECHO PROTESTANTES, CHILE 1973-1981. Madrid: Universidad Complutense [Tesis de licenciatura en derecho].

LAGOS SCHUFFENEGER, Humberto, 1984, LA FUNCION DE LA RELIGION EN EL GOBIERNO MILITAR, EN EL MODELO POLITICO AUTORITARIO Y EN LAS FUERZAS ARMADAS Y DE ORDEN DE CHILE. Primer Congreso Chileno de Sociología: 1984. También en: *Revista Andes* 1985, 34-42.

LAGOS SCHUFFENEGER, Humberto, 1985, SECTAS RELIGIOSAS EN CHILE: ¿OPRESION O LIBERACION? Santiago de Chile: Ediciones PRESOR.

LAGOS SCHUFFENEGER, Humberto, s.f., LA CRISIS DE HEGEMIONIA EN CHILE Y LA FUNCION DE LAS IGLESIAS EVANGELICAS. Santiago de Chile: PRESOR (Programa Evangélico de Estudios Socio-religiosos).

LAGOS SCHUFFENEGER, Humberto; Arturo CHACON HERRERA, 1986, LA FUNCION DE LA RELIGION EN LAS FUERZAS ARMADAS Y DE ORDEN. Santiago de Chile: Ed. Rehue-PRESOR [Chile].

LALIVE D'EPINAY, Christian, 1967, CHANGEMENTS SOCIAUX ET DEVELOPPEMENT D'UNE SECTE: LE PENTECOTISME AU CHILI. *Archives de Sociologie des Religions* 12, 23: 65-90.

LALIVE D'EPINAY, Christian, 1967, LE PENTECOTISME DANS LA SOCIETE CHILIENNE, ESSAI D'APPROCHE SOCIOLOGIQUE. Ginebra: Université de Genève, 2 tomos [Tesis de licenciatura].

LALIVE D'EPINAY, Christian, 1967, PASTORES CHILENOS Y ABERTURA HACIA EL ECUMENISMO. *Mensaje* 163.

LALIVE D'EPINAY, Christian, 1967, THE TRAINING OF PASTORS AND THEOLOGICAL EDUCATION: THE CASE OF CHILE. *International Review of Missions* 56: 185-192.

LALIVE D'EPINAY, Christian, 1968, TOWARD A TYPOLOGY OF LATIN AMERICAN PROTESTANTISM. *Review of Religious Research* 10: 4-11.

LALIVE D'EPINAY, Christian, 1968, EL REFUGIO DE LAS MASAS, ESTUDIO SOCIOLOGICO DEL PROTESTANTISMO CHILENO. Santiago de Chile: Editorial del Pacífico.

LALIVE D'EPINAY, Christian, 1968, THE PENTECOSTAL 'CONQUISTA' IN CHILE. *Ecumenical Review* 20, 1: 16-32.

LALIVE D'EPINAY, Christian, 1969, HAVEN OF THE MASSES. A STUDY OF THE PENTECOSTAL MOVEMENT IN CHILE. London: Lutterworth Press.

LALIVE D'EPINAY, Christian, 1969, THE PENTECOSTAL 'CONQUEST' OF CHILE: RUDIMENTS OF A BETTER UNDERSTANDING. En: Cutler 1969: 179-193.

LALIVE D'EPINAY, Christian, 1970, LES PROTESTANTISMES LATINO-AMERICAINS, UN MODELE TYPOLOGIQUE. *Archives de Sociologie des Religions* 30: 33-57.

LALIVE D'EPINAY, Christian, 1970, O REFUGIO DAS MASSAS, ESTUDO SOCIOLOGICO DO PROTESTANTISMO CHILENO. Rio de Janeiro: Paz e Terra.

LALIVE D'EPINAY, Christian, 1974, LES RELIGIONS AU CHILE ENTRE L'ALIENATION ET LA PRISE DE CONSCIENCE. *Social Compass* 21: 85-100.

LALIVE D'EPINAY, Christian, 1976, LE ROLE PARTICULIER DES MOUVEMENTS PROTESTANTS POPULAIRES. *Le Monde Diplomatique*, 16 mayo 1976.

LALIVE D'EPINAY, Christian, 1977, RELIGIAO, ESPIRITUALIDADE E SOCIEDADE, ESTUDO SOCIOLOGICO DO PENTECOSTALISMO LATINOAMERICANO. *Cadernos do ISER*, 6: 5-10.

LALIVE D'EPINAY, Christian, 1978, CONFORMISME PASSIF, CONFORMISMO ACTIF ET SOLIDARITE DE CLASSE. COMMENTAIRE A L'ARTICLE DE J. TENNEKES. *Social Compass* 25, 1: 80-84.

LALIVE D'EPINAY, Christian, 1981, DEPENDANCE SOCIALE ET RELIGION, PASTEURS ET PROTESTANTISMES LATINO-AMERICAINS. *Archives de Sciences Sociales des Religions* 52, 1: 85-98.

LALIVE D'EPINAY, Christian, 1983, POLITICAL REGIMES AND MILLENARIANISM IN A DEPENDENT SOCIETY: REFLECTIONS ON PENTECOSTALISM IN CHILE. *Concilium* 161: 42-54.

LANCASTER, Roger N., 1988, THANKS TO GOD AND THE REVOLUTION. POPULAR RELIGION AND CLASS CONSCIOUSNESS IN THE NEW NICARAGUA. Nueva York: Columbia University Press.

LARSON, Peter Alden, 1973, MIGRATION AND CHURCH GROWTH IN ARGENTINA. Pasadena, Cal.: Fuller Theological Seminary [Tesis].

LARUFFA, Anthony L, 1966, PENTECOSTALISM IN A PUERTO RICAN COMMUNITY [Tesis doctoral, Columbia University, Nueva York].

LARUFFA, Anthony, 1969, CULTURE CHANGE AND PENTECOSTALISM IN PUERTO RICO. *Social and Economic Studies* 18: 273-281.

LARUFFA, Anthony L., 1972, SAN CIPRIANO: LIFE IN A PUERTO RICAN COMMUNITY. Nueva York: Gordon and Breach.

LARUFFA, Anthony L., 1980, PENTECOSTALISM IN PUERTO RICAN SOCIETY. En: Glazier 1980: 49-65.

Las nuevas..., 1983, LAS "NUEVAS RELIGIONES". *Amigo del Hogar* 442 [República Dominicana].

Las sectas..., 1982, LAS SECTAS EN PANAMA, *Diálogo Social* 148.

Las sectas..., 1983, LAS SECTAS PROTESTANTES. *Orientación* 432 [Ecuador].

Las sectas..., 1984, LAS SECTAS EN EL PERU. *Misión sin Fronteras* 58.

LAURENTIN, René, 1982, MIRACLES IN EL PASO? Ann Arbor, Mich.: Servant Books [México].

LAWSON, David L., 1979, RELIGIOUS AFFILIATION AND AGRICULTURAL INNOVATION IN A HIGHLAND MEXICAN VILLAGE [Ponencia Annual Meeting Association of American Geographers, April 9-12, 1979].

LEON, Víctor de, 1979, THE SILENT PENTECOSTALS, A BIOGRAPHICAL HISTORY OF THE PENTECOSTAL MOVEMENT AMONG THE HISPANICS IN THE TWENTIETH CENTURY. La Habra: edición del autor.

LÉONARD, Émile G., 1953, L'ILLUMINISME DANS UN PROTESTANTISME DE CONSTITUTION RÉCENTE (BRÉSIL). Paris: P.U.F., Bibliothèque de l'École des Hautes Études, Section des Sciences Religieuses, vol. LXV [También en: *Revue de l'Histoire des Religions* 1952].

LÉONARD, Émile G., 1963, O PROTESTANTISMO BRASILEIRO, ESTUDO DE ECLESIOLOGIA E HISTORIA SOCIAL. São Paulo: ASTE [También en: *Revista de História*, Rio de Janeiro].

LÉONARD, Émile G., 1952, L'ÉVANGILE AU BRÉSIL. *Revue d'Évangelisation* 7, 38: 208-235.

LERNOUX, Penny, 1980, CRY OF THE PEOPLE: UNITED STATES INVOLVEMENT IN THE RISE OF FASCISM, TORTURE AND MURDER AND THE PERSECUTION OF THE CATHOLIC CHURCH IN LATIN AMERICA. Garden City, N.Y.: Doubleday.

LEVINE, Daniel (ed.), 1979, CHURCHES AND POLITICS IN LATIN AMERICA. Beverley Hills, Calif.: SAGE.

LEVINE, Daniel H., 1981, RELIGION, SOCIETY AND POLITICS: STATES OF ART. *Latin American Research Review:* 16, 185-209.

LEVINE, Daniel H., 1985, RELIGION AND POLITICS: DRAWING LINES, UNDERSTANDING CHANGE. *Latin American Research Review:* 20, 185-201.

LEVINE. Daniel (ed.), 1986, RELIGION AND POLITICAL CONFLICT IN LATIN AMERICA. Chapel Hill & London: The University of North Carolina Press.

LEWIS, Norman, 1988, THE MISSIONARIES. London: Seeker and Wartburg [ILV, New Tribes Mission].

LIMA, Delcio Monteiro de, 1987, OS DEMONIOS DESCEM DO NORTE. Rio de Janeiro: Francisco Alves [Brasil].

LOEWEN, Jacob A.; BUCKWALTER, Albert; KRATZ, James, 1965, SHAMANISM, ILLNESS, AND POWER IN TOBA CHURCH LIFE. *Practical Anthropology* 12: 250-280 [Argentina].

LOPEZ, Mauricio, 1960, THE CHURCH AND THE LAY MOVEMENT IN LATIN AMERICA. Ginebra: CMI Publicación, Documento no. IX.

LOYOLA, Maria Andréa, 1983, L'ESPRIT ET LE CORPS, DES THERAPEUTIQUES POPULAIRES DANS LA BANLIEUE DE RIO. Paris: Éd. de la Maison des Sciences de l'Homme [Brasil].

LOYOLA, Maria Andréa, 1984, MEDICOS E CURANDEIROS, CONFLITO SOCIAL E SAUDE. São Paulo: DIFEL [Brasil, curación pentecostal].

LUGO, Juan L., 1951, PENTECOSTES EN PUERTO RICO O LA VIDA DE UN MISIONERO. San Juan: Puerto Rico Gospel Press [Iglesia de Dios Pentecostal].

Luis..., 1983, LUIS PALAU, RIOS MONTT, REAGAN O LA CRUZADA RELIGIOSA ANTISANDINISTA. *La Religión en los Periódicos,* febrero 11-18, 1983 [Nicaragua].

LYRA, Jorge Buarque, s.f., ORIENTAÇAO EVANGELICA (INTERDENOMI-NACIONAL) PARA SALVAR O BRASIL. Niteroi: edición del autor [O Brasil Para Cristo].

LYRA, Jorge Buarque, s.f. (1964), O MOVIMENTO PENTECOSTAL NO BRASIL, PROFILAXIA CRISTA DESSE MOVIMENTO EM DEFESA DE "O BRASIL PARA CRISTO". Niteroi: edición del autor [O Brasil Para Cristo].

M

MANNING, Frank E., 1980, PENTECOSTALISM: CHRISTIANITY AND REPUTATION. En: Glazier 1980: 177-187.

MARASCHIN, Jaci Correia, 1985, IMAGENS DA ASSEMBLEIA DE DEUS. En: *Imagens...* 1985: 6-21 [Brasil].

MARGOLIES, Luise, 1980, THE PARADOXICAL GROWTH OF PENTECOSTALISM. En: Glazier 1980: 1-5.

MARIZ, Cecília L., 1988, RELIGIÃO E POBREZA: UMA COMPARAÇÃO ENTRE CEBS E IGREJAS PENTECOSTAIS. *Comunicações do ISER* 7, 30: 10-19.

MARQUINA, Brigido, 1980, LAS NUEVAS TRIBUS. Caracas: Comité Evangélico Venezolano por la Justicia [Venezuela].

MARTIN, David, 1990, TONGUES OF FIRE: THE EXPLOSION OF PROTESTANTISM IN LATIN AMERICA. Oxford: Blackwell.

MARTIN, Nieves San, 1985, LA CIA SE VISTE DE SECTAS RELIGIOSAS PARA ESPIAR. *Vida Nueva* 1478.

MARTINEZ, A., 1989, LAS SECTAS EN NICARAGUA. OFERTA Y DEMANDA DE SALVACION. San José-Managua: DEI-CAV.

MARTINS, Jos Pedro S., 1987, PHENOMENAL GROWTH OF SECTS, ELECTRONIC CHURCH RELATED TO CONTINENT'S POVERTY. *Latinamerica Press* 19, 16: 5-6.

MARTINS, Syr O.E., 1958, SEJA CURADO AGORA! São Paulo: Los Angeles Editora [Brasil].

MARZAL, Manuel, 1983, LA TRANSFORMACION RELIGIOSA PERUANA. Lima: Pontificia Universidad Católica del Perú.

MARZAL. Manuel, 1988, IGLESIA CULTURAL Y NUEVAS IGLESIAS. *América Indígena* 48, 1, 139-164.

MARZAL. Manuel, 1988, LOS CAMINOS RELIGIOSOS DE LOS INMIGRANTES EN LA GRAN LIMA, EL CASO DE EL AUGUSTINO. Lima: Pontificia Universidad Católica del Perú.

MATURANA, Manuel, 1985, DIOS QUIERE QUE TODOS VIVAMOS EN CONDICIONES DIGNAS. ENTREVISTA A MANUEL MATURANA, LAICO PENTECOSTAL, PRESIDENTE DEL CAMPAMENTO J.F. FRESNO. *Evangelio y Sociedad* 1: 40-46.

MATZAT, Donald G. (ed.), 1981, SERVINDO A RENOVAÇAO, AS HISTORIAS DOS HOMENS DO SERVIÇO LUTERANO DE RENOVAÇAO CARISMATICA. Porto Alegre: Renovação [Brasil].

MAUST, John, 1984, CITIES OF CHANGE: URBAN GROWTH AND GOD'S PEOPLE IN TEN LATIN AMERICAN CITIES. Latin America Mission.

MAYNARD, Kent, 1988, ON PROTESTANTS AND PASTORALISTS: THE SEGMENTARY NATURE OF SOCIO-CULTURAL ORGANISATION. *Man* 23, 1: 101-117.

MCDONNEL, Kilian, 1980, PRESENCE, POWER, PRAISE: DOCUMENTS ON CHARISMATIC RENEWAL. Collegeville, Minn.: The Liturgical Press, 3 tomos. Panamá, México [Tomo 2 sobre Latinoamérica].

MCGEE, Gary Blair, 1984, "THIS GOSPEL ... SHALL BE PREACHED": A HISTORY AND THEOLOGY OF ASSEMBLIES OF GOD FOREIGN MISSIONS: 1914-1959. Saint Louis: Saint Louis University [Tesis].

MEDELLIN LOZANO, Fernando, 1984, EXPERIENCIA SECTARIA EN UNA COMUNIDAD PENTECOSTAL DE BOGOTA. Bogotá: Universidad Nacional de Colombia, Departamento de Antropología.

MEDELLIN LOZANO, Fernando, 1985, RELIGIONES POPULARES CONTRA LA EMANCIPACION. *América Indígena* 45, 4: 625-646 [Colombia].

MELLO, Manoel de, 1971, PARTICIPATION IS EVERYTHING; EVANGELISM FROM THE POINT OF VIEW OF A BRAZILIAN PENTECOSTAL. *International Review of Mission* 60, 238: 245-248 [O Brasil Para Cristo].

MELLO, Manoel de, 1974, THE GOSPEL WITH BREAD-AN INTERVIEW WITH MANUEL DE MELLO SILVA, FOUNDER OF THE BRAZIL FOR CHRIST MOVEMENT. *Monthly Letter About Evangelism* 7 [O Brasil Para Cristo].

Memoria..., s.f., MEMORIA DE LA CONSULTA SOBRE LA RENOVACION DE LA IGLESIA QUE NECESITAMOS, MONTERREY. México: Federación Evangélica de México.

MENDIZABAL, Antonio Goicoechea, 1980, EVANGELICOS, EVANGELISTAS, IGLESIAS EVANGELICAS. *TAU* 3, 15: 6-11.

MENDOZA, Lázaro, 1982, EVANGELICOS OTOMIES DE IXMIQUILPAN, HGO. Patzcuaro: Programa de Etnolingüística [Tesis].

MENZIES, William, 1971, ANOINTED TO SERVE: THE STORY OF THE ASSEMBLIES OF GOD. Springfield Miss.: Gospel Publishing House.

MERGIER, Anne-Marie, 1983, HONDURAS, LABORATORIO DE REPRESION ESTADOUNIDENSE, EL PAIS ES SOCOVADO POR SECTAS RELIGIOSAS. *Proceso*, 4 abril 1983: 41-42.

MEYER, Harding, 1968, "DIE PFINGSTBEWEGUNG IN BRASILIEN". Die Evangelische Diaspora, Jahrbuch des Gustav-Adolf-Vereins 39: 9-50.

MIGUEZ BONINO, José 1972, VISION DEL CAMBIO SOCIAL Y SUS TAREAS DESDE LAS IGLESIAS CRISTIANAS NO-CATOLICAS. En: *Fe cristiana...*1972: 179-202.

MIGUEZ BONINO, José, 1985, PRESENCIA Y AUSENCIA PROTESTANTE EN LA ARGENTINA DEL PROCESO MILITAR. *Cristianismo y Sociedad* 83: 81-85.

MILLER, Elmer S., 1967, PENTECOSTALISM AMONG THE ARGENTINE TOBA: ANALYSIS OF A RELIGIOUSLY ORIENTATED SOCIAL MOVEMENT [Tesis doctoral, University of Pittsburgh, Penn.].

MILLER, Elmer S., 1970, THE CHRISTIAN MISSIONARY, AGENT OF SECULARIZATION. *Anthropological Quarterly* 43, 1: 14-22 [Argentina].

MILLER, Elmer S., 1971, THE ARGENTINE TOBA EVANGELICAL RELIGIOUS SERVICE. *Ethnology* 10, 2: 149-159.

MILLER, Elmer S., 1973, LOS TOBAS Y EL MILENARISMO. *Actualidad Antropológica* 11: 17-20 [Argentina].

MILLER, Elmer S., 1974, THE IMPACT OF PENTECOSTAL SYMBOLISM ON ARGENTINE TOBA CONCEPTS OF POWER. Buenos Aires.

MILLER, Elmer S., 1975, SHAMANS, POWER SYMBOLS, AND CHANGE IN ARGENTINE TOBA CULTURE. *American Ethnologist* 10.

MILLER, Elmer S., 1979, LOS TOBAS ARGENTINOS, ARMONIA Y DISONANCIA EN UNA SOCIEDAD. México, etc.: Siglo Veintiuno.

MILLER, Elmer S., 1980, HARMONY AND DISSONANCE IN ARGENTINE TOBA SOCIETY. New Haven, Conn.: HRAF.

MILLER, John Melvin, 1976, A STUDY OF MISSIOLOGICAL PROBLEMS OF CULTURAL ADAPTATION AND ITS MANIFESTATION IN CERTAIN EVANGELICAL CHURCHES IN SINALOA, MEXICO. Dallas, Texas: Southern Methodist University [Tesis].

MILLER, Richard L., 1980, THE PERILS OF SUCCESS: POST-WORLD WAR II LATIN AMERICAN PROTESTANTISM. En: Brown and Cooper 1980: 52-66.

MILLS, Watson E., 1985, CHARISMATIC RELIGION IN MODERN RESEARCH: A BIBLIOGRAPHY. Macon, Georgia: Mercer University Press, NABPR (National Association of Baptist Professors of Religion), Bibliographic Series, Number 1.

MINNERY, Tom, 1983, WHY THE GOSPEL GROWS IN SOCIALIST NICARAGUA: THE REVOLUTION TURNED AGAINST CAPITALISM BUT NOT CHRISTIANITY. *Christianity Today* 27, 34-42.

MINTZ, S., 1960, WORKER IN THE CANE. New Haven: Yale University Press [Estudio de caso sobre una persona convertida a un movimiento de avivamiento protestante].

MISCHEL, Frances, 1959, FAITH HEALING AND MEDICAL PRACTICE IN THE SOUTHERN CARIBBEAN. *Southwestern Journal of Anthropology* 15, 4: 407-417.

Missionary..., s.f., THE MISSIONARY MANUAL. Springfield, Miss.: Assemblies of God, Foreign Missions Department.

MIZUKI, John, 1977, THE GROWTH OF JAPANESE CHURCHES IN BRAZIL Passadena: Fuller Theological Seminary [Tesis].

MOLINA E., Rojas A., 1985, LA ESTRUCTURACION DE LA VISION DEL MUNDO DE LOS PENTECOSTALISTAS (LOS CASOS DE LA IGLESIA. ASAMBLEAS DE DIOS DE HATILLO Y LA IGLESIA SANTIDAD PENTECOSTAL DE HATILLO 8). Ciudad Universitaria Rodrigo Facio.

MONTERROSO-REYES, Víctor M., 1976, EVANGELISM-IN-DEPTH IN PARAGUAY. Pasadena: Fuller Theological Seminary [Tesis].

MOORE, Joseph G., 1953, RELIGION OF JAMAICAN NEGROES: A STUDY OF AFRO-AMERICAN ACCULTURATION. Evanston, Ill.: Northwestern University, Department of Anthropology [Tesis].

MOORE, Thomas R., 1984, EL ILV Y UNA "TRIBU RECIEN ENCONTRADA": LA EXPERIENCIA AMARAKAERI. *América Indígena* 44, 1: 25-48 [Perú, ILV].

MORA, Alvaro Muñoz, 1984, LA EVANGELIZACION Y LOS MEDIOS SOCIALES DE COMUNICACION. En *Documentos*... 1984.

MORACHO, Félix, 1975, EL PENTECOSTALISMO CATOLICO EN VENEZUELA *SIC* (Centro Gumilla) 372; tambien en: *Perspectivas de Diálogo* (Montevideo) 10, 94: 114.

MORRISH, Ivor, 1982, OBEAH, CHRIST, AND RASTAMAN: JAMAICA AND ITS RELIGION. Cambridge: James Clarke.

MOSONYI, Esteban E. y.o., 1981, EL CASO NUEVAS TRIBUS. Caracas: Editorial Ateneo de Caracas, Colección Testimonios.

MOTHE, Devonson la, s.f., "NEW WAVE" MISSIONARIES INVADE GRENADA. *Caribbean Contact* (Caribbean Council of Churches) 15, 12:7 [Juventud con una Misión, JUCUM].

MOURA, Abdalaziz de, 1968/69, L'EGLISE CATHOLIQUE ET L'EGLISE PENTECOTISTE AU BRESIL ET LES POINTS DE RENCONTRE ENTRE ELLES. Bossey: Ecumenical Institute, Graduate School of Ecumenical Studies [Ponencia no publicada].

MOURA, Abdalaziz de, 1971, O PENTECOSTALISMO COMO FENOMENO RELIGIOSO POPULAR NO BRASIL. *Revista Eclesiástica Brasileira* 31, 121: 78-94.

MOURA, Abdalaziz de, 1972, PENTECOSTALISM AND BRAZILIAN RELIGION. *Theology Digest* 20: 44-48.

MOURA, Abdalaziz de, s.f., IMPORTANCIA DAS IGREJAS PENTECOSTAIS PARA A IGREJA CATOLICA. Recife: Boa Vista, mimeo [Brasil, Ponencia CNBB (Conferencia Episcopal de Brasil), Recife 1969].

MOURA, Abdalaziz de, 1976, O PENTECOSTALISMO COMO FENOMENO RELIGIOSO POPULAR NO BRASIL. *Revista Eclesiástica Brasileira* 36, 141: 202-205.

MULRAIN, George M., 1984, THEOLOGY IN FOLK CULTURE: THE THEOLOGICAL SIGNIFICANCE OF HAITIAN FOLK RELIGION. Bern etc.: Peter Lang.

MULRAIN, George M., 1986, TOOLS FOR MISSION IN THE CARIBBEAN CULTURE. *International Review of Mission* 85, 297: 51-58.

MUNIZ DE SOUZA, Beatriz, 1966, FUNÇOES SOCIAIS E PSICOLOGICAS DO PROTESTANTISMO PENTECOSTAL DE SÃO PAULO. En: *O espírito...* 1966: 71-75 [Brasil].

MUNIZ DE SOUZA, Beatriz, 1967, PENTECOSTALISMO EM SÃO PAULO. Rio Claro: Universidade de Campinas, Faculdade de Filosofia, Ciências e Letras de Rio Claro [Brasil, Tesis doctoral].

MUNIZ DE SOUZA, Beatriz, 1968, ASPECTOS DO PROTESTANTISMO PENTECOSTAL EM SÃO PAULO. En: César y.o. 1968: 100–114 [Brasil].

MUNIZ DE SOUZA, Beatriz, 1969, A EXPERIENCIA DA SALVAÇÃO, PENTECOSTAIS EM SÃO PAULO. São Paulo: Duas Cidades [Brasil].

MUNIZ DE SOUZA, Beatriz, 1974, IMAGENS DE JESUS CRISTO NO PENTECOSTALISMO. En: *Quem é...* 1974: 143 [Brasil].

MUÑOZ RAMIREZ, Humberto, 1956, ¿HACIA DONDE VA EL PROTESTANTISMO? *Mensaje* 5, 54: 408-410 [Chile].

MUÑOZ RAMIREZ, Humberto, 1957, SOCIOLOGIA RELIGIOSA DE CHILE. Santiago: Ediciones Paulinas.

MUÑOZ RAMIREZ, Humberto, 1960, VISION GENERAL DEL PROTESTANTISMO EN LATINOAMERICA. *Anales de la Faculdad de Teología* (Universidad Católica de Chile) 11.

MUÑOZ RAMIREZ, Humberto, 1974, NUESTROS HERMANOS EVANGELICOS. Santiago: Ediciones Nueva Universidad Católica de Chile [Chile].

MUÑOZ RAMIREZ, Humberto, 1985, LOS PENTECOSTALES. En *Equipe de Reflexion* 1985: 149-163.

MURATORIO, Blanca, 1980, PROTESTANTISM AND CAPITALISM REVISITED, IN THE RURAL HIGHLANDS OF ECUADOR. *Journal of Peasant Studies* 8: 37-60.

MURATORIO, Blanca, 1981, PROTESTANTISM, ETHNICITY, AND CLASS IN CHIMBORAZO. En: Whitten 1981: 506-534 [Ecuador].

N

NASH, June, 1960, PROTESTANTISM IN AN INDIAN VILLAGE IN THE WESTERN HIGHLANDS OF GUATEMALA. Alpha Kappa Delta 30, Special Issue: 49-58.

NELSON, Reed Elliot, 1984, ANALISE ORGANIZACIONAL DE UMA IGREJA BRASILEIRA: A CONGREGAÇAO CRISTA NO BRASIL. Revista Eclesiástica Brasileira 44, 176: 544-558.

NELSON, Reed Elliot, 1985, FUNÇOES ORGANIZACIONAIS DO CULTO NUMA IGREJA ANARQUISTA. Religião e Sociedade 12, 1: 112-126 [Brasil, Congregação Cristãno Brasil].

NELSON, Reed Elliot, 1988, ORGANIZATIONAL HOMOGENEITY, GROWTH, AND CONFLICT IN BRAZILIAN PROTESTANTISM. Sociological Analysis 48, 4: 319-327.

NELSON, Wilton N., 1957, A HISTORY OF PROTESTANTISM IN COSTA RICA. Princeton: Princeton Theological Seminary [Tesis].

NELSON, Wilton N., 1963, EVANGELICAL SURGE IN LATIN AMERICA Christianity Today 7: 1009-1010.

NELSON, Wilton N., 1982, EL PROTESTANTISMO EN CENTRO AMERICA: UNA HISTORIA DEL INICIO Y DESARROLLO DE LA OBRA EVANGELICA EN EL ISTMO CENTROAMERICANO. Miami: Editorial Caribe.

NELSON, Wilton N., 1983, HISTORIA DEL PROTESTANTISMO EN COSTA RICA. San José, Costa Rica: IINDEF.

NELSON, Wilton N., 1984, CLASIFICACION TEOLOGICA DE LAS IGLESIAS PROTESTANTES EN COSTA RICA O LAS RAICES DEL PROTESTANTISMO COSTARRICENSE. Senderos (Instituto Teológico de América Central) 20: 29-40.

NELSON, Wilton N., 1984, PROTESTANTISM IN CENTRAL AMERICA. Grand Rapids, Mich: Eerdmans.

New..., 1986, NEW TESTAMENT CHURCH OF GOD 50TH ANNIVERSARY, BARBADOS W.I. 1936-1986. Barbados: Sunshine Publications Barbados.

NIDA, Eugene A., 1958, THE RELATIONSHIP OF SOCIAL STRUCTURE TO THE PROBLEMS OF EVANGELISM IN LATIN AMERICA. Practical Anthropology 5, 3: 101-123.

NIDA, Eugene A., 1961, THE INDIGENOUS CHURCHES OF LATIN AMERICA. Practical Anthropology 8: 97-105, 110.

NIDA, Eugene A., 1961, COMMUNICATION OF THE GOSPEL TO LATIN AMERICA. Practical Anthropology 8: 145-156.

NIDA, Eugene A., 1969, DIE PFINGSTKIRCHEN IN LATEINAMERIKA. En: Tschuy 1969: 90-96.

NIDA, Eugene A., s.f., THE INDIGENOUS CHURCHES IN LATIN AMERICA. New York: The Committee on Cooperation in Latin America, Division of Foreign Missions, National Council of the Churches of Christ in the U.S.A.

NIKLAUS, Robert, 1983, LATIN AMERICA: COUNTER-EVANGELISM. Evengelical Mission Quarterly 19, 3, 259-260.

NOLASCO, Margarita, 1980, EL INSTITUTO LINGUISTICO DE VERANO. En: Lingüística e Indigenismo. México: UNAM.

NOUWEN, Henri, 1967, THE PENTECOSTAL MOVEMENT: THREE PERSPEC-TIVES. Scholastic 109: 15-17.

NOVAES, Regina R., 1980, OS PENTECOSTAIS E A ORGANIZAÇÃO DOS TRABALHADORES. Religião e Sociedade 5, 65-89 [Brasil].

NOVAES, Regina R., 1985, OS ESCOLHIDOS DE DEUS: PENTECOSTAIS, TRABALHADORES E CIDADANIA. Rio de Janeiro/São Paulo: ISER/Ed. Marco Zero, Cadernos do ISER no. 19 [Brasil].

NYSTROM, Samuel, 1944, MIRACLES WROUGHT IN BRAZIL. *Pentecost Evangel* 32: 6-7.

O

O avanço..., 1981, O AVANÇO DOS CRENTES. PENTECOSTAIS: O MILAGRE DA MULTIPLICAÇAO. *Veja* 683 (7 octubre 1981): 56-64 [Brasil].

O'CONNOR, Mary, 1979, TWO KINDS OF RELIGIOUS MOVEMENTS AMONG THE MAYO INDIANS OF SONORA, MEXICO. *Journal for the Scientific Study of Religion* 18, 3: 260-268.

OCHAGAVIA, Juan, 1967, EL ECUMENISMO, CAMINO HACIA LA UNIDAD. *Mensaje* 16, 164: 554-560 [Chile].

OLIVA, Enrique López, 1983, LAS SECTAS: CONTRAINSURGENCIA RELIGIOSA? *OCLAE* 10 [Cuba].

OLSON, Lawrence, 1960, ENFASES NO MOVIMENTO PENTECOSTAL. Rio de Janeiro: Livros Evangélicos [Brasil].

OLSON, Lawrence, 1961, A HALF CENTURY OF PENTECOST IN BRAZIL. *Pentecostal Evangel* 2472: 6-7.

OOSTERWAL, Gottfried, 1973, MODERN MESSIANIC MOVEMENTS. Elkart, Ind.: Herald Press.

ORR, J. Edwin, 1978, EVANGELICAL AWAKENINGS IN LATIN AMERICA. Minneapolis: Bethany Fellowship [También Medellín: Tipografia Unión].

ORTEGA, Hugo, 1986, LAS SECTAS. SU OBJETIVO ES EL CONTROL IDEOLOGICO Y RELIGIOSO. *Diálogo Social* 19, 189: 45-46.

ORTEGA-AGUILAR (ed.), 1966, HISTORIA DE LA ASAMBLEA APOSTOLICA DE LA FE EN CRISTO JESUS: 1916-1966. Los Angeles: Apostolic Assembly.

OSPINA, A., 1954, THE PROTESTANT DENOMINATION IN COLOMBIA. Bogota: National Press.

P

P'AXI R.; QUISPE C.; ESCOBAR N.; CONDE R., 1986, RELIGION AYMARA Y CRISTIANISMO. *Fe y Pueblo* 3, agosto: 6-13.

PACHECO, Antonio Cruz, 1970, LA RELIGIOSIDAD POPULAR CHILENA, ESTUDIO SOCIOLOGICO. Santiago: CISOC, Centro Bellarmino.

PAGE, John Joseph, 1984, BRASIL PARA CRISTO: THE CULTURAL CONSTRUCTION OF PENTECOSTAL NETWORKS IN BRAZIL. Ann Arbor, Mich.: University Microfilms International [Tesis doctoral, New York University].

PALAU, Luis, 1983, LUIS PALAU: CALLING THE NATIONS TO CHRIST. Chicago: Moody Press.

PALMA, Daniel, 1969, SEISCIENTOS MIL EN CHILE. *Cuadernos de Marcha* (Montevideo) 29: 43-47 [Entrevista sobre pentecostales].

PALMA, Marta, 1985, A PENTECOSTAL CHURCH IN THE ECUMENICAL MOVEMENT. *Ecumenical Review* 37, 223-229.

PALMER, Donald C., 1974, AN EXPLOSION OF PEOPLE EVANGELISM: AN ANALYSIS OF PENTECOSTAL GROWTH IN COLOMBIA. Chicago: Moody Press.

PANINSKI, Alberto Barrientos, 1984, EL EVANGELISTA Y LA RESPONSABILIDAD SOCIAL. En: *Documentos...* 1984.

PANINSKI, Alberto Barrientos, 1984, EL EVANGELISTA Y LA TEOLOGIA DE LA LIBERACION. En: *Documentos...* 1984.

PANTOJAS GARCIA, Emilio, 1976, LA IGLESIA PROTESTANTE Y LA AMERICANIZACION DE PUERTO RICO 1898-1917. Bayamón PR: Prisa.

PAPE, Carlos, 1967, LOS EVANGELICOS SOMOS ASI... REFLEXIONES SOBRE EL 1ER CICLO DE CONFERENCIAS DE LA COMUNIDAD TEOLOGICA EVANGELICA DE SANTIAGO. *Mensaje* 16, 156: 35-39 [Chile].

Papers..., 1984, PAPERS PRESENTED TO THE FIRST OCCASIONAL SYMPOSIUM ON ASPECTS OF THE ONENESS PENTECOSTAL MOVEMENT, HELD AT HARVARD DIVINITY SCHOOL, JULY 5-7, 1984 [Sin publicar, Cf. Gaxiola-Gaxiola 1984, Gill 1984].

Para una historia..., 1984, PARA UNA HISTORIA DE LOS CRISTIANISMOS EN AMERICA LATINA. *Cristianismo y Sociedad* 82 [Cf. Bastian 1984, Dussel 1984].

PAREDES-ALFARO, Rubén Elías, 1980, THE PROTESTANT MOVEMENT IN ECUADOR AND PERU: A COMPARATIVE SOCIO-ANTHROPOLOGICAL STUDY OF THE ESTABLISHMENT AND DIFFUSION OF PROTESTANTISM IN TWO CENTRAL HIGHLAND REGIONS. Los Angeles: University of California [Tesis].

PAREDES-ALFARO, Rubén Elías, 1984, LA NUEVA PRESENCIA EVANGELICA INDIGENA. *Misión* 3, 3.

PAUL, Irven, 1946, ACCULTURATION IN CHILE: A STUDY OF THE RELATION OF EVANGELICAL CHRISTIANITY TO CHRISTIAN CULTURE WITH A VIEW TO THE FORMATION OF EFFECTIVE MISSIONARY PRINCIPLES AND PRACTICES. Hartford, Conn.: Hartford Seminary Foundation [Tesis].

PECK, Jane C., 1984, REFLECTIONS FROM COSTA RICA ON PROTESTANTISM'S DEPENDENCE AND NONLIBERATIVE SOCIAL FUNCTION. *Journal of Ecumencial Studies* 21, 181-189.

Penetración..., 1983, PENETRACION DE SECTAS EN HONDURAS. *Correo del Sur* (México) 1131.

Penetración..., 1985, PENETRACION IDEOLOGICA NORTEAMERICANA Y ANTI-YANQUISMO, PERSPECTIVA HISTORICA. *Cristianismo y Sociedad* 86.

Penetración..., 1986, PENETRACION DE LOS 'PROTESTANTISMOS'. *Pensamiento Propio* 36: 26-40 [Nicaragua].

Pentecost..., 1975, PENTECOST AND POLITICS: THE CHARISMATIC CHURCH OF THE WORLD'S POOR. Wick: SCM Publications.

Pentecostalismo..., 1977, O PENTECOSTALISMO. *Cadernos do ISER* 6.

Pentecostalismo..., 1985, PENTECOSTALISMO Y TEOLOGIA DE LA LIBERACION. *Pastoralia* (CELEP) 7, 7.

PEREIRA RAMALHO, Jether, 1977, ALGUMAS NOTAS SOBRE DUAS PERSPECTIVAS DE PASTORAL POPULAR: A DAS COMUNIDADES ECLESIAIS DE BASE E A DOS GRUPOS EVANGELICOS PENTECOSTAIS. *Cadernos do ISER* 6: 31-39 [Brazil].

PEREIRA RAMALHO, Jether, 1977, BASIC POPULAR COMMUNITIES IN BRAZIL: SOME NOTES ON PASTORAL ACTIVITY IN TWO TYPES. *Ecumenical Review* 29, 4: 394-401.

PEREIRA RAMOS, Jovelino, 1968, PROTESTANTISMO BRASILEIRO: VISAO PANORAMICA. *Paz e Terra* 2, 6: 73-94.

PEREZ TORRES, Rubén, 1979, THE PASTOR'S ROLE IN EDUCATIONAL MINISTRY IN THE PENTECOSTAL CHURCH OF GOD IN PUERTO RICO. Claremont School of Theology [Tesis doctoral].

PERKIN, Noel; GARLOCK, John, 1963, OUR WORLD WITNESS, A SURVEY OF ASSEMBLIES OF GOD FOREIGN MISSIONS. Springfield, Miss.: Gospel Publishing House.

PETRELLA, Vaccaro de; SUSANA, Lidia, 1986, THE TENSION BETWEEN EVANGELISM AND SOCIAL ACTION IN THE PENTECOSTAL MOVEMENT. *International Review of Mission* 75, 297: 34-38 [Argentina].

PIEDRA S., Arturo, 1984, ORIGENES Y EFECTOS DEL PROTESTANTISMO EN COSTA RICA. *Senderos* (Instituto Teológico de América Central) 20: 3-28.

PIXLEY, J., 1982, LA CAPTURA DEL MOVIMIENTO EVANGELICO EN GUATEMALA: LA LUCHA IDEOLOGICA EN LAS IGLESIAS. *Cristianismo y Sociedad* no. 74.

PIXLEY, Jorge, 1983, ALGUNAS LECCIONES DE LA EXPERIENCIA DE RIOS MONTT. *Cristianismo y Sociedad* 76: 7-12 [Guatemala].

PIXLEY, Jorge, 1985, EL FUNDAMENTALISMO. *Estudios Ecuménicos* 3.

POBLETE, Renato, 1960, CONSIDERACION SOCIOLOGICA DE LAS SECTAS CHILENAS. *Anales de la Facultad de Teología* (Universidad Católica de Chile) 11.

POBLETE, Renato, 1960, SOCIOLOGICAL APPROACH TO THE SECTS. *Social Compass* 7, 5-6: 383-406.

POBLETE, Renato; GALILEA, Carmen, 1984, MOVIMIENTO PENTECOSTAL E IGLESIA CATOLICA EN MEDIOS POPULARES. Santiago de Chile: Centro Bellarmino, Departamento de Investigaciones Sociológicas [Chile].

POLLAK-ELTZ, Angelina, 1970, SHANGO-KULT UND SHOUTERKIRCHE AUF TRINIDAD UND GRANADA. *Anthropos* 65, 5/6: 814-833.

POLLAK-ELTZ, Angelina, 1976, EL PENTECOSTALISMO CATOLICO EN VENEZUELA. SIC (Caracas) 384: 172-177.

POLLAK-ELTZ, Angelina, 1978, PENTECOSTALISM IN VENEZUELA. *Anthropos* 73: 461-482.

POLOMA, Margaret M., 1986, PENTECOSTALS AND POLITICS IN NORTH AND CENTRAL AMERICA. En: Hadden y Shupe, págs. 329-352.

PONCE, Marcelo, 1983, LA MANIPULACION DE LA RELIGION EN GUATEMALA. *ULAJE Comparte* 30.

Presencia..., 1987, PRESENCIA Y TRANSPARENCIA: LA MUJER EN LA HISTORIA DE MEXICO. México: El Colegio de México [Cf. Bastian 1987].

PRIEN, Hans-Jürgen, 1978, DIE GESCHICHTE DES CHRISTENTUMS IN LATEINAMERIKA. Göttingen: Vandenhoeck & Ruprecht.

PRIEN, Hans-Jürgen (ed.), 1981, LATEINAMERIKA: GESELLSCHAFT, KIRCHE, THEOLOGIE. Göttingen: Vandenhoeck & Ruprecht, 2 tomos.

PRIETO, Luis C., 1980, LAS IGLESIAS EVANGELICAS DE GUATEMALA. Universidad Francisco Marroquín, Departamento de Teología.

Protestantes..., 1968, PROTESTANTES E IMPERIALISMO NA AMERICA LATINA. Petrópolis: Vozes.

Protestantes..., 1969, PROTESTANTES EN AMERICA LATINA. *Cuadernos de Marcha* 29.

Protestantes..., 1983, PROTESTANTISMOS Y SOCIEDADES LATINOAMERICANAS. *Cristianismo y Sociedad* 76.

PUSCHEL, Joh., 1974, GESUNDHEITSDIENSTE BRASILIANISCHER KIRCHEN. *Nachrichten a.d. Ärtzlichen Mission* 25, 1: 4-7.

Q

QUARRACINO A., Bravo E.; y otros, 1981, SECTAS EN AMERICA LATINA. Bogotá: CELAM.

QUEIROZ, Marcos de Souza, 1985, POLITICA, RELIGIÃO E CURA RELIGIOSA NUMA SITUAÇÃO DE MUDANÇA. *Ciência e Cultura* 37, 4: 541-553 [Brasil].

Quem é..., 1974, QUEM É JESUS CRISTO NO BRASIL? São Paulo: ASTE [Cf. Muniz de Souza 1974].

R

RAFFERTY, Kate, 1984, GOSPEL AIR POWER IN CENTRAL AMERICA. *Religious Broadcasting*, abril, 22-23.

RAMIREZ, Raymundo, 1972, LIBRO HISTORICO, MOVIMIENTO DE LA IGLESIA CRISTIANA INDENDIENTE PENTECOSTES (BODAS DE ORO). Pachuca, Hgo., México.

RAMIREZ, Raymundo (ed.), 1972, BODAS DE OURO: MOVIMIENTO DE LA IGLESIA CRISTIANA INDEPENDIENTE PENTECOSTES (MEXICO). Pachuca.

RAMOS, Marcos Antonio, 1986, PANORAMA DEL PROTESTANTISMO EN CUBA, LA PRESENCIA DE LOS PROTESTANTES O EVANGELICOS EN LA HISTORIA DE CUBA DESDE LA COLONIZACION ESPAÑOLA HASTA LA REVOLUCION. San José, Costa Rica/Miami: Editorial Caribe.

RANCE, Susanna, 1987, BOLIVIA: POLITICAL, CHURCH LEADERS FEAR SPREAD OF NEW RELIGIOUS GROUPS. *Latinamerica Press* 19, 18: 3-4.

RANDALL, Donna M., 1983, THE BELIEFS AND PRACTICES OF THE PENTECOSTAL (ONENESS) APOSTOLIC PEOPLE OF JAMAICA. University of West Indies [Tesis de licenciatura].

RAPHAEL, Alison, 1975, MIRACLES IN BRAZIL: A STUDY OF THE PENTECOSTAL MOVEMENT 'O BRASIL PARA CRISTO'. Columbia University, Department of History [Tesis de maestría].

RAPPAPORT, Joanne, 1984, LAS MISIONES PROTESTANTES Y LA RESISTENCIA INDIGENA EN EL SUR DE COLOMBIA. *América Indígena* 44, 1: 111-126 [ILV].

READ, W.; MONTERROSO, V.; JOHNSON, H., 1971, AVANCE EVANGELICO EN LA AMERICA LATINA. Buenos Aires: Casa Bautista de Publicaciones.

READ, William R., 1965, NEW PATTERNS OF CHURCH GROWTH IN BRAZIL. Grand Rapids, Mich.: Eerdmans.

READ, William R., 1967, FERMENTO RELIGIOSO NAS MASSAS DO BRASIL. Campinas SP: Livraria Cristã Unida.

READ, William R.; INESON, Frank A., 1973, BRAZIL 1980: THE PROTESTANT HANDBOOK. THE DYNAMICS OF CHURCH GROWTH IN THE 1950'S AND 60'S AND THE TREMENDOUS POTENTIAL FOR THE 70'S. Monrovia, Cal.: MARC.

READ, William R.; MONTERROSO Víctor M.; JOHNSON, Harmon A., 1970, LATIN AMERICAN CHURCH GROWTH. Grand Rapids Mich.: Eerdmans.

Reglamento..., 1944, REGLAMENTO LOCAL DE LA IGLESIA EVANGELICA DE LAS ASAMBLEAS DE DIOS EN LA REPUBLICA DOMINICANA. Ciudad Trujillo: Tip. Prensa Bíblica.

REINA, Rubén; SCHWARTZ, Norman, 1974, THE STRUCTURAL CONTEXT OF RELIGIOUS CONVERSION IN PETEN, GUATEMALA: STATUS, COMMUNITY AND MULTI-COMMUNITY. *American Ethnologist* 9, 1: 157-192.

Religião..., 1978, A RELIGIÃO DO POVO. São Paulo: Edições Paulinas [Cf. Rolim 1978].

REMBAO, Alberto, 1957, PROTESTANT LATIN AMERICA: SIGHT AND INSIGHT. *International Review of Missions* 46: 30-36.

REYBURN, W., 1954, THE TOBA INDIANS OF THE ARGENTINE CHACO: AN INTERPRETIVE REPORT. Elkhart, Ind.: Mennonite Board of Missions and Charities.

REYBURN, William D.; REYBURN, Mary F., 1956, TOBA CACIQUESHIP AND THE GOSPEL. *International Review of Missions* 45: 194-205 [Argentina].

REYES, Alberto, 1982, LA INVASION DE LAS SECTAS. *La Religión en los Periódicos,* marzo 1-17, 1982 [Nicaragua].

RIBEIRO DE OLIVEIRA, Pedro A., 1977, A RENOVAÇAO CARISMATICA CATOLICA, NOTAS DE PESQUISAS. *Cadernos do ISER* 6: 25-30 [Brasil].

RIBEIRO DE OLIVEIRA, Pedro A., 1978, LE RENOUVEAU CHARISMATIQUE AU BRÉSIL. *Social Compass* 25, 1: 43-54.

RIBEIRO, René, 1966, O PENTECOSTALISMO NO BRASIL. *Revista Vozes* 63, 2: 125-136.

RIBEIRO, René, 1982, ANTROPOLOGIA DE RELIGIAO E OUTROS ESTUDOS. Recife: Ed. Massangana/Fundação Joaquim Nabuco [Brasil, 289-299 reedición de Ribeiro 1966].

RICHARD, Pablo; MELENDEZ, Guillermo, 1982, LA IGLESIA DE LOS POBRES EN AMERICA CENTRAL. San José, Costa Rica: DEI.

RICHARD, Pablo, 1985, SECTAS USAN TECNICAS DE MARKETING, DOLARES, PARA "VENDER" EVANGELIO. *Noticias Aliadas* 17: 5,6,8.

RICO, José M., 1967, EL CRISTIANISMO EVANGELICO Y EL CONCILIO VATICANO II. Miami, Fa.: Editorial Vida.

RIVAS-RIVAS, Saúl, 1986, EL ILV Y "LAS NUEVAS TRIBUS". *Pueblo Indio* (Edición Tawantinsuyu) 2, 8: 26-27.

RIVERA, Cecilia, 1984, LA RELIGION EN EL PERU 1900-1983. Lima: CELADEC [Bibliografía].

RIVIERE, Gilles, 1986, CAMBIOS SOCIALES Y PENTECOSTALISMO EN UNA COMUNIDAD AYMARA. *Fe y Pueblo* (Centro de Teología Popular) 3, 14: 24-30 [Bolivia].

ROBERTS, Bryan, 1967, EL PROTESTANTISMO EN DOS BARRIOS MARGINALES DE GUATEMALA. Guatemala: *Cuadernos de Estudios Centroamericanos* no. 2.

ROBERTS, Bryan R., 1968, PROTESTANT GROUPS AND COPING WITH URBAN LIFE IN GUATEMALA CITY. *American Journal of Sociology* 73: 753-767.

ROBERTSON, Roland (ed.), 1969, SOCIOLOGY OF RELIGION, SELECTED READINGS. Harmondsworth: Penguin [Cf. Willems 1969].

ROBINSON, John L., 1980, SOURCES OF BRAZILIAN PROTESTANTISM: HISTORICAL OR CONTEMPORARY? En: Brown & Cooper 1980: 385-393.

ROBLES, Amando, 1983, MOVIMIENTOS ECLESIALES DE LA IGLESIA CATOLICA EN COSTA RICA. *El Mensajero del Clero* (Ediciones CECOR, San José, Costa Rica), Número extraordinario, págs. 3-66.

RODRIGUEZ DIAZ, Daniel R., 1979, IDEOLOGIAS PROTESTANTES Y MISIONES: EL CASO DE PUERTO RICO 1898-1930. México: UNAM.

RODRIGUEZ, Pepe, 1985, LAS SECTAS HOY Y AQUI. Ediciones Tribidabo.

ROEBLING, Karl, 1978, PENTECOSTALS AROUND THE WORLD. Hicksville: Exposition Press.

ROHR, Elisabeth, 1987, "GOTT LIEBT UNS EBENSO WIE DIE WEISSEN", DIE SANFTEN VERFüHRER NUTZEN DIE FEHLER DER HERRSCHENDEN AUS. *Die Zeit* 40 (25 setiembre 1987), 49-51.

ROHR, Elisabeth, 1987, "JESUS WIRD NUR HELFEN...", EIN INTERVIEW MIT DEM INDIANISCHEN BAUERN FABIAN AUS ECUADOR. *Die Zeit* 40 (25 setiembre 1987), 51-52.

ROHR, Elisabeth, 1987, EUKALYPTUS UND SEKTEN RAUS! EIN RELIGIONSKRIEG IN DER ECUADORIANISCHEN PROVINZ. *Die Zeit* 40 (25 setiembre 1987), 52, 54.

ROLIM, F.C., 1973, EXPANSÃO PROTESTANTE EM NOVA IGUAÇU. *Revista Eclesiástica Brasileira* 33, 131: 660-675 [Brasil].

ROLIM, F.C., 1973, PENTECOSTALISMO. *Revista Eclesiástica Brasileira* 33, 132: 950-964 [Brasil].

ROLIM, F.C., 1976, PENTECOSTALISMO, GENESE, ESTRUTURA E FUNÇOES. Rio de Janeiro, mimeo [Brasil, Tesis Universidade de São Paulo].

ROLIM, F.C., 1977, A PROPOSITO DO PENTECOSTALISMO DE FORMA PROTESTANTE. *Cadernos do ISER* 6: 11-20 [Brasil].

ROLIM, F.C., 1978, PENTECOSTALISMO DE FORMA PROTESTANTE. En: *Religião...* 1978: 81-91 [Brasil].

ROLIM, F.C., 1979, PENTECOTISME ET SOCIETE AU BRESIL. *Social Compass* 26, 2-3: 345-372.

ROLIM, F.C., 1980, RELIGIAO E CLASSES POPULARES. Petrópolis: Vozes [Brasil].

ROLIM, F.C., 1981, GENESE DO PENTECOSTALISMO NO BRASIL. *Revista Eclesiástica Brasileira* 41, 161: 119-140.

ROLIM, F.C., 1982, IGREJAS PENTECOSTAIS. *Revista Eclesiástica Brasileira* 42, 165: 29-60 [Brasil].

ROLIM, F.C., 1985, PENTECOSTAIS NO BRASIL, UMA INTERPRETAÇAO SOCIO-RELIGIOSA. Petrópolis: Vozes.

ROLIM, F.C., 1986, O AVANÇO DAS SEITAS. *Revista Eclesiástica Brasileira* 46: 843-847 [Brasil].

ROLIM, F.C., 1987, O QUE É PENTECOSTALISMO. Saão Paulo: Brasiliense, Coleção Primeiros Passos no. 188 [Brasil].

ROLIM, F.C., 1988, EL PENTECOSTALISMO A PARTIR DEL POBRE. *Cristianismo y Sociedad* 95, 1: 51-69.

RÖMER, René, 1980, RELIGIOUS SYNCRETISM IN THE CARIBBEAN. En: Wilkerson 1980: 247-268.

ROOY, Sidney H., 1986, SOCIAL REVOLUTION AND THE FUTURE OF THE CHURCH. (A TYPOLOGY OF THE FOUR LARGEST GROUPINGS OF THE CHRISTIAN CHURCH IN LATIN AMERICA: A BRIEF CHARCTERIZATION OF THEIR ATTITUDES TO THE REVOLUTIONARY SITUATION). *Occasional Essays* 13, 1-2: 60-89.

ROSA, Martin de la; Reily, A. (eds.), 1985, RELIGION Y POLITICA EN MEXICO. México: Siglo XXI [Cf. Bastian 1985].

ROSIER, I., 1960, ESTUDIO DEL PROTESTANTISMO EN CHILE. *Anales de la Facultad de Teología* (Universidad Católica de Chile) 11.

ROSSI, Agnelo, 1938, DIRETORIO PROTESTANTE NO BRASIL. Campinas: Tipografia Paulista.

ROSSI, Agnelo, 1945, O PROTESTANTISMO NO MOMENTO ATUAL BRASILEIRO. *Revista Eclesiástica Brasileira* 5: 26-99.

ROSSI, Agnelo, 1946, POR QUE MISSOES PROTESTANTES NA AMERICA LATINA? *Revista Eclesiástica Brasileira* 6: 610-622.

ROSSI, Agnelo, 1952, O PENTECOSTISMO NO BRASIL. *Revista Eclesiástica Brasileira* 12: 767-792.

ROTBERG, S.; KILSON, M. (eds.), 1976, AFRICAN DIASPORA: INTERPRETIVE ESSAYS. Cambridge, Mass.: Harvard University Press [Cf. Simpson 1976].

RUIZ C., Alfredo; SMITH, D., 1987, IMPACTO DE LA PROGRAMACION RELIGIOSA DIFUNDIDA POR LOS MEDIOS ELECTRONICOS EN LA POBLACION CRISTIANA ACTIVA DE AMERICA CENTRAL. *Pastoralia* 9, 18: 129-161.

RUMBLE, L., 1959, AS ASSEMBLEIAS DE DEUS E OUTRAS IGREJAS PENTECOSTAIS. Petrópolis: Vozes, Vozes em defesa da fé, Caderno 23 [Brasil].

RUNDELL, Merton R., 1957, THE MISSION OF THE PILGRIM HOLINESS CHURCH IN PERU. Indianapolis: Butler University.

RYCROFT. W. Stanley, 1958, RELIGION AND FAITH IN LATIN AMERICA. Philadelphia: The Westminster Press.

RYCROFT, Stanley W., 1955, THE CONTRIBUTION OF PROTESTANTISM IN THE CARIBBEAN. En: Wilgus 1955: 159-...

RYCROFT, W. Stanley, 1962, RELIGION Y FE EN LA AMERICA LATINA. México D.F.

RYCROFT, W. Stanley; CLEMMER, Myrtle M., 1961, A STATISTICAL STUDY OF LATIN AMERICA. New York: United Presbyterian Church in the USA.

RYCROFT, W. Stanley; CLEMMER, Myrtle M., 1963, A FACTUAL STUDY OF LATIN AMERICA. New York: United Presbyterian Church in the USA.

S

SABORIO, Arturo Molina, 1984, LA RELIGION: ATACADA POR UNOS Y DEFENDIDA POR OTROS. *Aportes* (San José, Costa Rica) 4, 19: 19-21.

SAEZ, José Luis, 1984, ¿A QUE VIENEN TANTAS SECTAS? *Amigo del Hogar* 455-456 [República Dominicana].

SAEZ, José Luis, 1985, RELIGION, ALIENACION Y COMERCIO EN UN PAIS SUBDESARROLLADO. *Amigo del Hogar* 457 [República Dominicana].

SAEZ, José Luis, 1985, ¿A QUE VIENEN TANTAS SECTAS? *Amigo del Hogar* 458 [República Dominicana].

SALAZAR, Haydée Canelos de, 1985, FACTORES EXTERNOS, IDEOLOGIA Y DESCOMPOSICION CAMPESINA. Universidad Central del Ecuador, Escuela de Sociología [Tesis de licenciatura].

SALESMAN, P. Eliécer, 1982,¡ CUIDADO!: LLEGARON LOS PROTESTANTES. Bogotá: Librería Salesiana.

SALDAÑA Z., Angel, 1986, DIEZ TESIS SOBRE LA ACCION DE LAS SECTAS RELIGIOSAS EN MEXICO. *Iglesias* 3, 29: 6-8.

SALLET, Isidro; BINS, Cláudio Luiz (eds.), 1973, MISSÃO DA IGREJA NO BRASIL. 5a SEMANA DE REFLEXAO TEOLOGICA. São Paulo/São Leopoldo: Faculdade de Teologia Cristo Rei.

SALVATIERRA, Angel, 1986, CONTEMPORARY MOVEMENTS IN LATIN AMERICA AND THE CARIBBEAN, SOCIOLOGICAL ASPECT. En: *Contemporary...* 1986 [Ponencia].

SAMANDU, Luis, 1988, EL PENTECOSTALISMO EN NICARAGUA Y SUS RAICES RELIGIOSAS POPULARES. *Pasos* (DEI) 17, 2: 1-9.

SAMANDU, Luis, 1989, BREVE RESEÑA HISTORICA DEL PROTESTANTISMO EN GUATEMALA. En: *El protestantismo...*1989, págs. 7-16.

SAMANDU, Luis, 1989, LA IGLESIA DEL NAZARENO EN ALTA VERAPAZ. En: *El Protestantismo...*1989, págs. 17-47.

SAMANDU, Luis, 1989, EL UNIVERSO RELIGIOSO POPULAR EN CENTROAMERICA. *Estudios Sociales Centroamericanos* (CSUCA) 51: 81-95.

SAMANDU, L.; NIEUWENHOVE, J. van; SIEBERS, H.; GOLDEWIJK, B. K., 1986, LIFE AND DEATH IN CENTRAL AMERICA-A SOCIOLOGICAL, THEOLOGICAL AND POLITICAL INTERPRETATION OF THE IRRUPTION OF THE NEW SUBJECT. *Exchange* (Leiden) 15, 43-44: 1-98.

SANTAGADA, Osvaldo D. (ed.), 1984, LAS SECTAS EN AMERICA LATINA. Buenos Aires: Claretiana.

SANTAGADA, Osvaldo D., 1985, CARACTERIZACION Y SITUACION DE LAS SECTAS EN AMERICA LATINA. Equipo de reflexión, 3-36.

SANTAGADA, Osvaldo D. (ed.), 1984, LAS SECTAS EN AMERICA LATINA. Buenos Aires: Editorial Claretiana [141-155 sobre los pentecostales].

SANTIAGO G., Iván, 1986, PENTECOSTALES GANAN FIELES HONDUREÑOS CON APOYO EE.UU.. *Noticias Aliadas,* Abril 17, 1986: 6,7.

SANTOS, Aureo Bispo dos, 1977, PENTECOSTALIZAÇAO DO PROTESTANTISMO HISTORICO. *Cadernos do ISER* 6: 21-24 [Brasil].

SARACCO, J. Norberto, 1977, TYPE OF MINISTRY ADOPTED BY LATIN AMERICAN PENTECOSTAL CHURCHES. *International Review of Mission* 261: 64-70.

SCHÄFER, Heinrich, 1988, BEFREIUNG VOM FUNDAMENTALISMUS: ENTSTEHUNG EINER NEUEN KIRCHLICHEN PRAXIS IM PROTESTANTISMUS GUATEMALAS. Münster: Edition Liberación.

SCHÄFER, Heinrich, 1988, RELIGION DUALISTA CAUSADA POR ANTAGONISMOS SOCIALES. TRASFONDOS SOCIALES DEL PROTESTANTISMO EN CENTROAMERICA. *Boletín de Estudios Latinoamericanos y del Caribe* 45: 69-90.

SCHÄFER, Heinrich, 1989, UNA TIPOLOGIA DEL PROTESTANTISMO EN CENTROAMERICA. *Pasos* 24: 10-19.

SCHULZE, Heinz, 1974, WYCLIFFE-INSTITUTE. BIBELVERKüNDIGUNG ODER AUSBEUTUNG? *Pogrom* 5, 27: 21-22.

SCOPES, Wilfred (ed.), 1962, THE CHRISTIAN MINISTRY IN LATIN AMERICA AND THE CARIBBEAN. Ginebra, etc.: World Council of Churches, Commission on World Mission and Evangelism, Report of a Survey Commission.

SCOTT, Kenneth D., 1981, ISRAELITES OF THE NEW UNIVERSAL COVENANT, PERU. Aberdeen: University of Aberdeen [Tesis de maestría].

SCOTT, Kenneth D., 1985, LATIN AMERICA: PERUVIAN NEW RELIGIOUS MOVEMENTS. *Missiology* 13, 1: 45-59 [Israelitas del Nuevo Pacto Universal].

Sectas y religiosidad..., 1984, SECTAS Y RELIGIOSIDAD EN AMERICA LATINA: ¿QUE REPRESENTAN? ¿QUE BUSCAN? ¿COMO ACTUAN? *Altercom* (Instituto Latinoamericano de Estudios Transnacionales) 44.

Sectas..., 1982, SECTAS SON FANATICAS. *La Religión en los Periódicos*, julio 12-15, 1982 [Nicaragua].

Sectas..., 1982, SECTAS: ¿PROBLEMA RELIGIOSO Y POLITICO? *Corresponsalía Popular* 11-12.

Sectas..., 1983, SECTAS. *Sucede en la Iglesia* 35-36 [Ecuador].

Sectas..., 1983, SECTAS Y COCA COLA. *Vida Nueva* 1372-1373.

Sectas..., 1983, SECTAS Y CONTRAINSURGENCIA. *Informador Guerrillero* 25 [Guatemala].

Sectas..., 1984, SECTAS PROTESTANTES EN CENTROAMERICA: LA SANTA CONTRAINSURGENCIA. *El Parcial* 12.

Sectas..., 1985, SECTAS PROTESTANTES Y EL ECUMENISMO EN MEXICO. *Estudios Ecuménicos* 4.

Sectas..., 1986, SECTAS O NUEVOS MOVIMENTOS RELIGIOSOS. DESAFIOS PASTORALLES. *Iglesias* 3, 31: 27-34.

Sects..., 1986, SECTS OR NEW RELIGIOUS MOVEMENTS, PASTORAL CHALLENGE. *Ateísmo y Diálogo* 21, 2: 117-135.

Selected..., 1978, SELECTED BIBLIOGRAPHY ON ESTABLISHED RELIGIONS AND POPULAR CULTS IN THE CARIBBEAN. Barbados: CADEC Documentation Service.

SEPULVEDA G., Juan, 1981, PENTECOSTALISMO Y RELIGIOSIDAD POPULAR. *Pastoral Popular* (Chile) 22, 1: 16-25.

SEPULVEDA, Juan, 1981, PENTECOSTALISMO Y RELIGIOSIDAD POPULAR. *Pastoral Popular* (Chile) 32, 1: 178-187.

SEPULVEDA, Juan (ed.), 1984, ANTOLOGIA SOBRE EL PENTECOSTALISMO. Santiago de Chile: Comunidad Teológica Evangélica [Chile].

SEXTON, James D., 1987, PROTESTANTISM AND MODERNIZATION IN TWO GUATEMALAN TOWNS. *American Ethnologist* 5: 280-302.

SHALLY, H., 1966, O DOM DA CURA. En: *O espírito...* 1966: 86-88.

SHAPIRO, Samuel (ed.), 1967, INTEGRATION OF MAN AND SOCIETY IN LATIN AMERICA. Notre Dame, Ind.: University of Notre Dame Press [Cf. Yuasa 1967].

SHAULL, Richard M., 1957-58, PROTESTANTISM IN LATIN AMERICA, 1. BRAZIL. *Religion in Life* 27: 5-14.

SHUSTER, Robert, 1985, DOCUMENTARY SOURCES IN THE UNITED STATES FOR FOREIGN MISSIONS RESEARCH: A SELECT BIBLIOGRAPHY AND CHECKLIST. *International Bulletin of Missionary Research* 9, 1: 19-29.

SIEBENEICHLER, Flávio, 1976, CATOLICISMO POPULAR, PENTECOSTISMO, KIRCHE: RELIGION IN LATEINAMERIKA. Bern: Lang, Regensburger Studien zur Theologie no. 3.

SIEPIERSKI, Paulo, 1987, EVANGELIZAÇÃO NO BRASIL: UM PERFIL DO PROTESTANTISMO BRASILEIRO; O CASO PERNAMBUCO. São Paulo: Sepal.

SILLETTA, Alfredo, 1987, LAS SECTAS INVADEN LA ARGENTINA. Buenos Aires: Contrapunto.

SIMILOX SALAZAR, Vitalino, 1989, EVANGELIZACION Y TEOLOGIA, DESDE UNA PERSPECTIVA MAYA-GUATEMALTECA. En: *El Protestantismo...*, págs. 87-99.

SIMONS, Marlise, 1982, LATIN AMERICA'S NEW GOSPEL. *New York Times Magazine*, Nov. 7, 1982, 45.

SIMONS, Marlise, 1986, PROTESTANT SECTS, FORMERLY SCORNED, NOW FIND EL SALVADOR IS FERTILE GROUND. *New York Times*, 20 enero.

SIMPSON, George Eaton, 1956, JAMAICAN REVIVALIST CULTS. *Social and Economic Studies* (Kingston) 5: 321-414.

SIMPSON, George Eaton, 1970, RELIGIOUS CULTS OF THE CARIBBEAN: TRINIDAD, JAMAICA AND HAITI. Río Piedras, Puerto Rico: University of Puerto Rico Press, Institute of Caribbean Studies.

SIMPSON, George Eaton, 1976, RELIGIONS OF THE CARIBBEAN. En: Rotberg & Kilson 1976.

SIMPSON, George Eaton, 1978, BLACK RELIGIONS IN THE NEW WORLD. Nueva York: Columbia University Press.

SINCLAIR, John H. (ed.), 1967, 1976, PROTESTANTISM IN LATIN AMERICA: A BIBLIOGRAPHICAL GUIDE. Austin, Texas: The Hispanic American Institute; 2ª. edición, South Pasadena: William Carey Library.

SKAR, Harald O., 1987, QUEST FOR A NEW COVENANT: THE ISRAELITA MOVEMENT IN PERU. En: Skar y Salomon 1987: 233-266.

SKAR, Harald O.; SALOMON, Frank (eds.), 1987, NATIVES AND NEIGHBORS IN SOUTH AMERICA. ANTHROPOLOGICAL ESSAYS. Göteborg: Göteborgs Etnografisk Museum [Cf. Skar 1987].

SLAY, James L., 1969, THE CHURCH OF GOD IN SOUTH AMERICA. *Church of God Evangel* 58: 4-7.

SLOCUM, Marianna; HOLMES, Sam (eds.), 1963, WHO BROUGHT THE WORD. Santa Ana, Cal.: Wycliffe Bible Translators, Summer Institute of Linguistics.

SMITH, Ashley, s.f., 1975, PENTECOSTALISM IN JAMAICA. Kingston: Mark Lane [The William Hammett Lecture 1975, Methodist Book Centre].

SMITH. Ashley, 1982, REAL ROOTS AND POTTED PLANTS: REFLECTIONS ON THE CARIBBEAN CHURCH. Kingston: Mandeville.

SMITH, W. Douglas, 1976, TOWARD CONTINUOUS MISSION: STRATEGIZING FOR THE EVANGELIZATION OF BOLIVIA. South Pasadena, Cal.: William Carey Library.

SOBERAL, José Dimas, 1981, CUANTAS SECTAS HAY EN PUERTO RICO. *El Visitante* 3.

SORIA FLORES, Abraham, 1984, EL PROBLEMA DE LAS SECTAS. *Senderos* 19: 81-91.

SPITTLER, Russell, 1975, WORLD'S LARGEST CONGREGATION: A CATHEDRAL IN CHILE. *Christianity Today*, Jan. 17, 33-39.

SPOERER, Sergio, 1984, LAS TRANSFORMACIONES DEL CAMPO RELIGIOSO EN AMERICA LATINA: UN ENSAYO DE INTERPRETACION. Primer Congreso Chileno de Sociólogos: 1984.

SPOERER, Sergio, 1986, PENTECOTISME ET RELIGIOSITE POPULAIRE AU CHILI. *Notes et Études Documentaires* 4815: 97-110.

SPOERER, Sergio, 1986, RELIGIOSIDAD POPULAR Y CULTURA DEMOCRATICA. Santiago de Chile: Instituto Latinoamericano de Estudios Transnacionales. Ponencia Segundo Congreso Chileno de Sociología, 12-14 Agosto 1986.

SPRING, Beth, 1985, NICARAGUA-THE GOVERNMENT'S HEAVY HAND FALLS ON BELIEVERS: SANDINISTAS CRACK DOWN ON PROTESTANT ACTIVITY. *Christianity Today* 29, 18: 51-52.

STAHEL, Tomás, 1985, LAS SECTAS EN EL PARAGUAY, ENTREVISTA A MONS. CUQUEJO. *Acción,* Revista Paraguaya de Reflexión y Diálogo 70 (17, 3): 20-24.

STAM, Juan B., 1984, PROYECTO EVANGELIZADOR DE LAS IGLESIAS PROTESTANTES EN COSTA RICA. *Senderos* (Instituto Teológico de América Central) 20: 41-57.

STEVENS-ARROYO, Antonio M., 1981, THE INDIGENOUS ELEMENTS IN THE POPULAR RELIGION OF THE PUERTO RICANS. New York: Fordham University [Tesis doctoral].

STIPE, Claude, 1980, ANTHROPOLOGISTS VERSUS MISSIONARIES: THE INFLUENCE OF PRESUPPOSITIONS. *Current Anthropology:* 21,165-179.

171

STIPE, Claude, 1983, THE ANTHROPOLOGICAL PERSPECTIVE IN "IS GOD AN AMERICAN?". Anthropologists and Missionaries: Part II: 26,117-138.

STOKES, Louie W., s.f., HISTORIA DEL MOVIMIENTO PENTECOSTAL EN LA ARGENTINA. Buenos Aires: edición del autor.

STOLL, David, 1982, FISHERS OF MEN OR FOUNDERS OF EMPIRE?: THE WYCLIFFE BIBLE TRANSLATORS IN LATIN AMERICA. London: Zed Press.

STOLL, David, 1983, WYCLIFFE BIBLE TRANSLATORS: NOT TELLING THE WHOLE STORY. *The Other Side*, February, 20-25; 38-39.

STOLL, David, 1984, "¿CON QUE DERECHO A DOCTRINAN USTEDES A NUESTROS INDIGENAS?": LA POLEMICA EN TORNO AL INSTITUTO LINGUISTICO DE VERANO. *América Indígena* 44, 1: 9-23.

STOLL, David, 1985, PESCADORES DE HOMBRES O FUNDADORES DE IMPERIO. Quito: Abya-yala, Centro de Estudios y Promocion del Desarrollo [Wycliffe, ILV].

STOLL, David, 1985, LA IGLESIA DEL VERBO EN EL TRIANGULO IXIL DE GUATEMALA, 1982. *Civilización* 3: 83-109.

STOLL, David, 1986, WHAT SHOULD WYCLIFFE DO? *Missiology:* 14, 37-45.

STOLL, David, 1990, A PROTESTANT REFORMATION IN LATIN AMERICA? *The Christian Century*, 17 enero, 44-48.

STOLL, David, 1990, IS LATIN AMERICA TURNING PROTESTANT? THE POLITICS OF EVANGELICAL GROWTH. Berkeley, etc.: University of California Press.

STOLL, Sandra J., 1986, PULPITO E PALANQUE: RELIGIÃO E POLITICA NAS ELEIÇÕES DA GRANDE SÃO PAULO. Campinas SP: Unicamp [Tesis de maestría].

SUENENS, Cardinal Léon-Joseph; CAMARA, Dom Helder, 1980, CHARISMATIC RENEWAL AND SOCIAL ACTION: A DIALOGUE. London: Darton, Longman & Todd, Malines Document 3.

SUENENS, L.-J.; CAMARA, Helder, 1979, RENOUVEAU DANS L'ESPRIT ET SERVICE DE L'HOMME. Bruselas: Lumen Vitae.

SWEENEY, Ernest S., 1970, FOREIGN MISSIONARIES IN ARGENTINA, 1938-1962: A STUDY OF DEPENDENCE. Cuernavaca, México: Centro Intercultural de Documentación, Sondeos 68.

SYMES, A. Patrick, 1955, ACTION STATIONS COLOMBIA. London: Christian Literature Crusade. World Wide Evangelization Crusade.

SYNAN, Vinson, 1973, THE OLD-TIME POWER, A HISTORY OF THE PENTECOSTAL HOLINESS CHURCH. Franklin Springs, Georgia: Advocate Press.

SYNDER, Howard A., 1976, METODISMO E PENTECOSTISMO. DESENVOL-VIMENTO HISTORICO. Simpósio (São Paulo) 14: 18-24 [Brasil].

T

TALAVERA, Carlos, 1976, THE CHARISMATIC RENEWAL AND CHRISTIAN SOCIAL COMMITMENT IN LATIN AMERICA. *New Covenant* 6: 2,3.

TAVARES, L., 1966, A MENSAGEM PENTECOTISTA E A REALIDADE BRASILEIRA. En: *O espírito...* 1966: 33-36.

TAVARES, Levy G., s.f., MINHA PATRIA PARA CRISTO. São Paulo/Brasília: edición del autor [Brasil, O Brasil Para Cristo].

TAYLOR, Clyde W.; GOGGINS, Wade T. (eds.), 1961, PROTESTANT MISSIONS IN LATIN AMERICA, A STATISTICAL SURVEY. Washington D.C.: Evangelical Foreign Missions Association.

TAYLOR, Jack E., 1962, GOD'S MESSENGERS TO MEXICO'S MASSES. Eugene, Oregon: Institute of Church Growth.

TAYLOR, Robert B., 1983, THE SUMMER INSTITUTE OF LINGUISTICS/WYCLIFFE BIBLE TRANSLATORS IN ANTHROPOLOGICAL PERSPECTIVE. Anthropologists and Missionaries: Part II: 26, 93-116.

TEIXEIRA MONTEIRO, Douglas, 1984, IGREJAS, SEITAS E AGENCIAS: ASPECTOS DE UM ECUMENICISMO POPULAR. En: Valle y Queiróz 1984: 81-111 [Brasil, ver también Alves 1984].

TENNEKES, Hans, 1985, EL MOVIMIENTO PENTECOSTAL EN LA SOCIEDAD CHILENA. Amsterdam/Iquique: Universidad Libre/CIREN, Publicaciones Ocasionales no. 1.

TENNEKES, J., 1978, LE MOUVEMENT PENTECOTISTE CHILIEN ET LA POLITIQUE. *Social Compass* 25, 1: 55-80 [Ver también Lalive d'Épinay 1978].

TENNEKES, Juan, 1973, LA NUEVA VIDA, EL MOVIMIENTO PENTECOSTAL EN LA SOCIEDAD CHILENA. Amsterdam: Vrije Universiteit, mimeo.

The Church..., 1982, THE CHURCH IN EL SALVADOR. Bruselas: Pro Mundi Vita Dossiers.

The New Missionary..., 1982, THE NEW MISSIONARY, PROCLAIMING CHRIST'S MESSAGE IN DARING AND DISPUTED WAYS. *Time,* 27 diciembre 1982, págs. 38-44.

The Rockefeller..., THE ROCKEFELLER REPORT ON THE AMERICAS. New York: Quadrangle Paperback.

THIESSEN, John C., 1961, A SURVEY OF WORLD MISSIONS. Chicago: Moody Press.

THORNTON, W. Philip, 1984, RESOCIALIZATION: ROMAN CATHOLICS BECOMING PROTESTANT IN COLOMBIA. *Anthropological Quarterly* 57, 1: 28-37.

TOOP, Walter R., 1972, ORGANIZED RELIGIOUS GROUPS IN A VILLAGE OF NORTHEASTERN BRAZIL. *Luso-Brazilian Review* 9, 2: 58-77 [Asamblea de Dios].

TOWNSEND, William Cameron, 1952, LAZARO CARDENAS. MEXICAN DEMOCRAT. Ann Arbor, Mich. [Wycliffe].

TOWNSEND, William Cameron, 1972, THEY FOUND A COMMON LANGUAGE. New York [Wycliffe].

TOWNSEND, William Cameron, 1974, HALLARON UNA LENGUA COMUN. COMUNIDAD A TRAVES DE LA EDUCACION BILINGUE. México: *Septentenas* 131 [Wycliffe].

TOWNSEND, William Cameron, 1975, LAZARO CARDENAS. DEMOCRATA MEXICANO. Barcelona [Wycliffe].

Traficando..., 1983, TRAFICANDO CON LA FE DEL PUEBLO. *Signo* 61.

TRIGO, Pedro, 1975, EL PENTECOSTALISMO CATOLICO EN VENEZUELA. SU MARCO HISTORICO. *SIC* (Caracas) 372; también en: *Perspectivas de Diálogo* (Montevideo) 10, 94: 113.

TROUTMAN, Charles H., 1971, EVANGELICALS ANDb THEb MIDDLE bCLASSES IN LATIN AMERICA. *Evangelical Missions Quarterly* 7, 2-3: 31-79, 154-163.

TRUJILLO, Jorge, 1981, LOS OSCUROS DISEÑOS DE DIOS Y DEL IMPERIO, EL INSTITUTO LINGUISTICO DE VERANO EN EL ECUADOR. Quito: Centro de Investigaciones y Estudios Económicos.

TSCHUY, Theo (ed.), 1969, EXPLOSIVES LATEINAMERIKA, DER PROTES-TANTISMUS INMITTEN DER SOZIALEN REVOLUTION. Berlin: Lettner Verlag.

TURNER, Frederick C., 1970, EL PROTESTANTISMO Y EL CAMBIO SOCIAL EN LATINOAMERICA. *Revista Paraguaya de Sociología* 7, 17: 5-27.

TURNER, Frederick C., 1970, PROTESTANTISM AND POLITICS IN CHILE AND BRAZIL (REVIEW ARTICLE). *Comparative Studies in Society and History* 12, 2: 213-229.

TURNER, Paul R., 1979, RELIGIOUS CONVERSION AND COMMUNITY DEVELOPMENT. *Journal for the Scientific Study of Religion* 18, 3: 252-260 [México, Wycliffe].

TURON, Simeón Jiménez, 1984, MUERTE CULTURAL CON ANESTESIA. *América Indígena* 44, 1: 95-99 [Venezuela, Wycliffe].

U

UNDIKS LABARCA, Andrés, 1985, EL CULTO PENTECOSTAL, UNA APRO-XIMACION SEMIOLOGICA. [Chile, Tesis de licenciatura en Antropología, Universidad de Concepción].

V

VACCARO, Gabriel Osvaldo, 1982, ¡ASI VEO AL SEÑOR!: EN LA IGLESIA, EN LAS LUCHAS ECLESIASTICAS, EN EL GOBIERNO Y RENOVACION DE LA IGLESIA, ETC. Buenos Aires: edición personal del autor.

VACCARO, Gabriel Osvaldo, 1988, IDENTIDAD PENTECOSTAL. Quito: CLAI.

VALDERREY, José, 1985, LAS SECTAS EN CENTROAMERICA. Bruselas: *Pro Mundi Vita Boletin* no. 100.

VALDERREY, José, 1985, SECTS IN CENTRAL AMERICA. Bruselas: *Pro Mundi Vita Bulletin* no. 100.

VALENCIA, Eduardo y.o., 1988, EN TIERRA EXTRAÑA. ITINERARIO DEL PUEBLO PENTECOSTAL CHILENO. Santiago: Editorial Amerinda.

VALLE, Edênio; QUEIROZ, José J. (eds.), 1984, A CULTURA DO POVO. São Paulo: Cortez [Cf. Alves 1984, Monteiro 1984].

VALPUESTA, José, 1985, ANTE LA INVASION DE LAS SECTAS. *Acción,* Revista Paraguaya de Reflexión y Diálogo 70 (17, 3): 27-31.

VALVERDE, J., 1987, SECTARISMO RELIGIOSO Y CONFLICTO SOCIAL. *Polémica* 3, 2: 15-25.

VALVERDE, J., 1989, LAS SECTAS EN COSTA RICA. San José: DEI.

VARGAS, Cristóbal, 1983, GUATEMALA: ¿NUEVO JERUSALEN? *Noticias Aliadas* 43.

VASQUEZ, Galo E., 1984, EL EVANGELISTA Y LA PREPARACION DE SUS CAMPAÑAS. En: *Documentos...* 1984.

VALASCO PEREZ, Carlos, 1982, LA CONQUISTA ARMADA Y ESPIRITUAL DE LA NUEVA ANTEGUERRA. Oaxaca, México: Progreso Bellini.

VELOSO, M., 1960, VISION GENERAL DE LOS PENTECOSTALES CHILENOS. *Anales de la Facultad de Teología* (Universidad Católica de Chile) 11.

VERGARA, Ignacio, 1955, AVANCE DE LOS "EVANGELICOS" EN CHILE. *Mensaje* 3, 41: 257-262.

VERGARA, Ignacio, 1962, EL PROTESTANTISMO EN CHILE. Santiago: Ediciones del Pacífico.

VERTOVEC, Steven A., 1984, THE EAST INDIANS OF TRINIDAD-THEIR SOCIAL, CULTURAL AND RELIGIOUS CONTEXT. Oxford: University of Oxford, Faculty of Anthropology and Geography, Nuffield College. Ponencia [Cap. 3 Religious Pluralism in Trinidad].

VIDAL M., Ana M., 1986, EL PENTECOSTAL Y "SU ACTITUD SOCIOPOLOTICA EN EL CHILE DE HOY". Concepción: CEMURI, Estudio Socio-Religioso no. 1.

VINGREN, Gunner, 1917, DIE VERKÜNDIGUNG DES EVANGELIUMS INMITTEN VON LÄRMENDEN PöBEL. DAS AUSGIESSEN DES HEILIGEN GEISTES IN BRASILIEN. *Verheissung des Vaters* 10, 1: 13-18.

Visión Mundial..., 1984, VISION MUNDIAL EN EL ECUADOR. Quito: CEPLAES, Serie Educación Popular, Cuaderno no. 2.

W

WAGNER, C. Peter, 1970, LATIN AMERICAN THEOLOGY: RADICAL OR EVANGELICAL? Grand Rapids, Mich.: Eerdmans.

WAGNER, C. Peter, 1970, THE PROTESTANT MOVEMENT IN BOLIVIA. South Pasadena, Cal.: William Carey Library.

WAGNER, C. Peter, 1973, LOOK OUT! THE PENTECOSTALS ARE COMING. Carol Stream, Ill.: Creation House.

WAYMIRE, Bob; WAGNER, C. Peter, s.f., THE CHURCH GROWTH SURVEY HANDBOOK. Global Church Growth Survey Handbook.

WEBER, Wilfried, 1978, CHARISMATISCHE BEWEGUNG UND THEOLOGIE DER BEFREIUNG. *Zeitschrift für Missionswissenschaft und Religionswissenschaft* 62, 1: 40-45.

WEBSTER, Douglas, 1964, PATTERNS OF PART-TIME MINISTRY IN SOME CHURCHES IN SOUTH AMERICA. London: World Dominion Press.

WEDEMANN, Walter, 1977, HISTORY OF PROTESTANT MISSIONS TO BRAZIL, 1850-1914. Louisville, Ky.: Southern Baptist Theological Seminary [Tesis doctoral].

WEDENOJA, William, 1978, RELIGION AND ADAPTATION IN RURAL JAMAICA. San Diego: University of California [Tesis doctoral].

WEDENOJA, William, 1980, MODERNIZATION AND THE PENTECOSTAL MOVEMENT IN JAMAICA. En: Glazier 1980: 27-48.

WESTMEIER, Karl-Wilhelm, 1986, THE ENTHUSIASTIC PROTESTANTS OF BOGOTA, COLOMBIA: REFLECTIONS ON THE GROWTH OF A MOVEMENT. *International Review of Mission* 85, 297: 13-24.

WESTMEIER, Karl-Wilhelm, 1987, RECONCILING HEAVEN AND EARTH: THE TRANSCENDENTAL ENTHUSIASM AND GROWTH OF AN URBAN PROTESTANT COMMUNITY, BOGOTA, COLOMBIA. Bern: Lang.

WHITTEN, Norman E., 1981, CULTURAL TRANSFORMATIONS AND ETHNICITY IN MODERN ECUADOR. Urbana: University of Illinois Press [Cf. Muratorio 1981].

WIETESKA, Mike; WIETESKA, Lorna, 1985, BILL EL PENTECOSTAL: UN HOMBRE CON UNA VISION (BIOGRAFIA DE BILL DROST, MISIONERO PENTECOSTAL EN COLOMBIA). Barcelona: CLIE.

WILGUS, A. Curtis (ed.), 1955, THE CARIBBEAN: ITS CULTURE. Gainesville, Florida. [Cf. Rycroft 1955].

WILHELMSEN, Jean, s.f., TRAILS THROUGH TRINIDAD. Des Moines, Iowa: Open Bible Standard Missions.

WILKERSON, J.K., 1980, CULTURAL TRADITION AND CARIBBEAN IDENTITY. Gainesville: University of Florida, Center for Latin American Studies [Cf. Römer 1980].

WILLEMS, Emilio, 1960, PROTESTANTISMUS UND KLASSENSTRUKTUR IN CHILE. *Kölner Zeitschrift für Soziologie und Sozialpsychologie* 12: 632-671.

WILLEMS, Emilio, 1963, PROTESTANTISMUS UND KULTURWANDEL IN BRASILIEN UND CHILE. *Kölner Zeitschrift für Soziologie und Sozialpschol ogie* 15, 7: 307-333.

WILLEMS, Emilio, 1964, PROTESTANTISM AND CULTURE CHANGE IN BRAZIL AND CHILE. En: d'Antonio y Pike 1964: 91-108.

WILLEMS, Emilio, 1965, RELIGIöSER PLURALISMUS UND KLASSENSTRUKTUR IN BRASILIEN UND CHILE. *Internationales Jahrbuch für Religionssociologie* 1.

WILLEMS, Emilio, 1966, RELIGIOUS MASS MOVEMENTS AND SOCIAL CHANGE IN BRAZIL. En: Baklanoff 1966: 205-232.

WILLEMS, Emilio, 1967, FOLLOWERS OF THE NEW FAITH, CULTURE CHANGE AND THE RISE OF PROTESTANTISM IN BRAZIL AND CHILE. Nashville, Tennessee: Vanderbilt University Press.

WILLEMS, Emilio, 1967, VALIDATION OF AUTHORITY IN PENTECOSTAL SECTS OF CHILE AND BRAZIL. *Journal for the Scientific Study of Religion* 6: 253-258.

WILLEMS, Emilio, 1968, CULTURE CHANGE AND THE RISE OF PROTESTANTISM IN BRAZIL AND CHILE. En: Eisenstadt 1968: 184-210.

WILLEMS, Emilio, 1969, RELIGIOUS PLURALISM AND CLASS-STRUCTURE: BRAZIL AND CHILE. En: Robertson 1969: 361-383.

WILLEMS, Emilio, 1972, EL PROTESTANTISMO Y LOS CAMBIOS CULTURALES EN BRASIL Y CHILE. Barcelona: Herder.

WILSON, Everett A., 1983, SANGUINE SAINTS: PENTECOSTALISM IN EL SALVADOR. *Church History* 52: 186-198.

WILSON, Everett A., 1988, THE CENTRAL AMERICAN EVANGELICALS: FROM PROTEST TO PRAGMATISM. *International Review of Mission* 77, 305: 94-106.

WILSON, Samuel (ed.), 1979, MISSION HANDBOOK: NORTH AMERICAN PROTESTANT MINISTRIES OVERSEAS. Monrovia, Ca.: MARC (Missions Advanced Research and Communication Center).

WIRPSA, Leslie G., 1985, EVANGELICOS Y PENTECOSTALES ASUMEN FE ANCLADA EN EL PASADO. *Noticias Aliadas,* 14 noviembre 1985: 3-4.

Y

YAMILETH, Guido, 1984, PROLIFERACION DE GRUPOS RELIGIOSOS. ¿INNO-VACION EN LAS IGLESIAS O DESPERTAR NEO-CONSERVADOR? *Aportes* (San José, Costa Rica) 4, 18: 26-32.

YUASA, Key, 1966, A STUDY OF THE PENTECOSTAL MOVEMENT IN BRAZIL: ITS IMPORTANCE. *The Reformed and Presbyterian World* 29: 63-72.

YUASA, Key, 1967, INDIGENOUS EXPRESSIONS OF PROTESTANTISM. In Shapiro 1967: 202-208 [Brasil].

Z

ZAPATA ARCEYUZ, Virgilio, 1981, HISTORIA DE LA IGLESIA EVANGELICA GUATEMALTECA. Guatemala: Serviprensa.

ZAPATA ARECYUZ, Virgilio, 1982, HISTORIA DE LA IGLESIA EVANGELICA EN GUATEMALA. Guatemala: Génesis Publicidad.

ZAPATA ARCEYUZ, Virgilio, 1984, EL EVANGELISTA Y EL ARTE DE LA COMUNICACION. En: *Documentos...* 1984.

ZARETSKY, Irving, I.; LEONE, Mark P. (eds.), 1974, RELIGIOUS MOVEMENTS IN CONTEMPORARY AMERICA. Princeton: Princeton University Press [Cf. Garrison 1974, Gerlach 1974, Goodman 1974].

ZAVALA HIDALGO, Rubén, 1989, HISTORIA DE LAS ASAMBLEAS DE DIOS DEL PERU. Lima: Ediciones Dios es Amor.